NATHALIE PETROWSKI

NATHALIE PETROWSKI

NOTES DE LA SALLE DE RÉDACTION

NOTES DE LA SALLE DE RÉDACTION
Composition : Composition Solidaire inc.
Montage : Zèbre Communications inc.
Maquette de la couverture : Zèbre Communications inc.
Robert Gaboury
Photographie : Panneton

ISBN 2-89035-069-X

Dépôt légal : Bibliothèque nationale du Québec, 4e trimestre 1983

Publié conformément au contrat d'édition de l'Union des écrivains québécois

Imprimé au Canada

COLLECTION « COMMUNICATIONS »

Dans la même collection :
La Télévision payante — jeux et enjeux
J.P. Lafrance et C. Gousse
La Télévision en vrac
J.P. Desaulniers

Notre catalogue vous sera expédié sur demande :
Les Éditions coopératives Albert Saint-Martin
5089, rue Garnier, Montréal (Québec) H2J 3T1
(514) 525-4346

DISTRIBUTION :
Diffusion Prologue inc.
2975, rue Sartelon
Ville Saint-Laurent
H4R 1E6
Tél. : 332-5860
Ext. : 1-800-361-5751

Avant-propos

Cette collection n'est pas le rapport scientifique et factuel d'une époque ou d'une société. Il s'agit plutôt d'une incursion tâtonnante et empirique dans ce que les anciens, en opposition aux modernes, nomment la confusion des genres. C'est-à-dire un croisement de races entre le monde ineffable des mots et la réalité palpable des événements. Une tentative d'hérésie au pays plat de l'information avec les instruments faillibles de l'expérience humaine plutôt qu'avec ceux tout aussi faillibles de la logique et de la raison.

Parce que le style, finalement, sert l'information, j'en suis convaincue. Parce que le style informe, provoque et fait réfléchir autant, sinon plus, que les sciences de l'exactitude dans lesquelles se glisse immanquablement une part d'interprétation et de déformation. Parce qu'il faut séduire pour informer.

En relisant les critiques, les entrevues, les reportages, les commentaires, j'ai compris que cette démarche n'était pas sans failles et sans pièges. La recherche de style parfois l'emporte carrément sur l'information. L'émotion rejaillit et écrase inutilement le propos. La subjectivité perd le nord et perd parfois le sens des directions. Le journalisme en témoigne, comme il témoigne du reste. C'est l'honnêteté de l'écriture journalistique. Elle demande de réagir vite, sur le champ, sans prendre le temps de succomber aux mécanismes de prudence qu'appelle la perfection littéraire. L'écriture est bâclée, absorbée par l'immédiat et habitée d'une fièvre nerveuse. Impossible de fignoler devant la guillotine de l'heure de tombée. Il faut accoucher. Tout de suite. Pas demain. On se résoud par la même occasion à être éternellement frustré par cette forme de communication plutôt fuyante.

Lorsque je parcours ces textes écrits à la hâte, je me surprends moi-même. Certains me font rire, d'autres me font rougir. Il y en a qui m'ennuient. Les derniers me sidèrent. Je constate aussi à quel point les choses ont changé. La marge de liberté et de créativité a considérablement diminué dans les entreprises de presse d'aujourd'hui.

Les menaces de poursuites quotidiennes ont installé un climat de crainte et de caution. La moitié des textes écrits il y a quatre ou cinq ans ne passeraient plus la rampe. Ils seraient charcutés par les autres ou alors censurés par moi-même. La nuance est de mise maintenant.

Pour cette collection, j'ai donc choisi les textes les plus vivants, les plus comiques, ceux qui ont suscité de mémorables polémiques. J'ai pensé qu'il serait utile d'accompagner ces textes parfois dépassés de commentaires écrits avec la distance et le recul des années. Un exercice d'auto-critique s'imposait, ne serait-ce que pour faire le point sur mon métier et m'astreindre moi-même au sort que j'ai fait subir à plusieurs. Le détachement m'a aidée à situer les textes dans ce que je crois être leur juste contexte. J'ai compris que la plupart des prises de position sont périssables et ont désespérément besoin des feux de l'actualité pour briller. J'ai également compris ce que je soupçonnais depuis longtemps : seule l'écriture traverse le temps...

Notes de la salle de rédaction

Je ne lis pas souvent les journaux. Je regarde surtout les images figées dans l'actualité. J'effleure les titres en gros caractères éclaboussés à la grandeur des pages. Je relis distraitement le texte écrit la veille et qui porte ma signature presque abstraite. Est-ce bien moi qui ai écrit cela ? Chaque lundi matin, je fouille méthodiquement la liste des accidents de fin de semaine. Je cherche inconsciemment un nom familier, probablement le mien, imprimé par accident. Je ne le trouve jamais. Alors je tourne la page, ferme le journal pour la journée et pour la semaine. Jusqu'au lundi suivant.

Non, je ne lis pas souvent les journaux. Je me contente de travailler dans un journal. Depuis sept ans, je « punche » ma carte, je réponds au téléphone et aux accusations... Je mitraille les mots dans l'indifférence des balles perdues et l'amertume de la machine à café. J'écris tous les jours pour me tester et voir jusqu'où je vais « toffer ». Je griffonne des notes, je griffe des susceptibilités. J'accumule les faits, je les mets en banque, je les lâche comme des bolides, je les revends à crédit. Je m'abandonne au bruit strident de la machine qui tape son lot quotidien et uniforme.

Je tape contre la norme, contre le rouleau compresseur des comportements codés, contre la technocratie des réducteurs de style. Je regarde le journal froissé d'hier traîner sur le trottoir et celui d'aujourd'hui qui sent encore l'encre, prêt à dévoiler ses secrets d'État et à faire ses cruels petits ravages. Je vis dans l'éphémère, dans l'instantané. « Here today, gone tomorrow. » Je vis dans l'éternel recommencement du quotidien routinier. Je vis dans la nouvelle et la nouveauté érigées en formules et mises au monde par insémination artificielle. Des fois, je sens la terre se dérober sous mes pieds. Des fois, je sens un grand vide...

Je ne suis nulle part. Nowhere. Ni à gauche, ni à droite, ni même au centre. Je ne suis nulle part et veux être partout à la fois. Je suis à contre-courant. Je change de camp selon l'adversaire. J'épouse spontanément les contradictions et je m'épuise à vouloir les réconcilier.

Mon cheminement dans le journalisme n'a suivi aucun plan de carrière, aucune logique sinon celle de l'anarchie. Je suis devenue journaliste par hasard, sans formation, en me moquant de ceux qui prétendaient avoir la vocation. J'ai pris plaisir à écrire et plaisir à voir mes écrits publiés quotidiennement. La rigueur des faits, des chiffres et des statistiques, tous ces rappels à l'ordre et à la raison, m'ennuyaient. Je trouvais qu'ils venaient inutilement alourdir le propos et gâcher mes histoires. Je suis devenue journaliste pour le drame, pour l'action, la réaction, pour ces fragments de vie qui portent chacun en eux un destin, une finalité.

Aujourd'hui, lorsqu'on me demande ce que je fais dans la vie, j'hésite avant de répondre journaliste. Je me sens si peu journaliste et si peu représentative de la confrérie. Mais puisqu'on n'investit pas sept ans de sa vie dans un métier, puisqu'on n'encaisse pas un chèque de paie chaque semaine en refusant systématiquement d'adhérer, je réponds que j'écris dans un journal. Je prends bien soin de marquer une pause salutaire entre les deux mots pour indiquer mes priorités et surtout ma souveraine indépendance face au métier et face au monde entier. Immanquablement le mot journaliste me revole en pleine face. J'abdique. Journaliste d'accord. Plus je répète le mot et moins j'y crois, plus ce mot imbu de son pouvoir et de son importance, empêtré dans son éthique, son sens moral et son sens des responsabilités m'ennuie et m'exaspère.

Journaliste, d'accord ! Mais à ma façon. Pas sur commande, ni en série, avec le « lead » obligatoire et la sensation en garantie. Produire pour produire, non merci ! Chier de la copie, noircir du papier, remplir des espaces rabougris en zone occupée, trafiquer la réalité pour qu'elle passe mieux à travers le trou de serrure de l'actualité, non merci !

Journaliste en autant que je peux décrire la réalité telle qu'elle se présente à moi, sans faux-fuyants, sans faire semblant, sans autocensure, sans ménager les mots ou chercher à protéger l'image, l'étiquette ou la marque de commerce de qui que ce soit. Journaliste en autant que je peux écrire en toute liberté en laissant les mots débridés courir par eux-mêmes, réfractaire au système qui me demande de freiner l'écriture, de la normaliser, de la standardiser au nom d'une objectivité fade, froide et fonctionnelle. Journaliste en autant que je peux raconter une histoire.

J'en vois déjà qui sursautent. Raconter une histoire, vous n'y pensez pas ! Un journal offre des services comme des conserves sur les étalages des supermarchés ; un journal ne raconte pas des histoires, c'est pas sérieux. Un journal livre la marchandise, un kilo de faits ficelés dans un petit paquet compact d'où ne dépasse pas le moindre fil. Un journal rapporte des faits, pas des histoires.

J'insiste. Un journal rapporte les faits, mais rien n'empêche les journalistes de les retransmettre de manière vivante et claire. Quel mal y a-t-il à vouloir « raconter » les faits au lieu de les servir bêtement et platement comme un souper froid. J'insiste doublement parce que je prends plaisir à raconter une histoire au lecteur, à l'informer de façon détournée en lui faisant revivre, dans la mesure du possible, les événements vus et vécus la veille. Je ne m'efface pas devant le lecteur, au contraire, j'élève la voix. Je cherche la conversation, pas la manipulation. J'exprime mon point de vue, j'imagine que cela stimule le sien.

Je pourrais une fois pour toutes m'exiler dans la littérature, bien au chaud dans la fiction. J'écrirais des histoires sans forcément m'inspirer de la réalité et le lecteur saurait à quoi s'en tenir. J'ai déjà essayé et j'ai vite perdu intérêt. À chaque fois la sonnette, la sonnerie ou la sirène de police venaient m'enlever à ma rêverie. Comment leur résister ? J'ai toujours eu l'impression que ce qui se passait dehors, dans la rue et dans le trafic, était plus stimulant que ce qui broyait du noir dans le laboratoire de ma solitude. J'ai toujours eu envie de sortir...

De beaux principes, me répètent les rédacteurs en chef et les chefs de pupitre, mais où est la nouvelle ? Où est le « lead » ? Où est cette petite capsule explosive qui va immédiatement accrocher la pupille dilatée du lecteur ? Les faits, venons-en aux faits. Quel est le nom, l'adresse et le numéro matricule de Monsieur X ? Quelle était la nature de ses propos ? Demain, tous les journaux rapporteront les mêmes faits, les mêmes propos, multiplieront la même information. Le journalisme est un sport. Tout le monde doit jouer de la même manière. Prière aux non-conformistes de s'abstenir.

Assise devant mon écran cathodique, le regard lavé par le lettrage électronique, coincée entre la salle de rédaction et la société, je me sens comme un chien dans un jeu de quilles. Devant moi s'étend un paysage de silhouettes studieuses et prostrées, séparées de moi par leurs carrières et leurs dossiers. Tout à l'heure, j'irai vendre ma salade et me battre pour un espace en zone occupée. On me dira que les impressions, les atmosphères, les descriptions et les états d'âme, ça manque de rigueur et que c'est bon pour les romans. On me dira qu'il n'y a pas de place dans un journal pour faire de la poésie ou de la philosophie. On me dira que le brunch de Mulroney avec les délégués de la Chambre de commerce est prioritaire.

Il ne suffit pas d'écrire un texte, encore faut-il savoir le vendre aux différentes et divergentes hiérarchies de la salle de rédaction. Si le texte est mal joué, s'il n'est pas mis en évidence, s'il sert de bouche-trou trois jours plus tard sous la chronique nécrologique, il y a de bonnes chances qu'il passe inaperçu et qu'il n'ait pas l'impact désiré. La mise en page, l'organisation des textes dans la vitrine de l'information, la place accordée aux photos, sont des jeux de stratégie où se révèlent les vrais pouvoirs politiques, ceux qui, dans un journal, échappent finalement aux journalistes. Ceux-ci, à moins d'être protégés par une chronique régulière, ne décident ni des titres, ni de la mise en page, ni de subtiles coupures, ni même, à la limite, des dates de parution. Ceux-ci ne décident pas de grand-chose finalement.

Le manège est à recommencer tous les jours. Avant d'aller négocier avec le pupitre, j'irai prendre le pouls de la société. Sur le terrain, mon métier est souvent une course d'obstacles et un concours de personnalité. Il n'y a pas plus mal chaussé qu'un cordonnier et pas plus mal informé qu'un journaliste. La société a édifié autour de lui un mur d'apparences, sillonné par la sentinelle des attachées de presse, des consultants en communication, des agents de marketing et des vendeurs de publicité. Ceux-ci ont une fonction bien précise : bloquer l'accès à l'information et empêcher que la vraie nouvelle sorte. Sous leur règne, l'information n'est qu'un communiqué de presse propre et net, conçu pour la propagande ou la réclame publicitaire. Hollywood lave toujours plus blanc.

Un exemple : la firme X convoque une conférence de presse pour « annoncer le lancement d'une vaste campagne d'information et de publicité dont le premier objectif est d'inciter les jeunes à faire preuve de bon jugement et de modération dans la consommation d'alcool ». Cette campagne, nous dit-on, est le fruit du bénévolat de l'industrie de la communication et des médias du Québec.

À la dite conférence de presse, les journalistes se font remettre une tonne de statistiques portant sur l'alcoolisme et les jeunes. On nous parle d'une campagne de publicité « sociétale », bénévole, s'adressant au citoyen au lieu du consommateur. Curieusement, cette campagne est commanditée par Labatt. Le message contre-publicitaire a été réalisé par la même compagnie que celle qui a créé la super-campagne Budweiser.

On veut sensibiliser les journalistes aux abus de l'alcool

chez les jeunes alors que le problème est largement attribuable aux abus de la publicité et à l'omni-présence des brasseries dans tous les grands événements. On nous vante les mérites de la publicité sociétale alors que celle-ci n'est qu'un prétexte pour redorer l'image sociale des corporations et se soulager la conscience publiquement.

Le communiqué attire l'attention du journaliste sur un seul point pour mieux escamoter tous les autres. Au-delà de ce communiqué, mon billet n'est plus valable. Lorsque je demande aux représentants de Labatt à quelle fréquence ils diffusent la réclame Budweiser qui nous casse les oreilles depuis deux ans, ils ne peuvent malheureusement me dévoiler aucun chiffre. Voilà tout le problème...

Les vraies informations ne sont pas souvent disponibles. Il faut être aux aguets, savoir distinguer les fausses pistes des vraies. Parfois je me trompe carrément. Parfois j'avance des vérités par pure intuition, mais sans la moindre preuve à l'appui. Parfois je manque de rigueur. On me surveille tout le temps. J'ai rarement une minute de répit. Je subis le chantage affectif d'un tel contre la menace ou la manipulation d'un autre. L'annonceur boude et coupe le robinet de la publicité. Celui qui prétend avoir mal été interprété ne veut plus me parler. Tous les jours, je suis prise entre deux feux : ne pas trahir mes contacts et ne pas renoncer à ma liberté d'informer. La contradiction est souvent insupportable. La plupart du temps, je n'obtiens des informations qu'avec la complicité de ceux qui ont intérêt à voir certaines révélations publiées et certaines réputations ternies ou grandies. L'information n'est jamais gratuite. Elle est politique, elle est intéressée.

Watergate n'est pas le travail d'un loup solitaire, d'un héros qui s'est porté garant de la démocratie. Watergate est l'histoire d'une fuite habilement orchestrée. Les journalistes ne sont pas au-dessus de tout soupçon. Il y en a des bons, il y en a des mauvais. Il y a ceux aussi qui posent les bonnes questions, qui lisent entre les lignes et qui, à force de s'entêter, trébuchent sur de gênantes vérités. Il y en a qui gobent tout ce qu'on leur dit, merci.

Plus j'avance dans ce métier et plus sa pratique m'apparaît difficile. La société québécoise a beaucoup changé, ses journaux aussi. Les compressions d'espace compliquent la tâche plus qu'avant. Dans leur minceur maladive, les journaux ne sont plus aussi ouverts et accueillants qu'avant. Les textes doivent être courts, synthétiques et aller droit au but. Les recherches de style prennent trop de place. L'information différente est un luxe qui empiète sur le territoire zoné des services essentiels. Le manque d'espace renforce les formules et proscrit tout ce qui déroge à la formule et jure avec le format.

À force de trop courtiser les pouvoirs, de frayer avec les élites et de faire primer la suprématie politique, certains journalistes ont perdu contact avec leur société. L'ultra-politisation des uns ne fait que ressortir l'apathie et la dépolitisation des autres. Le manque de mobilité des journalistes, le vieillissement des salles de rédaction et l'impossibilité d'injecter du sang neuf ne font qu'amplifier la perte de contact avec l'évolution sociale.

Rebutée par l'intellectualisation et par les ghettos d'hermétisme, appréhendée par le politique, je ne sais parfois plus sur quel pied danser. Certains jours, je désespère à l'idée de banaliser mon écriture en l'enterrant sous un déluge de données abstraites. Je sens que je ne peux plus écrire aussi librement. Je sens aussi que je n'écris plus avec la facile aisance d'autrefois. D'un côté, la routine me guette. De l'autre, la profonde complexité des dossiers me renvoie mon impuissance fondamentale à faire le tour de toutes les questions. Un pied dans la rue, l'autre dans la salle de rédaction, partagée entre les structures du système et l'anarchie des libres penseurs, je me sens entre deux mondes, entre deux époques, entre deux générations. Une partie de moi s'accroche aux institutions. L'autre sait pertinemment que tout est mouvements, courants, ouverture, disponibilité.

En dernier recours, je m'en remets à l'actualité, ce temps conjugué au présent et transformé en terrible et terrifiant agent d'érosion. Ce temps m'obsède. Il déclenche les automatismes, neutralise ma curiosité sans cesse sollicitée et finit par avaler le meilleur de mes énergies. Je m'abandonne à la vitesse qui certains jours me grise et le lendemain m'épuise, me donne l'impression de faire du sur-place, de toujours survoler les choses sans jamais les approfondir et de me retrouver en pièces détachées sur la mer démontée de l'information.

Puis, dans le feu de l'action, au coeur du volcan, dans la friction des événements et le fracas des gestes, je sens que je participe au complot collectif, je sens que le monde est multiple et mobile, qu'il m'échappe de la même manière qu'il m'appartient. Les choses me touchent plus profondément quand je dois m'y arrêter pour les regarder et les rapporter. Car rapporter, c'est un peu s'approprier le monde, c'est voir le monde à travers soi et le redonner à voir aux autres, c'est rouler avec ce train furieux qui m'entraîne dans la nuit vers une histoire toujours à recommencer, toujours à redécouvrir, comme si c'était la première fois ou peut-être la dernière...

LA CRITIQUE

La critique : un stimulant social...

La critique est-elle un pouvoir perfide, une forme d'expression ou une simple opinion parmi tant d'autres ? La critique a-t-elle une véritable influence sur la société ou pas ? Le débat est vieux comme le monde. Pourtant, les jours de grande grisaille, quand les déclarations des politiciens se suivent et se ressemblent toutes, la critique reprend du poil de la bête et soulève encore quelques belles passions.

La critique est aisée, l'art est difficile, disait Destouches. Et Baudelaire de lui répondre : « La critique doit être partiale, passionnée, politique, forte d'un point de vue exclusif, d'un point de vue qui ouvre les horizons. » La critique est un simple intermédiaire, lancent les uns. La critique est un éteignoir et un rabat-joie, rétorquent férocement les autres.

Dans le domaine, les clichés abondent. Le mot, galvaudé, usé à la corde comme une vieille éponge à récurer, suscite à chaque performance une longue liste de qualificatifs péjoratifs. Critiquer, c'est tout de suite démolir, détruire, aller contre le créateur et la création. Critiquer au Québec, c'est encore pire. C'est refuser de participer au projet collectif, c'est se mettre toute la famille à dos, c'est menacer la culture, et même l'assassiner sur la place publique.

J'ai pour ma part toujours cru que la critique était intimement liée à l'acte créateur. La critique offre la distance, le recul, le regard qui permet de corriger, de peaufiner, d'améliorer et de faire avancer les choses. Mais la critique n'est pas que douce, elle est aussi dure, exigeante. Elle est un stimulant social, un agent provocateur, un coup de pied au cul, un rappel à l'ordre. Elle se bat contre l'ego complaisant et paresseux des colporteurs de camelote. Elle se bat contre les faux espoirs, *contre les promesses non tenues, contre le manque de talent et de générosité.*

De quel droit, me direz-vous ? D'aucun droit, sinon celui de l'amour et du respect des choses. Quand un artiste monte sur une scène, quand un cinéaste draine un public dans l'obscurité d'une salle de cinéma, quand le rideau se lève au théâtre, nous sommes tous en droit d'attendre quelque chose. Nous voulons apprendre, rêver, ressentir, rire, vibrer. Nous voulons être transportés ailleurs ou encore plongés au plus profond de nous-mêmes. Nous voulons nous retrouver dans l'incarnation d'un instinct collectif. Nous sommes venus au rendez-vous. Nous avons fait notre effort. À ceux qui nous ont invités de faire le leur.

Les goûts ne sont évidemment pas à discuter car ils proviennent de destinées différentes. Le critique n'est pas à l'abri de son propre destin. Il a un âge, un sexe, il appartient à une certaine génération, vient d'un certain milieu social, a vécu tels traumatismes et subi tels conditionnements. Il ne doit d'ailleurs jamais en faire abstraction. En développant son style, sa grille d'analyse, il doit affirmer sa personnalité. Au lecteur d'adhérer à ses idées ou pas. C'est à prendre ou à laisser. Dès lors, tout jeu de pouvoir entre celui qui critique et celui qui est critiqué, est aboli. Tout rapport de force et de persuasion entre le critique et le lecteur disparaît.

Le critique n'est pas un militant. Il doit être indépendant des causes, des parti-pris et des idéologies figées. Il doit évoluer et se remettre en cause tout le temps. Le critique est un animateur culturel, un brouilleur de pistes et un agitateur qui soulève les questions que personne n'ose soulever.

Le critique est aussi le produit d'une société. Ses critiques sont ponctuelles. Combien d'artistes sont morts incompris, reconnus trop tard et envoyés avec culpabilité dans le convoi de la postérité. Ce n'était pas tant la faute des critiques que l'influence de leur société. Le critique doit avoir le droit de se tromper, et parfois même le droit de s'en excuser.

Doit-il toutefois aspirer à la pérennité et passer sa vie à critiquer les oeuvres des autres et à vivre un peu à travers eux? La question me hante depuis un certain temps. Roland Barthes a consacré sa vie à la critique pour se rendre compte à la fin de sa vie qu'il aurait peut-être dû faire de la fiction. François Truffaut et Jean-Luc Godard ont quitté Les Cahiers du Cinéma pour la caméra. Jacques Godbout passe régulièrement et sans douleur de la critique littéraire à la littérature. La critique américaine Pauline Kael est revenue complètement dépitée de son escapade hollywoodienne. Il n'y a pas de règles. Pas de recettes.

Je trouve pour ma part qu'il y a dans la critique une sorte d'idéalisme absolu qui, à la longue, peut devenir desséchant. C'est tout le dilemme de la spécialisation. Le critique ne vit, ne voit, ne respire, ne se limite qu'à un seul univers toute sa vie. La perspective ne m'enchante guère, peut-être parce que j'ai trop la bougeotte et que je souffre d'une incurable curiosité. La critique reste pour moi une forme d'expression et d'écriture parmi tant d'autres. J'y reviendrai tout au long de ma vie, mais je ne me gênerai pas pour être infidèle...

René Simard à la PdA : un très mauvais voyage d'acide

Voir un show de René Simard à la PdA c'est ouvrir un gros sac de Noël pour y découvrir le magasin à rayons du showbizz dans toute sa splendeur. C'est prendre le traîneau du Père Noël pour Las Vegas, sans billet de retour, à condition évidemment d'avoir entre deux et huit ans, de croire à la fée des étoiles et à toutes les pâtisseries que la mythologie enfantine peut inventer pour stimuler l'imagination.

Pour celui ou celle qui n'a pas huit ans et qui a encore la prétention d'affirmer que la scène peut, à l'occasion, être le haut-lieu d'une expression privilégiée, un show de René Simard c'est tout simplement un très mauvais voyage d'acide au pays de l'insignifiance humaine. Mercredi soir (comme tous les autres soirs d'ailleurs), les nombreux fantômes qui ont un jour rêvé de faire la PdA, avaient enfin l'occasion de surgir de leurs tombes : Renée Martel qui chante « J'ai mangé de la vache enragée » avec autant de passion qu'un âne endormi, Paolo Noël version Perry Como avec la seule exception qu'il porte une boucle d'oreille louche, accessoire anodin qui réussit néanmoins à détruire l'image du papa bonbon et qui donne lieu aux pires suppositions, les choeurs larmoyants de la Ligue des droits de l'homme (puisque hommes et femmes, noirs et blancs y sont dûment représentés), une équipe de robots noirs et dansants tout droit sortis de Star Wars et quatre jeunes danseuses recrutées dans un orphelinat de l'Arizona mais qui, avec les années, se sont bien dévergondées. Côté décor, le délire est encore plus grand : un arbre de Noël hallucinant, un rideau de lumière dans les tons inspirants de vert lime et de jaune serin, de grosses fontaines phalliques (les fameuses « dancing waters ») qui crachent de l'eau en spasmes hystériques et vous font craindre l'inondation ; de la musique, de la lumière, de la gaieté, un pétillement incessant d'énergie, de quoi vous donner mal au coeur pour toute la soirée et pour plusieurs jours à venir.

Au milieu de ce cafouillis de couleurs et de crème fouettée, le petit René, un peu plus grand, un peu plus vieux, comme la cerise sur le sundae dans la vitrine de chez Woolworth. Le petit Simard, en noir, en bleu, en blanc, le petit Simard dansant comme un elfe, chantant, essayant de baragouiner quelque obscur message dans une langue qui lui a été enseignée par un Martien fort érudit, Martien qui se tenait un peu trop souvent dans les casinos de Las Vegas. Le petit Simard avec sa voix d'or, aussi plate et morne qu'un bloc de béton, aussi mélodramatique que de la guimauve fondant au-dessus du feu de camp. Un cauchemar style colonial, clinquant, tape-à-l'oeil ; un melting-pot des pires courants de la quétainerie nord-américaine. Un exercice de perfection dans l'art de surcharger, à tel point que la nausée finit par devenir un état naturel et que les méthodes les plus hallucinatoires pour remédier à l'indigestion finissent par se montrer impuissantes.

À 16 ans, René Simard, parfait petit pantin de l'impérialisme du sain divertissement, continue à faire la grenouille soumise, embrassant les 200 nymphettes de 4 ans comme s'il leur donnait la sainte communion. Nourri au vitriol, piqué au beurre d'arachide, il est tout en ressorts mais il est aussi profondément unidimensionnel, comme si derrière la poupée en carton, il n'y avait rien qu'un grand vide déprimant.

Rien dans les mains, rien dans les poches, rien qui ne

dépasse, pas une once d'émotion, pas un pouce d'intelligence. René t'es tellement doué, t'es tellement beau et fin et parfait, que je me demande parfois, René, si tu existes vraiment.

Le Devoir, *le 16 décembre 1977*

À propos du p'tit Simard...

Par suite des nombreux appels, plaintes, doléances et amers jugements de la part des fans invétérés et tenaces de René Simard, la critique ici présente a cru comprendre que, dans le temple sacré du showbizz, il ne faut surtout pas s'attaquer aux idoles, encore moins aux institutions. Ce que la critique a moins saisi cependant, c'est cette kyrielle de prétextes à tendance raciste, utilisés pour défendre la victime Simard.

Ainsi de nombreuses dames, fidèles auditrices de CKVL, ont vu un rapport direct entre l'ascendance familiale de la critique, les sonorités bizarres de son nom et le fait qu'elle soit aussi dédaigneuse à l'endroit du p'tit Simard. Une dame bienveillante m'a d'ailleurs demandé à ce sujet-là si ma mauvaise volonté ne tenait pas au fait que René Simard ne s'appelait pas lui aussi René Simarski. Une autre a offert un billet aller pour la Sibérie afin que je disparaisse à jamais et que j'arrête de polluer l'air d'ici. D'autres ont cru lire entre les lignes les symptômes d'une grande perfidie, d'une méchanceté ancrée dans le coeur d'une malheureuse frustrée qui a raté sa vie et qui a décidé de se venger sur le dos du pauvre monde. Certaines personnes, à peine plus généreuses, en viennent à la conclusion que René Simard, parce qu'il ne porte pas les cheveux jusqu'au nombril et qu'il ne fume pas du pot, n'entre tout simplement pas dans mon schème de valeurs douteuses. L'imprésario de la victime, grossier personnage dont j'ai déjà oublié le nom, a juré devant Dieu et devant plusieurs témoins que s'il me rencontrait dans une ruelle (il paraît que j'affectionne ces endroits privilégiés), il s'empresserait, lui et ses gorilles, de me réduire en bouillie. Sans mentionner le tollé d'insultes lancées à l'égard d'une ingrate « immigrée » qui ose s'attaquer à un pauvre enfant de 16 ans, enfant dont le génie est avéré depuis qu'il a connu l'ultime consécration à Las Vegas sur la même scène que Frank Sinatra et, ne l'oublions pas, sur la même scène que ce talentueux guignol du nom de Liberace.

Je pourrais continuer ainsi pendant des pages et des pages mais la ligne du téléphone ne dérougissant pas, je commence à sérieusement manquer d'inspiration. Tout ceci pour dire que les goûts ne sont pas à discuter et que, s'ils sont étroitement liés aux valeurs qu'un individu endosse selon son âge, son éducation, sa culture, ils reflètent aussi de temps à autre certains changements qui s'opèrent dans une société, société dont le critique fait partie au même titre que n'importe quel citoyen. Dans cette société, le critique a le droit, sinon le devoir, de rapporter fidèlement et d'une façon lucide ce qu'il a vu et observé pendant un spectacle. Il le fait de son mieux parce qu'il est payé pour le faire, que le sujet l'intéresse (sans cela il ferait autre chose) et aussi parce qu'il fait cela chaque soir, ce qui lui donne un certain avantage sur le spectateur moyen.

Ainsi, des shows comme ceux que l'on présente à Las Vegas, le critique en voit à la tonne : les uns sont impeccables et professionnels, et c'est dans une perspective de civilisation américaine qu'on les juge. Mais, dès lors qu'un petit Québécois veut faire comme à Las Vegas sans même injecter dans son spectacle des éléments de son milieu, de sa société, de sa culture, il s'expose forcément à des jugements sévères. Les bons spectacles américains, le critique sait où les trouver ; c'est d'ordinaire aux États-Unis qu'on les voit. C'est pourquoi le critique n'éprouve aucun sentiment de culpabilité à réserver au p'tit

Simard le même sort qu'il réserverait aux autres shows de Las Vegas.

Après tout, ce n'est pas parce qu'il est Québécois qu'il faut prendre des gants blancs. Le temps est révolu où le critique adulait les Québécois parce qu'ils étaient Québécois.

Le Devoir, *le 22 décembre 1977*

René Simard : l'homme ou l'eunuque

Dieu que le temps passe vite ! Il y a trois ans, René était encore un enfant et moi je commençais à peine dans le métier. Aujourd'hui, René est un homme et moi je suis à la veille de prendre ma retraite. Faut tuer le p'tit Simard, voilà le nouveau slogan mis au point par l'as des carrières, le lieutenant-colonel Guy Cloutier. Quant à moi, on aurait dû le tuer depuis longtemps, mais ce n'est évidemment pas de mes affaires.

Le p'tit Simard est mort, vive Monsieur René, un homme. Finis les tartes à la crème, le caramel et les sundaes fondants, finis les chiens savants, René est un homme, il vient de changer de camp et de folklore. Entourons-le cette fois de sous-entendus vaguement sexuels, de filles, de femmes, de chansons d'amour et d'alcôve, déboutonnons sa chemise pour montrer le glorieux poil qui a réussi à pousser, bourrons-le aux hormones pour en faire un mâle, un séducteur, un grand tombeur de ces dames. L'enfant est mort, vive l'être sexué. Guy Cloutier, savant manipulateur, a pensé à tout sauf à l'essentiel. S'il avait su lire le dictionnaire, il aurait vu qu'un homme est un être doué d'intelligence et d'un langage articulé, rangé parmi les mammifères de l'ordre des primates et caractérisé par son cerveau volumineux. Or, il est fort difficile de mesurer l'intelligence quand elle se promène en pantalons serrés sur scène, quand elle éprouve une certaine difficulté à aligner les mots les uns à la suite des autres et quand les bruits qui sortent de sa bouche ressemblent à des gargarismes informes et gélatineux.

Rendons cependant à César Cloutier ce qui lui appartient. La version 80 de sa conception du spectacle a définitivement plus de classe. Cloutier vient peut-être même d'inventer un nouveau style, le néo-classico-quétaine. Le puissant orchestre qui accompagne son poulain est efficace et punché, les choristes sont parmi les meilleures voix en ville. Les effets d'éclairage sont minutieusement synchronisés tout comme les démonstrations audio-visuelles. Les numéros de chorégraphie, qui sont tour à tour la réplique exacte de la scène du début de *All that Jazz* et de quelques scènes de *Grease* avec la participation d'une armée de jeunes demoiselles à peine sorties de leur puberté, sont bien pensés. Dans la deuxième partie, Cloutier pousse même son audace créatrice jusqu'à la théâtralisation. Habillé en Elvis et passant pour une excellente imitation de Johnny Farago, Simard arrive en cuir noir moulant et en moto. Flanqué d'un juke-box et des vieilles enseignes de Coca-Cola (et non plus de Pepsi), encadré par des couples de la fin des années 50, son numéro est digne du meilleur americana de Broadway. Un seul élément vient gâcher le portrait, Simard lui-même [en personne, eunuque plutôt qu'homme].

D'abord la voix qui se cherche encore après tant d'années, donne l'impression qu'elle ne sortira jamais des limbes. Je ne sais si René a pris des cours de chant chez Guy Cloutier, tout ce que je sais c'est que sa voix est un pénible râle, une sorte de grognement monocorde et monotone, sans relief et sans émotion. Les plus belles chansons américaines sont complètement massacrées par un manque évident de sensibilité et de talent. À côté de Simard, Michel Louvain pourrait être un chanteur d'opéra et Jeannette Bertrand, une grande diva. La voix n'est pas le seul obstacle. Simard a beau sourire comme un gentil dadais, il n'a aucune présence sur scène et ne dégage pas le moindre ion d'électricité. Passées les trois premières minutes, on l'oublie complètement. Son seul véritable don c'est la danse qu'il maîtrise avec grâce, souplesse et naturel. Ailleurs c'est la débandade générale. Dans le numéro d'Elvis, ses rocks ont la consistance d'une guédille de trois jours, pluôt molle. Il se traîne d'une chanson à l'autre et tente en vain d'afficher une sexualité absente. Le problème est là. Cloutier a été trop vite cette fois. Il a voulu en faire un homme alors qu'il est à peine sorti des jupes de sa mère. Il a voulu en faire un chanteur de charme et un rocker alors que Simard ne comprend vraiment que le disco. Finalement, c'est sa petite soeur Nathalie, huit ans, tout son esprit et toutes ses dents, qui le sauve de l'impasse. À ses côtés, René devient une demi-portion d'homme, ce qui dans son cas est déja beaucoup.

Le tout se termine dans un grand fracas sentimental. La chanson finale est une gracieuseté de Diane Juster qui a su sortir la culture nationale de Pointe Saint-Charles avec des perles comme *Je ne suis qu'une chanson* avec, cette fois, *Un homme* ou plutôt *Je ne suis qu'un homme*. C'est la seule chanson québécoise de la soirée. Simard nous accorde le privilège de la chanter en français. Là comme ailleurs, on ne comprend rien aux paroles. L'air ressemble vaguement à *I did it my way*. Mamans et petites filles versent une dernière larme et René disparaît dans les coulisses. Tandis que Cloutier passe à la caisse, René et Nathalie, les enfants miracle, rentrent sans doute main dans la main à la garderie.

Le Devoir, *le 6 octobre 1980*

René Simard : quand la critique s'en prend à une idole nationale

Ici gît René Simard, assassiné froidement par une critique de bonne volonté mais de mauvais caractère. Au-delà du style sensationnaliste et du déluge halluciné de qualificatifs, la tentative de meurtre était non préméditée et l'exercice d'iconoclasme involontaire. L'humour et l'exagération malicieuse du texte sont passés complètement inaperçus. Les gens ont pris le texte au premier degré et ils l'ont mal pris.

René Simard était à l'époque l'incarnation du mythe américain du succès. Il était la matérialisation du rêve de grandeur qui sommeille au coeur du Québec profond. L'enfant prodige, notre Joselito à nous, était parti de rien et arrivé très vite et très jeune au sommet. Sa bonne étoile lui avait valu un prix au Japon, un spectacle avec Liberace et même une tape dans le dos de Frank Sinatra. René Simard nous avait mis sur la carte du monde, c'est-à-dire celle des U.S.A. Qui aurait osé attaquer une idole nationale de sa trempe, trop petit pour se défendre par dessus le marché ?

Ce n'est pas la première fois que je laisse couler mon style sans me censurer sauf que cette fois-ci, j'ai mal choisi ma victime. Je l'ai d'autant plus mal choisie que j'écris dans le journal de « l'élite » et qu'il y est moralement défendu de se moquer aussi impunément du bon peuple. « L'élite » doit agir avec prudence quand elle s'aventure en territoire culturel étranger. Elle doit y aller avec les gants blancs de l'hypocrisie, avec les nuances et la charité coupable des bien nantis.

Les discours de « l'élite » m'ennuyaient. J'étais d'une autre génération. J'étais passée du Journal de Montréal au Devoir sans douleur, sans complexes, sans même changer de style. J'étais persuadée qu'il n'y avait pas de classes sociales, qu'il n'y avait que des bons et des mauvais. Je ne me faisais donc aucun cas de conscience à critiquer René Simard que je trouvais tout bonnement mauvais, pourri, indigne de notre culture nationale.

Je n'avais pas peur des mots. Au contraire, je craignais toujours d'en manquer, de ne pas en mettre assez. Je voulais que les mots vivent, palpitent, brillent comme des néons dans l'imprimé drab du journal. Je voulais que les images pètent le feu, mais aussi que les idées se tiennent. J'avais encore toutes mes illusions sur la mission de la critique. Dans mon idéalisme débridé, j'avais des comptes à régler avec la médiocrité. Je voulais sauver le Québec du sous-développement culturel et j'exposais dans cette critique mon obsession nationaliste et mon intolérance face aux plagiaires et aux sous-produits de la culture américaine.

La standardiste du Devoir fut débordée. Jamais dans son histoire, le journal n'avait vécu une telle débâcle téléphonique. À l'autre bout de la ville, le sympathique Yvon Dupuis encourageait ses auditrices à composer le fatidique numéro. La plupart d'entre elles n'avaient même pas lu la critique et n'avaient probablement jamais acheté un Devoir de leur vie. Qu'importe, il fallait venger l'honneur national et punir l'impertinente.

Ce fut mon rite de passage dans le merveilleux monde de la critique. J'étais à la fois flattée de tant d'attention et passablement perplexe. Qu'avais-je donc dit de si grave ? La tempête dans le verre d'eau passa et René Simard n'eut aucune difficulté à remplir ses salles. Ce fut à la fois une déception et un grand soulagement. La critique allumait des feux dans les médias mais ne les éteignait pas aux guichets. Trois ans plus tard, je récidivais avec une critique sur le petit Simard devenu grand, devenu homme. Elle était pire que la première et elle ne fut jamais publiée...

Paul Anka à la PdA : une certaine admiration

Mince, ferme, bronzé, les cheveux encore noirs et lustrés, pas trop ridé, pas trop magané, pas trop désabusé, Paul Anka, le petit gars d'Ottawa devenu à 16 ans l'idole d'une génération est l'anti-Elvis par excellence. Vingt-cinq ans plus tard, il a un immense avantage : celui d'être encore là, un atout non négligeable quand on songe à la longue liste d'accidents, d'overdoses, de cirrhoses et de névroses qui accablent le merveilleux monde de la musique populaire.

Mardi soir à la Place des Arts, le légendaire « Lonely Boy » d'Ottawa inaugurait une série de concerts qu'il donnera dans la métropole jusqu'au 23. Témoin éloquent des années 50, il vient encore nous hanter avec les images sentimentales du passé. Portant le pantalon blanc trop large d'un gérant de banque prospère, il inspire néanmoins une certaine admiration, moins pour sa présence sur scène que pour les grands succès et les belles ballades qu'il a écrits en solitaire et que d'autres comme Frank Sinatra et Barbara Streisand ont su populariser à sa place.

À cause de cette curieuse carrière commencée trop tôt avec éclat, freinée très vite avec l'arrivée d'Elvis puis des Beatles, à cause aussi de ses origines canadiennes, Anka n'a pas suivi la voie officielle établie par les garagistes de Las Vegas. Comme le dit si bien sa chanson, « he did it his way ». Il a fait les choses à sa façon avec un peu moins de flaflas que les carriéristes cosmétiques du showbizz américain et avec un peu plus de convictions.

Mettant en veilleuse son côté idole et « performer », il comprit très vite qu'il avait intérêt à se consacrer à ses talents d'auteur-compositeur. Aujourd'hui, au tournant de la quarantaine, on a la nette impression qu'il veut renouer avec son passé d'idole des jeunes comme s'il avait vieilli trop vite et qu'il avait manqué quelque chose en cours de route. Au beau milieu de son spectacle, pendant qu'il verse une larme musicale avec les violons en pleurs, un écran renvoie les images floues des milliers de nymphettes hystériques qui tombaient dans les pommes en le voyant. Une fois le film terminé (le même film de l'ONF, *Lonely Boy,* qu'il nous a présenté il y a deux ans), Anka armé d'un micro sans fil se met à arpenter les allées comme un véritable politicien, acceptant les baisers, les tapes dans le dos et les petits gloussements des madames respectables qui fredonnent encore *Diana* ou *Put Your Head on my Shoulder.*

Le manège dure une bonne demi-heure. Filant avec adresse dans les allées, sans trébucher et tout en continuant à chanter, il se laisse accoster avec la bienveillance d'un Jean-Paul II. S'ennuie-t-il de son passé, cherche-t-il à retrouver la chaleur et le contact humain perdus dans la tour d'ivoire du succès ? Impossible à savoir. Anka n'est pas du genre transparent et donne plutôt l'impression d'être un être foncièrement tourmenté, comme quelqu'un qui a vécu trop vite et qui ne sait plus comment arrêter la mécanique diabolique du temps.

Qu'à cela ne tienne. Au-delà du vernis professionnel qui vient avec le temps, Anka a le mérite de savoir communiquer un brin d'émotion et d'intimité. Ses plaisanteries sont vieilles, son interprétation n'est pas toujours transcendante mais quelque part, quelque chose de vrai et de troublant se dégage de l'homme et du spectacle. Car le plus remarquable chez Paul Anka finalement, ce n'est pas qu'il ait duré aussi longtemps, c'est qu'après avoir connu la gloire, l'amour, le bonheur familial, l'équilibre et la santé, l'homme donne aujourd'hui l'impression d'être profondément insatisfait. Ne serait-ce que pour cette insatisfaction qu'il ose afficher dans ses ballades, dans sa musique et dans ce regard un peu vague, Paul Anka mérite beaucoup de considération.

Le Devoir, *le 20 août 1981*

Paul Anka : comme d'habitude...

J'ai failli ressortir ma critique de l'année dernière. Après tout, Paul Anka a bien ressorti son spectacle de l'année dernière, le même que celui d'il y a deux ans. Même heure, même poste au plat pays de la continuité.

Cette année encore, je l'ai entendu chanter les vieilles chansons qui de fois en fois moisissent un peu plus. J'ai vu le temps passer, ou plutôt traîner son boulet lourdement, péniblement, le long de la scène. J'ai vu le temps raviner le regard de cire du gérant de marketing devenu l'ombre de lui-même, l'ombre du film qu'il projette pour la millième fois : Paul à 16 ans, l'idole des midinettes ; Paul à 19 ans foulant le seuil du Copacabana ; Paul signant les autographes, distribuant les baisers secs et professionnels ; Paul qui ressasse les mêmes vieilles plaisanteries plates pour le compte de Kodak ; Paul avec son bronzage atomique et son sourire Pepsodent. Paul avec son smoking permapress et son noeud papillon. Paul avec son air abstrait. Cliniquement absent.

J'ai compté les musiciens au lieu des moutons, en m'endormant tranquillement sur mon siège. J'en ai compté une bonne trentaine, un véritable orchestre symphonique, coïncés sous la boule miroir, sans oublier les 26 choristes qui viennent s'ajouter pour la grande finale avec les feux d'artifice et les pétards. Le truc est vieux. Quand rien ne se passe dans un spectacle, l'artiste peut sauver la face dans les derniers milles avec des effets à tout casser, histoire de laisser le public sur une bonne impression.

J'ai compté les minutes, puis les heures. Je me suis demandé si je ne devrais pas changer de métier. J'ai regardé les filles autour de moi soupirer d'extase. Je les ai enviées. Ah, être jeune, insousciante et bon public à nouveau. Je suis revenue à Paul le robot. Je l'ai regardé descendre les marches de la scène au ralenti (l'année dernière, il allait à 200 milles à l'heure). Je l'ai regardé faire les 100 pas parmi les sièges, distribuant, encore et toujours, des baisers secs et professionnels. Je me suis demandé combien de millions de lèvres avaient frôlé cette peau lisse comme une pierre polie. Je me suis demandé comment il pouvait chanter et draguer son public dans les allées, tout en même temps.

J'ai écouté la réclame publicitaire pour CBS, sa nouvelle compagnie de disques, puis j'ai écouté la nouvelle chanson de la soirée. J'ai saisi un titre au vol, *Golden Boy*. J'ai fouillé l'air pour comprendre le message. « T'as encore le temps de réaliser le rêve, encore le temps, garde ton esprit brûlant. »

Le temps, toujours le temps. Paul Anka est obsédé par le temps qui passe, le temps qui presse, obsédé par les dates qu'il énumère et aligne comme de dérisoires petits soldats. « En 1956, Mesdames et Messieurs, j'ai écrit cette chanson. En 1982, Mesdames et Messieurs, je la chante toujours. »

La meilleure façon de combattre la course contre la montre et contre la mort, c'est de faire semblant que rien n'a changé, que tout est au beau fixe. C'est ce que Paul Anka s'acharne à faire depuis 25 ans.

Figé, voilà le mot qui lui convient le mieux. Coulé dans le béton de son passé, de son mythe, arnaqué par les relations publiques qui viennent, dans son cas, compenser pour un manque total de sincérité. Le seul moment sincère de la soirée vient à la fin de la chanson *I did it my way*, qu'il dédie à Elvis Presley. Prenant un air faussement tragique, il nous avoue tout à coup à quel point il est écoeuré de chanter la chanson qui l'a pourtant ressuscité. La plaisanterie était prévue et pourtant elle arrive comme une brise fraîche. Après ce furtif moment de lucidité, le chanteur retourne au pays des limbes.

Il se réveille une dernière fois pour *Jubilation* avec les choeurs, les violons, les trémolos et tout le tralala, puis s'endort jusqu'à demain soir, même heure, même poste.

Le Devoir, *le 11 juillet 1980*

Trois fois Paul Anka : variations sur un même thème

Combien de fois ai-je bien pu voir Paul Anka, Joe Blow ou un autre ? Combien de fois ai-je écouté les mêmes vieux singes refaire d'année en année les mêmes vieilles singeries ? Le cauchemar premier de la critique c'est celui de la routine qui ronge les premiers enthousiasmes et fait pâlir les étoiles filantes qu'on a jadis adulées. Comment soutenir un intérêt fléchissant dans le siège rembourré que l'on retrouve trop souvent et que l'on retrouve moins par plaisir que par obligation. Comment ne pas devenir blasée, devant la prolifération de produits de consommation qui arrivent en série sur la table du jugement dernier ?

Mon approche n'a jamais été celle d'une spécialiste ni d'une technocrate de l'événement. Le costume, le maintien sur scène, la projection de la voix, la force de l'émotion, forment un tout qui n'est pas toujours suffisant. C'est pour cela que j'ai souvent cherché à dépasser la performance pure et presque scientifique pour la situer dans un contexte plus large que l'immédiat. La démarche m'a posé un certain nombre de problèmes. Que faire quand l'artiste n'évolue pas et reste figé dans ses formules ? Le dire et le redire ad nauseam ?

Le cas de Paul Anka est un peu spécial. En l'espace de quatre ans, j'ai réussi le noble exploit de le voir sous trois angles différents. Ces angles tiennent d'ailleurs plus à mon imagination qu'à celle de Paul Anka qui change autant que l'Oratoire Saint-Joseph.

Au départ, le produit Paul Anka était familier. À 10 ans, j'avais usé le disque Diana jusqu'à son dernier sillon et à 11 ans je passais devant la maison de ses parents à Ottawa tous les samedis après-midi dans l'espoir de le voir sortir sur le perron. Je l'ai finalement retrouvé quinze ans plus tard, pas sur le perron mais sur la scène de la Place des Arts, 15 ans trop tard. Paul avait vieilli plus vite que moi et notre première rencontre se solda sur un conflit de générations. Le verdict fut du type lapidaire : l'idole de mon enfance était désormais un « has been ».

Il revient deux ans plus tard. J'ai deux ans de plus de métier, d'expérience, peut-être de maturité. J'admire cette fois la persévérance, l'acharnement d'un homme qui s'entête à durer envers et contre tout. Le propos est tout de suite moins passionnel et beaucoup plus raisonné. La critique se range.

Un an passe. Paul m'envoie même un pot de pistaches comme il doit en envoyer des centaines à travers les journaux des pays. Il commet la gaffe monumentale de revenir trop vite — presque un an jour pour jour — avec exactement le même spectacle. L'erreur est impardonnable. Je n'en peux plus. J'ai épuisé ma banque d'images et de références socio-culturelles pour le décrire. Après la passion, après la raison, je sens que je viens d'atteindre mon point de saturation. L'humour prend le dessus. La prochaine fois, il est évident que je ne me déplacerai plus...

Quand Liberace touche le fond

Ceux qui n'ont jamais vu un show de Liberace ont certainement manqué un des grands moments de l'histoire, tout comme ceux qui n'ont jamais mangé des fourmis au chocolat ou ceux qui ne suivent pas les récents exploits de l'Empereur Bokassa 1er. Il y a des choses comme ça qu'on doit faire au moins une fois dans sa vie, pour agrémenter son vécu, courtiser le traumatisme et aller faire un petit tour de l'autre côté de la démence. Après cela, on est armé pour l'avenir, on a touché le fond, on sait que plus rien ne peut dorénavant nous surprendre, on peut finir sa vie en toute quiétude.

C'est la deuxième fois que je vais voir le beau flamand rose de Las Vegas. Remarquez que je ne suis pas plus avancée sur les raisons métaphysiques de sa présence sur terre. Je ne sais pas d'ailleurs s'il est vraiment de ce monde ou si au contraire il ne s'est pas égaré sur la planète. En fait, plus j'y pense (évidemment j'y pense très souvent), plus je suis persuadée que ce grand farceur est un extra-terrestre brocanteur qui s'ennuyait tout seul dans le cosmos et qui, un jour, par désoeuvrement, a décidé de venir faire un tour de ce côté-ci de la galaxie.

Las Vegas est rapidement devenue sa patrie d'adoption, le seul point lumimeux qu'il a reconnu sur le globe et auquel il a pu facilement s'identifier. À Las Vegas, il a eu le choix entre être gangster ou imposteur, il a choisi l'imposture, car ça demande moins de travail, c'est moins dangereux et, par surcroît, ça peut à l'occasion être rentable.

La seule formalité qu'il lui restait à accomplir pour devenir un citoyen de la région était une opération mineure, communément appelée lobotomie. L'opération ne le dérangeait pas trop, d'autant plus que sa matière grise n'a jamais été particulièrement abondante et que ses atavismes intersidéraux lui ont vite fait préférer le rose au gris. Pas bête aussi, il s'est dit qu'on ne pourrait lui reprocher son manque d'intelligence, ça serait aussi absurde que de reprocher à une brosse à dents de ne pas savoir écrire. Bref, dès ses débuts, Liberace était déjà un brillant récupérateur. Aujourd'hui il ne fait que répéter l'exploit. Ainsi quand il donne un spectacle, pour ne pas dire un « freak show », quand il nous invite à visiter son musée des horreurs, c'est pas pour se faire valoir, ni pour se faire entendre, c'est tout simplement pour faire rire de lui.

Le piège néanmoins, car il y a un vilain piège, c'est que pendant qu'on est absorbé dans la contemplation lassive de ses chiffres ronds, de ses diamants clinquants, pendant qu'on se vautre dans la pâtisserie musicale et vestimentaire, pendant qu'on l'encourage à parader comme la chienne à Jacques et qu'on saute à pieds joints dans l'arrogance délirante de son mauvais goût, pendant qu'on se tape les cuisses et qu'on se tord de rire en disant qu'il est ridicule, Liberace lui, mine de rien, avec son oeil torve et son sourire malin, nous renvoie la pareille. Vous ne vous êtes pas vus, dit-il d'un regard plein de télépathie. Sous ses sourires sucrés et ses airs de grande dame maquerelle, Liberace finalement se paie notre gueule, et à nos frais par-dessus le marché ! C'est sans doute cela le comble de l'imposture.

C'est d'ailleurs ce qui me fait dire, après mûre réflexion, que Liberace a peut-être plus de matière grise qu'on ne le pense, il ne le sait peut-être pas lui-même, après tout on ne peut pas trop lui en demander. Liberace est en fait un brillant esprit pervers et subversif qui, au lieu de perdre son temps à perdre de l'argent et à dénoncer, incarne jusqu'à l'excès, jusqu'à l'outrance, jusqu'à l'usure, la vision apocalyptique d'une société au bord de l'écroulement.

À côté de cette famille chic et californienne qui compte dans son garage six belles voitures et qui, aujourd'hui, dénonce le rationnement d'essence, Liberace c'est finalement de la petite bière. Tout le monde sait qu'il est « sur la finance », qu'il a loué ses toilettes chez Classy et que son piano à queue a été acheté à crédit. Tout le monde sait que les 40 livres de bagues qu'il porte aux doigts appartiennent en fait à la reine d'Angleterre et que Nixon est son accordeur de piano. Tout le monde sait finalement que Liberace n'existe pas, qu'il est un beau billet de banque rose saumon, encore dodu, mais pas pour longtemps ; un billet de banque qui bientôt ne pourra plus rien faire contre le rationnement et la dévaluation.

Le Devoir, *le 8 juin 1979*

Tom Jones ou le proxénétisme musical

Joe Dassin n'est plus, Elvis Presley non plus, Frank Sinatra se fait vieux, René Simard n'est pas sorti des jupes de sa mère, Julio Iglesias roule trop les « r », le prince Charles n'est plus célibataire. Que reste-t-il de nos amours? Pas grand chose : Englebert Humperdink avec ses airs de grand dadais, Paul Anka le crooner dépassé. Il nous reste aussi Tom Jones, le dernier sex symbol britannique du siècle, une sorte de gogo boy sur le retour d'âge qui prend plaisir à pâmer ces dames et qui préfère encore se faire aller le bassin que les cordes vocales.

La libération de la femme a encore beaucoup de chemin à faire avant d'enrayer complètement de la carte des machos attardés de la trempe de Tom Jones. On l'a vu une fois, on l'a vu cent fois. Tom Jones est une valeur sûre. Il ne change pas, comme les chapeaux de la reine d'Angleterre. Même pantalon en spandex ultra-serré, même chemise noire ouverte jusqu'au nombril et laissant dépasser une immense croix en or sur sa poitrine velue, même déhanchements supposément libidineux, même sourire sirupeux, même déluge de sueur qui jaillit de partout comme un geyser.

Je pourrais ressortir ma critique de l'année dernière et me retrouver malgré moi devant les mêmes inévitables clichés. Qu'y a-t-il à dire sur Monsieur Univers sinon que ses salles sont encore pleines, que les femmes, de 20 ans comme de 50, frétillent encore en le regardant se trémousser dans son pantalon rembourré. Que les hommes de la salle sourient poliment, un peu mal à l'aise devant l'étalage peu subtil de ses attributs trop généreux.

Tom Jones est un vieux singe qui connaît par coeur tous les trucs du métier. Et son métier est un des plus vieux métiers au monde. Ce qu'il nous vend évidemment c'est moins de la chanson populaire que du sexe en canne dans une savante opération de proxénétisme musical chromé. Un vieux singe mais un singe professionnel et un excellent vendeur, avouons-le. Son tour de chant, rajeuni par des chansons récentes de Rod Stewart, Paul Simon, Kool and the Gang et même John Lennon, est un bel effort de plâtrage et de chirurgie plastique. Le grand Tom veut sans doute nous montrer qu'il s'intéresse quand même à son métier et qu'en plus de courtiser les jolies femmes dans des bains de champagne, il sait se tenir au courant. Mais tant d'égards ne suffisent plus.

La formule est usée à la corde, dépassée. Les déhanchements simiesques du grand chanteur gonflable sont devenus avec les années grotesques et ridicules. Malgré son vibrato caverneux et cette voix qu'il projette encore avec puissance, Jones n'est pas un bon chanteur. Son interprétation ronflante, effusive, forcée, détruit les meilleures chansons et les meilleures orchestrations. De plus, avec les années, sa conscience corporelle, sa conscience de l'image à sauvegarder est devenue narcissique et obsessionnelle. Tom Jones devrait en fait changer de carrière et proposer ses services pour la page centrale du *Playgirl* du troisième âge. Il nous éviterait à tous d'inutiles déplacements et pourrait enfin, à la grande lumière du jour, pratiquer son véritable métier.

Le Devoir, *le 31 juillet 1981*

Rod Stewart au Forum : rocker et racoleur

Les rockers, lorsqu'ils vieillissent, sont toujours intéressants. Après 15 ans dans la voie rapide du rock, s'ils ne sont pas morts, ils sont brûlés, desséchés, blasés ou victimes de circonstances toujours atténuantes. Il leur arrive aussi à l'occasion de survivre...

Rod Stewart le légendaire chanteur de la Gasoline Alley, est un survivant. Malgré ses excellentes dispositions pour le disco et la trampoline qui le font sautiller non-stop pendant deux heures, il doit bien frôler la quarantaine. Dans le demimonde du rock américain, plus la course avance dans le temps et plus les coureurs se font rares. De cette génération maudite issue des bas-fonds britanniques, Rod Stewart et les Rolling Stones sont les seuls monuments qui fonctionnent encore à toute vapeur. Le terme monument s'applique ici autant aux êtres humains qu'aux immenses machines qui les entourent. Car Rod Stewart comme les Rolling Stones ont depuis longtemps cessé d'être le produit d'une aventure musicale dynamique pour devenir des produits tout court, manufacturés par des entreprises qui avalent leurs meilleures énergies.

Même si Rod Stewart a cette fois abandonné le drapeau chromé du disco pour retourner à ses racines de rocker, le mal engendré par une mauvaise alimentation culturelle et un égocentrisme débridé est irréversible. Son spectacle à gros budget et à gros gadgets est frustrant, décevant. Sautant partout sur scène comme une crécelle détraquée en faisant rutiler ses pectoraux encore fringants et musclés, Rod Stewart ne prend pas le temps de faire la seule belle chose qu'il sait faire au monde : chanter.

Si les chansons comme *Passion, Young Turks, Freedom Rock'n Roll, Gasoline Alley, Maggie May,* sont lyriques et inspirantes, le gars qui les chante manque d'inspiration.

Celui qui s'est fait connaître aux côtés de Long John Baldry et de Jeff Beck avec cette merveilleuse voix rauque et tendre qui exprimait, par sa force déchirante, la fragilité humaine, ne s'entend plus chanter. Le pire c'est qu'il s'en fout complètement. Il est tellement occupé à minauder, à parader, à lancer des ballons de soccer à la salle, à embrasser et à envoyer des clins d'oeil aux minettes, à rajuster son collant rose en phentex, qu'il oublie qu'un peu d'émotion et de sincérité sauraient rehausser le défilé de mode et donner un peu de classe au parc d'amusement.

Rod Stewart, dans le fond, n'est plus un vrai rocker. Il est la parodie d'un rocker qui en vieillissant manifeste de plus en plus d'affinités avec Mickey Mouse. Bien entendu, sa désinvolture exprime avant tout la dérision du délinquant chronique qui veut s'amuser et ne rien prendre au sérieux. Le problème, c'est qu'il ne s'amuse même plus et qu'il ne nous amuse pas davantage.

Le plus exaspérant de toute l'affaire, c'est qu'il chante encore très bien, que sa voix est intacte même si l'esprit qui la dirige est complètement érodé. Sous les projecteurs éclatants qui font ressortir le rose bonbon et le bleu poudre de ses tenues d'athlète, Rod Stewart fait la scène comme une putain fait le trottoir, en vendant pour pas cher ce qu'il a de moins intéressant.

Le Devoir, *le 2 avril 1982*

Frank, Serge, Tom, Rod, Joe et les autres...

Les chanteurs de charme et les chanteurs de pomme m'exaspèrent. Je n'ai jamais cherché à cacher ni à calmer mon exaspération. Le danger de s'abandonner à de tels élans, tout comme le danger d'exercer son style dans le quotidien, c'est de se répéter et de diluer la charge émotive qui nous pousse à écrire. De Liberace à Sinatra en passant par Rod Stewart, la chanson n'est pas toujours la même, l'histoire que je raconte non plus, mais au bout du compte, les arguments tournent finalement toujours autour du même pot.

La série des crooners est un exercice de style pur et simple. Quelques éléments de critique technique s'y glissent de temps à autre, à la sauvette ou pour sauver les apparences. Dans le dernier paragraphe en général. Le reste du temps, j'accueille les personnages qui se présentent à moi avec mon lot de préjugés prêts-à-penser. Je me sers de leurs particularités pour faire carburer mon imagination. Certains mots clés reviennent aussi régulièrement que le ressac de la mer. Certaines images ressurgissent d'une fois à l'autre.

Dans la frénésie de la production quotidienne, il est souvent difficile d'éviter ses propres formules. J'ai toujours pris garde de ne pas utiliser un mot deux fois dans le même texte, mais j'ai souvent oublié de le faire d'un texte à l'autre. Je puisais dans ma réserve de vocabulaire comme dans un sac de bonbons en allant instinctivement vers celui qui me procurait toujours le même plaisir. Les textes restent divertissants. La critique est presque un spectacle en soi, ce qui n'est pas sans intérêt à mesure que les chanteurs passent et que certains textes restent...

Keith Jarrett : le piano contre l'ego

Si vous avez le rhume et que votre toux n'est pas constructive ou musicale, n'allez pas voir Keith Jarrett, il risque de vous prendre en grippe. C'est ce qui a failli se produire lundi soir dernier à la salle Wilfrid Pelletier alors que le pianiste mettait fin à une première improvisation plutôt spasmodique pour se plaindre des tousseurs et déplorer l'insensibilité du monde qui ne sait plus comment écouter les grands génies du piano solo comme lui. Sur le coup je me suis demandé s'il plaisantait ou s'il était assez innocent pour exiger de 3 000 personnes une soirée complète de silence, de prière et de méditation à le regarder recevoir la grâce divine et la communion solennelle assis à son piano. J'ai vite compris que non seulement Jarrett est innocent mais qu'il souffre également d'une incurable prétention. Aller entendre Jarrett pirouetter sur son piano, c'est rendu pire qu'aller à la messe le samedi soir. Respect, révérence et vénération sont maintenant des conditions à remplir sine qua non à l'achat du billet.

À chaque année c'est la même chose. En guise d'entrée en matière il faut d'abord subir la colère réglementaire. Celle-ci vient généralement au bout des dix premières minutes et vise tousseurs, photographes, retardataires ou tout insecte qui a le malheur de voler un peu trop haut ou un peu trop fort. Pendant ces dix premières minutes, sans doute les minutes les plus tyranniques de la soirée, il est strictement défendu de bouger, de respirer ou d'émettre le moindre signe de vie même en cas de danger de mort. Asthmatiques et cardiaques ont intérêt à la boucler. Une fois ce mauvais quart d'heure passé, le maître consent enfin à se calmer les nerfs et à partager avec nous les miettes de son génie créateur.

D'année en année, malgré ce sale caractère qui ne va décidément pas en s'améliorant, Jarrett réussit encore à nous émerveiller par la verve de son style en puisant dans la grande mémoire musicale du temps des sons de toutes les couleurs et de toutes les intonations. Sa technique précise, tranchante, autoritaire, en fait un des grands maîtres du piano et de l'improvisation. Il sait aller chercher même sur ce vieux piano poussiéreux parachuté de la salle Maisonneuve, des rythmes cardiaques haletants ou encore de tendres mélodies qui ont la douceur du duvet et la délicatesse d'un cristal de Baccarat. Alternant constamment entre le profane et le sacré, entre la rage et la sérénité, il garde une touche puissante et un timbre clair et sonore. Maître inconditionnel de l'élan spontané, son souffle infatigable déferle sur le piano comme un ouragan.

Ce qui fascine chez lui c'est qu'à travers le jeu complexe du hasard et de la spontanéité, son discours musical garde toute sa logique, sa rigueur et sa cohérence et verse rarement dans le vague ou le mou. Pendant que le maître se tord sur son banc comme un ver de terre en poussant des petits gloussements de chien écrasé, sa musique allie aussi bien la rapidité rythmique, la richesse mélodique, à une grande sensibilité dans l'interprétation. Plus encore, Jarrett fait renaître l'expérience souvent figée du concert solo. Ses éclats, ses trémoussements, les petits cris d'émotion qui accompagnent les montées du piano, font autant partie du concert que le long continuum musical qui défile dans son imagination.

À la fin du concert, lundi soir, les rappels furent nombreux. Jarrett revint trois fois interpréter les musiques les plus amoureuses et les moins exhibitionnistes de la soirée, comme si la longue bataille qu'il livrait à son ego tirait à sa fin. De guerre lasse, son ego accepta finalement la défaite. Jarrett put terminer la soirée en toute quiétude et en beauté.

Le Devoir, *le 3 décembre 1980*

Keith Jarrett...
et la nécessité de faire appel à d'autres sciences que celles de la critique

La critique est sociale, sociologique, politique, économique, psychanalytique, biologique même. Elle doit s'alimenter de toutes les références disponibles dans la grande mémoire historique et culturelle. Elle doit informer autant les initiés que les néophytes. Ceux qui étaient dans la salle la veille comme ceux qui n'y étaient pas.

Keith Jarrett, soliste du piano, maître de l'improvisation, est un bon exemple. J'aurais pu suivre la courbe de ses crescendos, décrire note à note les menus détails de son jeu pianistique, parler de son attaque à telle seconde précise de la soirée. C'eût été parfaitement fascinant pour les élèves en concentration piano à McGill ou à Vincent d'Indy. Mais Keith Jarrett c'est beaucoup plus qu'une simple technique au piano, c'est un souffle, c'est une démarche solitaire, c'est une façon de se comporter sur scène, avec la salle, c'est une façon d'exorciser un ego.

Les vrais artistes se révèlent sur scène. Nous devons décoder ce qu'ils livrent d'eux-mêmes et ce qu'ils livrent de leur société. Je connaissais un producteur de disques qui disait qu'être artiste n'était pas un métier mais une maladie. Pour ma part, j'ai toujours été intriguée par ce qui poussait les gens à monter sur une scène. J'ai toujours aimé explorer leurs personnages et ce qu'ils véhiculaient comme valeurs et comme aliénations...

Diane Dufresne : l'Ange et la Femme

Les lumières de la Maison Neuve sont allumées avec éclat, un air de Debussy s'infiltre tranquillement entre les sièges alors que la scène nous contemple de son grand trou noir. Une tache de lumière là-haut dans les airs accroche notre regard et on croit y reconnaître un miroir illuminé comme dans les loges des grandes vedettes. Une forme floue semble se regarder dans le miroir. Est-ce que c'est elle ? Impossible, le spectacle n'est pas commencé et pourtant, très probable, car le spectacle règne en roi et maître dans la vie de Diane Dufresne depuis un bout de temps déjà.

On a augmenté le volume de la musique, insinuante, elle nous entoure et nous envahit. Les lumières ne se baissent qu'à moitié, le spectacle commence. Nous voilà fragiles et fascinés devant cette immense femme qui nous regarde du haut de son escalier, nous voilà tout petits et écrasés, ne respirant qu'à moitié alors qu'elle entame *Vingtième étage*. Mais le spectacle débute mal, nous sommes gênés l'un vis-à-vis de l'autre, nous ne savons plus si nous devons aimer ou haïr cette femme de plumes qui semble encore mal à l'aise dans son personnage. Elle descend le grand escalier rose en prenant soin de bien montrer ses jambes, de bouger ses hanches pour mieux séduire et provoquer. Lorsqu'elle parle entre les chansons, le charme est brisé, elle trébuche dans ses mots, redevient une petite fille timide et confuse ou alors le garçon manqué qui refoule toute forme de sensibilité. Elle est une longue liste de contradictions. Elle parle d'un show pour les femmes mais ses techniques sont celles de la séduction la plus usée, elle prend les femmes à témoin mais c'est en fait pour mieux parler aux hommes. Elle aguiche et excite avec des grimaces, enlaidit la femme en elle et celle de la femme en nous. Elle vient nous chercher avec violence, expose ses désirs ouvertement et se prostitue sans remords. Le premier tableau se termine, Diane dégraffe lentement sa veste de daim et nous laisse deviner l'ombre d'un sein. Les masques se préparent à tomber sous les vertiges croulants du showbizz et du vedettariat.

La scène est redevenue noire. Un homme nu danse devant nous. Diane se venge, utilise l'homme-gadget pour mieux nous récupérer, pour faire comprendre aux femmes qu'elle est de leur bord. Elle revient habillée en garçon, chante du rock'n roll comme Johnny Hallyday en essayant de le ressentir de tout son coeur tout en sachant qu'elle a conditionné la rockeuse en elle, qu'elle l'a maquillée pour mieux la vendre. Peu importe, elle chante bien, une voix qui projette et résonne, une voix qui crie et s'affirme, une voix qui ne s'embarrasse plus des murs de politesse et de décence autour d'elle. Elle nous représente dans nos rêves mégalomanes, dans nos désirs de puissance et d'annihilation, dans nos rêves et notre besoin d'aspirer le monde en nous. En homme, on la sent davantage dans son élément ; elle exprime ses frustrations de femme, son désir d'être un homme, passe constamment le micro entre ses jambes pour mieux nous le faire comprendre.

Tableau trois, voilà l'homme et la femme réunis ; toute de blanc vêtue avec des manches qui se transforment en ailes de satin, elle est l'ange, l'oiseau, l'androgyne, celle qui nous livre son immense ego sur un coussin d'argent. Le vrai spectacle, celui qui transcende la vie à travers l'artifice, commence. Diane Dufresne arrête le show, range les gadgets, chante enfin. La vedette qu'elle s'imagine être, la machine qu'elle s'est inventée, le tourbillon dans lequel elle se perd, n'existent plus et font place à une poésie intérieure toute frémissante de vie et d'émotion.

Elle chante *Ma vie c'est ma vie* et on ne peut s'empêcher d'être bouleversés par l'intensité qu'elle est allée chercher au creux de sa souffrance, de sa solitude et de ses dépressions nerveuses. La voilà enfin vraiment indécente, libérée d'elle-même, complètement nue devant nous. Tout rentre alors en place et on se rend compte qu'il a fallu passer par les mille personnages, façades et faussetés, qu'il a fallu exorciser le mal pour extraire la beauté profonde du spectacle et enfin accéder à la vraie femme.

Le Devoir, *le 2 avril 1977*

Diane Dufresne : le miroir exalté d'une ombre géante

Diane Dufresne n'a pas donné deux spectacles au Forum, elle n'en a donné qu'un seul, un vrai, troublant d'intensité, vibrant d'émotion. Déballé avec fébrilité devant quelque 16 000 spectateurs, *Halloween,* l'envers de la médaille, a décrit un cycle complet et s'est déployé comme une réflexion passionnée sur l'art et le métier d'artiste.

Dame de pique, putain, sorcière, sado-masochiste, exorciste des grands malaises collectifs, Diane a enfilé mille costumes, revêtu mille masques, emprunté les détours de la vulgarité, de la violence et de l'artifice pour enfin se livrer fragile et vulnérable.

Ombre géante dans ce Forum tout à coup trop petit pour contenir sa mégalomanie, elle a fait gronder les gradins et craquer le bois mort des vieux préjugés. Elle nous a présenté un miroir exalté de l'art, de la scène, de la vie avec une maîtrise technique qu'on ne lui connaissait pas.

C'est vendredi soir, les citrouilles illuminent les fenêtres, les fantômes rôdent dans la ville. Profitant de l'esprit du moment, Diane nous convie d'abord à un party d'Halloween en appelant tous les clichés puérils, toutes les peurs enfantines de cette fête du déguisement. Émergeant d'une immense citrouille incandescente, la sorcière prend une grande respiration et plonge sur la scène du Grand Guignol. Elle est venue ce soir conjurer les cauchemars et libérer ses fantasmes, explorant avec une profondeur toute professionnelle les thèmes et les obsessions qui la suivent depuis toujours.

La guitare saignée à blanc de Jo Jammer vient fendre l'air tandis que Diane trépigne dans ses botillons bleus et rend hommage à Elvis. *Blue Suede Shoes, Hound Dog.* Ça chauffe dans la salle, ça chauffe sur scène. La chanteuse disparaît en coulisses et revient habillée en chemise de nuit blanche, somnambule perdue dans un mauvais rêve de petite fille angoissée et de vieille dame sénile. Courant à perdre haleine, courant après sa jeunesse envolée, elle repart. Elle change de personnage comme elle change de chemise. Elle chante maintenant les turbulences de l'air et de l'âme dans un costume clouté de cuir, se profilant contre l'éclairage comme la reine des sadomasochistes. Sa voix, plus pure que jamais, a appris à moduler le registre erratique de ses émotions.

Elle reprend le même chemin cathartique qu'elle a pris dans tous ses autres spectacles. On la regarde vendre son âme au rock'n roll, vendre son corps au public, toucher le fond de la vulgarité, expier ses péchés et finalement émerger à la fin du spectacle complètement purifiée.

Empruntant une mythologie plus gaie que féministe, elle répète les clichés de la révolution sexuelle des années 60 mais les explore avec plus d'audace. Contrairement aux sex-symbols américains qui nous livrent une sexualité aseptisée, standardisée, dépourvue de tout danger, Diane ne censure aucun mouvement et dégage la charge érotique d'une stripteaseuse de la Main. L'art, chez elle, passe par la prostitution avant d'accéder à la beauté et à la perfection.

Poseuse comme Bette Middler, elle frôle le mauvais goût avec un sourire narquois et nargue tous ceux qui l'empêchent d'exprimer sa laideur. Elle nous livre impunément son corps maladroit, mal dans sa peau, et délire une dernière fois avec le *Parc Belmont.* La chaise blanche, accessoire nécessaire qu'elle avait déjà il y a deux ans, éclate en mille morceaux tandis que dans un dernier râle, le monstre compose un signe de croix avec les barreaux. C'est le signal du retour. Diane s'est défoulée, elle revient chanter avec sérénité *Hymne à la beauté du monde* et *Laissez passer les clowns.* La mort vient rôder une dernière fois avec la chanson *Suicide.* Une toile d'araignée symbolique s'abat sur la chanteuse piégée par le temps qui file trop vite.

Diane doit maintenant revenir sur terre et choisit de rétrécir sur scène devant nos yeux. Vêtue d'une simple robe mauve, les cheveux libres, elle reprend un visage humain, s'assoit sur les marches et nous confie qu'un show n'est jamais parfait. Un dernier sourire et puis le grand départ. Elle nous quitte toutefois sans gaieté de coeur avec une touchante chanson de Michel Jonaz intitulée *J'veux pas que tu t'en ailles.* Au lieu d'entamer une sortie classique, elle plonge parmi la foule et fait son chemin en chantant vers la vraie porte de sortie. Le moment est troublant de vérité.

Le Devoir, *le 1er novembre 1982*

Diane Dufresne et l'identité collective

Sur scène, Diane Dufresne exprime plus qu'elle-même. Elle reste pour moi la plus belle personnification de la répression sexuelle au Québec. Diane chante une chose, mais son corps, la façon dont il bouge, en dit une autre. Tout au long de ses spectacles, elle tente d'affranchir ce corps qu'elle marchande comme un objet. Tous ses spectacles relatent la même trajectoire, le même striptease. Diane est en réaction contre son corps. Elle est de la génération qui a fait sauter le couvercle catholique du péché sans jamais complètement l'assumer.

Dans les spectacles forts comme le sien, il y a toujours une part de dédoublement entre le public et l'artiste. Ceux qui viennent s'identifient inconditionnellement à celle qui est en avant. Le fait qu'elle ne soit pas américaine mais qu'elle appartienne à la famille et au village resserre les liens affectifs entre elle et son public. Celui-ci s'identifie d'abord à l'être politique qui a conquis la scène et qui dégage une image de force et de grandeur.

Dans ma toute première critique, moi aussi je succombe au charme de la femme, je suis obnubilée par elle. Cinq ans plus tard, la femme me touche et me trouble encore mais je viens de dépister une formule, un système, et ça me dérange. J'ai pris de la distance. Un artiste pour moi doit continuellement se remettre en cause et chercher à se dépasser. Je sens que Diane Dufresne est à un tournant. Les cinq minutes de vérité qu'elle nous offre à la fin de son spectacle devraient naturellement mener à une nouvelle approche, plus sobre et moins exhibitionniste. Si Diane croit suffisamment en son talent, elle reviendra straight, toute seule avec une robe noire et un piano. Si elle est suffisamment perspicace, elle comprendra que son image de

Murielle Milard des années 80 est saturée. Si elle est prise à la gorge par ses créanciers, si elle a peur de changer d'image par peur de décevoir son public, si elle ne se croit pas à la hauteur de la situation, elle reviendra en stripteaseuse, acceptant finalement de n'être qu'une simple commodité. Je pourrais être cynique et l'accepter, ou dire que Diane Dufresne valait mieux que ça. L'avenir le dira...

Annie Girardot vient prouver qu'elle sait aussi chanter

Nous attendions depuis une bonne demi-heure déjà dans la luxueuse suite rose saumon et fuchsia. Les huîtres commençaient à se trouver mal. Annie Girardot se faisait attendre. « Ce n'est pas pour faire la star, nous assura son homme de liaison Claude Vallier, sur un ton très Marie-Chantal, mais Annie a assisté à la mise au jeu de la partie de hockey hier soir. Elle a traîné avec Claude Dubois et Michel Jasmin jusqu'à 4 h du matin. Elle se maquille et elle arrive. »

Décidément, les Français sortent des garde-robes ces jours-ci. Après Yves Montand et Régis Debray, voici Annie Girardot. L'actrice préférée des Français a décidé de prendre Montréal d'assaut et d'y présenter pendant une semaine, à l'Arlequin, son premier *one-woman show.* Contrairement à Montand qui est arrivé au Québec porté par la rumeur de son retentissant succès parisien, Girardot arrive les mains vides. Elle vient ici briser la glace et roder un nouveau spectacle.

Déçue par une malheureuse expérience au Casino de Paris dans une comédie musicale que la critique française a complètement massacrée, dépitée par l'esprit étriqué des cartésiens qui l'ont cataloguée à jamais « môman » et madone du cinéma français, elle vient au Québec détraquer la mécanique des préjugés et remonter dans son estime.

Curieux phénomène qui pousse les vedettes françaises consacrées à fuir la patrie et à partir à la conquête du Nouveau Monde. Elles ne viennent certainement pas ici pour l'argent, car déménager un spectacle coûte cher, surtout avec la dévaluation du franc. Elles viennent pourquoi, alors ? Pour le défi, le dépaysement, l'échange culturel, pour aérer leur univers ? Se peut-il que ce marché de 50 millions qui nous paraît si vaste, presque inépuisable, brûle ses meilleures énergies, souffre parfois de saturation lui aussi ?

Annie Girardot arrive finalement, l'oeil plutôt poqué, une veste courte en pied de poule, le cheveu qui vire à l'orange et descend le long de sa nuque en escalier, un pantalon noir serré, tout à fait Saint-Germain-des-Prés. Elle s'assoit sur le divan, toute petite, tassée dans un coin, le visage balayé par la tension. Elle fume gitane sur gitane et parle très bas. Parfois elle ne parle pas du tout et laisse son partenaire-metteur en scène-aide de camp, Bob Decoust, réciter son catéchisme.

Celui-ci, le mégot pendu aux lèvres comme les gangsters, nous explique dans un français vachement parigot, que l'idée du *one-woman show* vient du Canada, qu'Annie a eu le choc de sa vie en venant enregistrer il y a deux ans *Superstar* à Radio-Canada. En France, personne ne voulait l'entendre chanter, personne ne voulait la voir ailleurs que sur l'écran de cinéma. Pendant ce temps-là, elle regardait les trains passer ! Yves Montand mais aussi Vittorio Gassman, Lena Horne, Shirley McLane, plus récemment Barbara et bientôt Henri Salvador et Tino Rossi.

L'envie d'Annie Girardot de monter sur scène fait-elle partie d'un plan de carrière ? Elle a l'air ulcérée par la question. « Voyons donc, je ne pense jamais à ma carrière, j'ai envie de monter sur scène, un point c'est tout ! Moi, c'est moi. Mon envie n'est pas calculée, c'est mon plaisir, c'est mon besoin. Au cinéma, on n'est finalement qu'un maillon de la chaîne ; sur scène, on peut davantage contrôler. » Annie Girardot ne planifie pas sa carrière et pourtant elle a quitté la Comédie-Française en 1958 parce qu'il fallait être sociétaire et renoncer à être responsable de sa carrière. « C'était contraire à la profession et ça nous empêchait d'exprimer notre personnalité, dit-elle. En ce moment, c'est un peu le désert. Je n'ai pas tourné depuis un an et demi. Ce qu'on me proposait ne m'intéressait pas, j'avais déjà tout fait, j'avais envie d'autre chose. Parfois aussi, il faut laisser passer le temps... »

Le ton de sa voix a chuté. Les morts récentes de ses collègues l'ont-elles déprimée : « C'est la loi des séries, répond-elle, c'est triste. On a connu la même chose à la fin des années 50, avec Gérard Philippe et quelques autres. » Bob l'interrompt : « Ça fait partie du métier, c'est aussi une question de décalage entre le mythe et la réalité. On a toujours l'impression que tout va bien pour les artistes, qu'ils sont riches, qu'ils ont du succès mais les gens ne savent pas que dès qu'un film marche moins bien que les autres, les acteurs commencent à douter d'eux-mêmes, à faire de l'angoisse. » « C'est vrai, chuchote Annie Girardot, on le sent tout de suite, ça prend deux secondes, on est tout à coup démodé, on doit cavaler tout le temps pour se maintenir, en même temps on ne peut pas rester dans le vide, sans être motivé par un besoin, une envie, il faut se battre finalement pour garder son énergie. »

Elle se ressaisit, se lève, dit d'un ton sec à son homme de liaison qu'elle veut absolument aller travailler, qu'elle en a marre de répondre aux questions, que bientôt elle ne pourra plus fournir. On sent une drôle d'urgence dans sa voix. La bonne âme qui se dévoue pour son public serait-elle sur le point de se révolter ? L'histoire nous le dira la semaine prochaine.

Le Devoir, *le 13 octobre 1982*

Annie Girardot sur scène : après l'échec de Paris, celui de Montréal

Annie Girardot est une femme têtue. Elle s'obstine depuis quelque temps déjà à vouloir monter sur scène pour nous montrer la pleine étendue de ses talents. Annie Girardot, il va sans dire, est du genre casse-cou, pour ne pas dire kamikaze. Après une première tentative avortée au Casino de Paris, voilà qu'elle récidive à Montréal, dans un one-woman show tout à fait à son image et à sa ressemblance. Elle a choisi Montréal comme rampe d'essai et de lancement parce qu'elle prétend que les gens y sont plus ouverts, moins empêtrés dans leurs préjugés.

Vendredi soir à l'Arlequin, le public montréalais, pourtant patient et généreux, semblait sceptique. Les applaudissements n'avaient aucun enthousiasme même si les gens avaient mis leurs préjugés de côté et se délectaient à l'idée de voir une Annie Girardot autre que dans ses habituels rôles de bonne âme et de voisine familière et sympathique. Ils ne pouvaient toutefois s'empêcher de constater, dès les premiers accords lourdement rock, qu'Annie Girardot n'a pas de voix, qu'elle n'arrive pas à se brancher entre le chant et la récitation poétique, qu'elle traîne sur scène avec elle un relent de déprime et de tension, qu'elle est mal à l'aise dans ses mouvements et qu'elle éprouve une certaine difficulté à *swinger* avec une musique qu'elle a voulue *swingante*.

Le cliché de l'actrice que l'opinion publique crucifie à

jamais sur un écran de cinéma, n'avait aucun poids ce soir-là. Une actrice peut très bien monter sur scène et s'improviser artiste de variétés à condition qu'elle travaille pour rattraper le métier et qu'elle arrive avec un minimum décent de voix. Quand une actrice monte sur scène, elle pose un geste courageux parce qu'elle recommence à zéro dans un nouveau medium qu'elle doit apprivoiser. Elle ne peut plus compter sur ses lauriers, sur la sympathie que le public éprouve pour elle au cinéma, sur le charme attendrissant de sa personnalité. Elle ne peut se fier qu'à ses ressources personnelles et à ses facultés d'apprentissage et d'adaptation. Carole Laure a déjà prouvé, avec bonheur, qu'il était possible de passer de l'écran à la scène sans faire une folle de soi, sans perdre des plumes, en minimisant les dégâts.

Annie Girardot n'avait malheureusement pas un Lewis Furey pour la guider dans ses balbutiements et lui éviter certains embarras. À la place, elle est allée chercher un curieux pistolet du nom de Bob Decoust, parolier français qui s'est déjà distingué auprès de Johnny Hallyday et qui, dans ses rêves la nuit, doit se prendre pour lui. En plus de lui refiler des chansons soi-disant faites sur mesure, Decoust a persuadé l'actrice de lui laisser partager la scène avec elle. Le public n'a pas apprécié. Après avoir chassé Annie en coulisses et accaparé tout l'espace pour chanter, avec une passion toute « hallydienne », *Petit pull de laine,* il s'est fait hué par le public. C'en était trop.

Le public a en fait spontanément identifié le méchant de l'histoire. Ce n'est pas tant que Decoust est dépourvu de talent, c'est plutôt qu'il se sert de l'actrice pour mousser sa réputation et qu'il ne lui donne finalement rien en retour. Les chansons trop rock ne conviennent pas à l'actrice et font ressortir clairement les faiblesses de sa voix. Il aurait dû lui offrir des chansons douces, des chansons de blues qu'elle aurait récitées et non chantées. Il aurait dû concevoir un scénario, bâtir une histoire autour de l'actrice au lieu de croire que sa personnalité seule suffirait à meubler la scène et à illuminer le spectacle. Les rencontres proposées par Annie Girardot et Bob Decoust sentent le vite fait, le mal préparé. Ce sont des rencontres à sens unique qui se retournent contre la principale intéressée. On quitte Annie Girardot déçu, comme si on avait attendu en vain quelqu'un qui n'était pas venu au rendez-vous.

Le Devoir, *le 25 octobre 1982*

Annie Girardot et les dangers de la description journalistique

Si jamais Annie Girardot change de métier, je lui proposerai sur le champ de devenir mon attachée de presse. Son esclandre théâtral sur les ondes de CKAC est le plus beau coup publicitaire qu'il m'ait été donné de recevoir en cadeau. BCP n'aurait pas fait mieux.

Les faits restent les faits. Annie Girardot est venue au Québec après avoir floppé au Casino de Paris. Son compte en banque et surtout sa confiance étaient ébranlés. Elle a fui la France hostile pour refaire ses batteries et roder un nouveau spectacle en territoire amical et peu menaçant. Son amour du Québec était intéressé. Portée par la rumeur d'un succès au Québec, elle aurait pu se monter un dossier de presse favorable et voir les portes s'ouvrir à nouveau pour elle en France. Au cours de la fatidique conférence de presse, son charmant partenaire nous a d'ailleurs avoué qu'il ne fallait pas sous-estimer le Québec et que l'accueil que nous réservions aux artistes français était ni plus ni moins du capital politique et commercial. Comme quoi le Tiers-Monde de temps à autre peut être utile.

La stratégie de marketing n'a malheureusement pas marché parce que le public d'ici en a vu d'autres et que le racisme à rebours contre les « maudits Français » n'est pas terminé. Ce racisme est tributaire d'un impérialisme culturel français que l'on croyait pourtant disparu avec l'avènement de la France socialiste et moderne. Annie Girardot, la grande star française, qui n'a pas eu l'humilité d'accepter la critique d'une autre société que la sienne, nous a prouvé le contraire. En prenant d'assaut les ondes radiophoniques, elle n'a fait que perpétuer *son mépris à notre égard. En France, elle n'aurait jamais osé, mais chez les cousins québécois, tout est permis n'est-ce pas ?*

Plusieurs personnes, et je dirais même plusieurs femmes en particulier, ont été offusquées par la description que j'ai donnée de l'actrice quelques jours avant son spectacle. J'avais poussé la « mesquinerie » jusqu'à écrire qu'Annie Girardot avait l'air poquée et que son cheveu virait à l'orange. Tout part de là.

Les journalistes n'ont pas beaucoup d'outils pour exercer leur métier en liberté. Ils rencontrent des gens à longueur de journée, à qui ils doivent soutirer un certain nombre de propos et d'informations. Leur rencontre est artificielle. Ils ne connaissent pas ces gens et ne les connaîtront probablement jamais. La plupart du temps, ces gens essaient de les manipuler et de leur vendre leur plus belle image. Les informations qui sont communiquées sont donc partielles, partisanes et incomplètes. La plupart du temps c'est de la frime, du bonbon, du patinage professionnel.

Je n'ai pas rencontré Annie Girardot pour ses beaux yeux. Je l'ai rencontrée pour l'aider à vendre son spectacle. Malheureusement, je ne suis ni producteur de spectacles, ni attachée de presse, ni publicitaire. Je suis journaliste. Je rapporte les faits, je suis presque aussi efficace qu'une machine à cassettes. Je fais parler les gens. Dans ce cas-ci, la principale intéressée, ou devrais-je dire la principale désintéressée, n'avait rien, strictement rien à dire. Que faire ?

Une conférence de presse n'est pas juste une rencontre informelle. C'est un show. Demandez à Diane Dufresne ou à Yves Montand. Annie Girardot, elle, avait juste hâte que ça finisse. Elle avait passé le crachoir à son partenaire et se retenait pour ne pas bailler aux corneilles.

Que faire ? Il ne me restait plus qu'une dernière carte à jouer. Celle de la description. Quand le propos est plat, autant tourner autour du propos. Qu'est le métier de journaliste, si ce n'est regarder et décrire les images qui se présentent. Pas des images justes, juste des images, disait Jean-Luc Godard. La description n'exige que l'attention, la sensibilité du regard. Elle suppose une part d'interprétation. Mais quelle communication n'est pas interprétation ?

Dans le cas d'Annie Girardot qui a toujours joué à l'antistar, l'anti-glamour, la fille sympathique, ordinaire, « the girl next door », je ne faisais que lui renvoyer l'image qu'elle perpétue à travers les miroirs des médias. Il me semblait normal qu'elle ait l'air poquée. Elle avait traîné toute la nuit comme une fille « cool », sympathique, pas guindée. Ça prouvait qu'elle était une femme de chair et de sang, pas une vamp en vinyle. Elle était humaine. Quel beau compliment pour une actrice de cinéma...

Le texte paraît le lendemain sans susciter le moindre remous si ce n'est quelques commentaires de la part de mes confrères qui trouvent qu'à l'émission de Michel Jasmin, Annie avait effectivement l'air poquée. Rien d'anormal à l'horizon. À la première du spectacle, l'auditoire est glacial. À l'entracte, les gens sont gênés, déçus. Le consensus est général. Le show est pourri, mal fait, un vrai bide. Les critiques qui paraissent le surlendemain ne se gênent pas pour le souligner. La mienne n'est ni pire ni meilleure que les autres. Tout le monde semble être du même avis. On ne risque donc rien à le dire.

Girardot perd les pédales. Si elle avait vendu plus de billets au guichet, il est évident qu'elle ne les aurait pas perdues avec autant d'éclat. Elle se précipite à CKAC. C'est la mêlée générale. Elle me prend à parti. Pourquoi moi au fait ? Elle me reproche les fameuses « descriptions » qui ne figurent même pas dans la critique, traite mes confrères d'ignares et s'abandonne avec délectation au délire théâtral et au roman-savon.

CKAC en profite. Pascau récupère l'affaire comme d'habitude. Tous les médias sautent dans le bateau, même la digne Bombardier ne peut résister à la tentation. Je me prête au jeu parce que, précisément, ça fait partie du jeu. Si je refuse, on dira tout de suite que j'ai peur ou que j'ai quelque chose à me *reprocher. Ma rédactrice en chef me fait remarquer qu'il ne doit rien se passer dans l'actualité pour que l'on accorde autant d'importance à une affaire aussi banale. L'affaire n'est pas plus banale que les tergiversations de Trudeau ou que le dernier drame des Canadiens. C'est tout du pareil au même finalement. « There's no business like show business. »*

Annie Girardot est repartie chez elle. Dans un journal à potins parisien, elle soutient qu'elle a cloué le bec à la critique québécoise. Grand bien lui fasse. À la banque, la caissière me dit, c'est vous Nathalie Petrowski ? D'un air complice elle me demande comment s'appelait cette célèbre actrice française. Je sors mon plus beau sourire Pepsodent pour lui répondre : « C'est fou, mais je ne me souviens déjà plus... »

Les séductions de Patsy Gallant

Le showbizz c'est comme le sport, chaque partie fait ses perdants et ses gagnants. Lundi soir dans une salle Wilfrid Pelletier tout en courants d'air, en sièges vides et désolés, Patsy Gallant trônant sur les frêles épaules de deux valets danseurs, ne ressemblait pas tellement à une gagnante. Avec un retard de trente minutes, des problèmes de micro et de son dans une confusion électrique, notre petite Patsy nationale, ou plutôt internationale, n'en menait pas long.

Entonnant le traditionnel « y'a-tu du monde icitte a soir », mi-chauffeur de camion, mi-vamp de fin de soirée, Patsy, qui ne s'est pas encore branchée sur ses allégeances linguistiques et qui parle un curieux mélange de français avarié et d'anglais trop cuit, y alla d'un de ses plus récents hit disco. La chanson raconte l'histoire d'une jeune fille « sexy » qui rencontre un soir, dans un disco-café du Vieux-Montréal, l'homme de sa vie, un dénommé Michel qui lui dit « Je t'aime » en anglais, des paroles qui la font évidemment se pâmer. Dans un même bel élan de colonialisme culturel, Patsy chantera plus tard *Mon pays* mais en anglais, remerciant d'abord Vigneault puis l'intelligent personnage, un Canadien pure laine, qui a poussé la plaisanterie jusqu'à traduire *Mon pays* par *From New York to L.A.* réduisant l'hymne nationaliste à de la bouillie informe et impérialiste.

Entre deux pauses commerciales, Patsy en profitera également pour saluer le producteur « ami » descendu spécialement de Los Angeles pour la voir, et avec lequel elle espère bientôt brasser des affaires. La jambe nue, dépassant de l'étroite fente de la robe en lamé, Patsy, qui ne recule décidément devant rien pour se vendre, est une des grandes vaginocrates du spectacle. Elle ne chante pas juste avec sa voix mais avec tout son corps, poussant celui-ci en avant comme une belle pièce de viande qu'elle voudrait mettre en évidence dans l'étalage d'une vitrine. Malheureusement la séduction de Patsy est aussi subtile que celle de la danseuse topless du Sextuple avec la seule différence que la danseuse est trois fois moins rémunérée pour sa peine.

Le Devoir*, le 17 octobre 1979*

Féministe oui... mais

J'ai un préjugé favorable pour les femmes qui osent braver la solitude de la scène. C'est plus fort que moi. Les freudiens diront sans doute que je fais de la projection. Je leur répondrai que l'industrie du spectacle et de la culture, en général, est ainsi faite que là comme partout ailleurs dans la société, les femmes qui réussissent à se tailler un chemin dans le maquis, méritent toute ma sympathie, freudienne ou pas.

Je suis féministe, pas jusqu'à l'endoctrinement militaire ou militant, mais je crois que les femmes ont une expérience personnelle et différente à communiquer. Elles le font de mille manières, en criant leur aliénation, en posant avec une virilité forcée, en usant de tous les vieux stratagèmes de la séduction. Je dis que j'ai un préjugé favorable mais cela ne m'a pas empêché d'être plutôt dure à l'endroit de certaines femmes.

Je pense notamment à Patsy Gallant, notre vaginocrate nationale. On m'a trouvée dure, voire cruelle à son égard. Je l'ai ni plus ni moins traitée de putain. Va pour la vaginocrate mais j'admets que l'image de la pièce de viande en vitrine est un cliché facile, lourd et pas très subtil. Patsy méritait-elle un tel châtiment ? Pas vraiment ou du moins il aurait fallu trouver une manière plus élégante de le dire. En même temps, je me demande pourquoi il faudrait contenir sa rage devant un spectacle qui fait reculer les choses de deux mille ans. J'ai compris plus tard que Patsy péchait plus par ignorance que par méchanceté. J'ai sorti mes gros canons pour abattre une souris. La salle était vide, le show raté, et Patsy Gallant n'avait pas besoin de moi pour se caler.

Fabienne Thibeault : la complainte de la chanteuse automate

L'autre soir à la Place des Arts, j'ai vu Fabienne Thibeault mais je me demande maintenant si ce n'était pas plutôt Renée Claude, Christine Charbonneau ou à la limite Mireille Mathieu. Si la chanteuse n'avait pas répété son nom à plusieurs reprises, j'aurais pu facilement me méprendre. Car l'autre soir à la Place des Arts, j'ai peut-être pendant quelques brefs moments croisé Fabienne Thibeault mais j'ai passé la majeure partie de la soirée avec une chanteuse plantée comme un piquet devant son micro, une chanteuse chromée par la grosse machine compresseuse du showbizz traditionnel, une chanteuse ligotée dans la camisole de force des convenances esthétiques et qui s'est à peine débattue pour sauver son identité en péril.

Passant d'un sourire figé à un regard de bête traquée, débitant des textes de présentation appris par coeur sans la moindre nuance. Fabienne Thibeault m'est apparue plus que jamais comme la serveuse automate de sa chanson. Mal servie par un entourage qui a cherché à réformer sa personnalité de bonne fille de la nature, pour la rendre conforme aux images truquées des magazines de mode, je l'ai sentie plus perdue, plus paniquée que jamais. Maladroite dans ses nouveaux souliers à talons, mal à l'aise dans sa peau, elle s'est déplacée d'un bout à l'autre de la scène comme une somnanbule à la recherche des traces de craie imaginaire plantées dans sa tête par son metteur en scène Jean-Guy Moreau.

J'ai cherché en vain à comprendre le travail du metteur en scène. Pourquoi ne l'a-t-il pas mieux dirigée, pourquoi ne lui a-t-il pas offert un oeil plus critique ? A-t-il seulement été engagé pour monter le pauvre numéro d'imagination dans lequel l'ange de la nature parodie en ricanant méchamment Diane Tell et Angèle Arsenault ? N'a-t-il pas vu que les costumes, d'atroces oripeaux sertis de faux brillants dessinés par une couturière qui a dû apprendre son métier au sous-sol du Grand Guignol, ridiculisaient la chanteuse au lieu de l'embellir ? À regarder Fabienne Thibeault se débattre dans les couches successives de tissu mal coupé, parmi la surcharge de franges et de flaflas, on s'ennuyait presque des châles et des gros sabots. À cette époque-là, la découverte de la Chantaoût chantait comme un oiseau, simplement, elle semblait mieux dans sa peau. Que s'est-il passé ?

La voix a gardé sa limpidité lumineuse mais l'émotion est souvent forcée. Trop consciente de sa technique, trop préoccupée par la fragilité de son instrument, elle devance l'émotion au lieu de la laisser monter naturellement en elle. Au travers du malaise, on devine qu'elle lutte contre trop de choses à la fois. Contre l'image de la fille chromée qu'on veut lui imposer, contre ses propres doutes et ses propres insécurités. Cette bataille intérieure donne lieu à l'occasion à des moments d'intensité touchants. Dans certaines ballades comme *La dernière baleine, Voir un ami pleurer,* de Brel, et *Je recommence à vivre,* elle transcende les maux qui l'accablent et réussit à communiquer une ferveur souffrante et à émouvoir la salle. Ailleurs, elle perd le contrôle de ses émotions, perd le fil de son authenticité et redevient une chanteuse automate, sans vie, sans âme, toute recroquevillée en elle-même.

Fabienne se cherche, ne cesse-t-on de nous répéter. C'est vrai. La chanteuse est arrivée à un tournant important de sa carrière. Mais si elle ne brise pas les chaînes qui l'aliènent, si elle ne donne pas plus d'elle-même, si elle n'apprend pas à voler de ses propres ailes sans la feuille de route que les autres ont tracée pour elle, elle risque de ne jamais se trouver et de se réveiller un beau matin en se demandant où est passée la vraie Fabienne Thibeault.

Le Devoir, *le 19 octobre 1981*

Fabienne Thibeault

C'est une critique dont je suis particulièrement fière parce que Fabienne me laisse en général tiède et indifférente. J'ai fait abstraction cette fois-là de mes préjugés et des pressions du milieu qui a tendance à materner Fabienne pour livrer une critique dure mais constructive. Son spectacle m'avait gênée plus qu'autre chose et je ne voulais pas la descendre bêtement en décrivant ses gaffes sans expliquer le fond du problème, un problème d'identité finalement. On m'a souvent reproché d'attaquer les artistes personnellement au lieu de m'en tenir à leur performance sur scène. Cette critique démontre à quel point les deux sont intimement liés.

Je n'ai pas écrit cette critique avec gaieté de coeur. Je ne prends aucun plaisir à voir quelqu'un se casser la gueule mais je n'ai pas envie non plus de faire semblant que tout va bien quand tout est croche. Certaines choses doivent être dites même si ce n'est pas forcément agréable de les dire.

Pauline Julien : le retour d'une fille « pas très cool... »

« J'aurais donc aimé ça être cool », chante Pauline Julien, affalée contre le piano, en robe de lamé rose dans l'obscurité calfeutrée du TNM où elle revient célébrer l'avènement des années 80. Elle aurait aimé ça être cool, passer des heures à rêvasser dans une vie en circuit fermé. Mais voilà, elle est née sous la mauvaise étoile et dans la mauvaise peau, les beatnicks de Saint-Germain-des-Prés lui ont fait faux bond.

On l'a aimée sous les drapeaux et les bannières, marchant de pied ferme vers le front, on l'a aimée sous le volcan; mais on l'aurait parfois aimée un peu plus cool, un peu plus relaxe, un peu moins passionaria, un peu moins Molly-la-Mitraille, un peu plus drapée de mystère sous les grands chapeaux de Greta Garbo. Mais à quoi bon rêver à ce qui n'existe pas. Pauline Julien est aussi cool qu'un réacteur fondu dans une centrale nucléaire, aussi intimiste qu'un ralliement à Nuremberg.

C'est pourquoi le titre de son nouveau spectacle, *Fleurs de peau,* laisse un peu songeur. Si Pauline réussit cette fois à personnaliser ses chansons et à livrer ce brin d'elle-même qu'elle gardait pudiquement caché, elle reste ce qu'elle a toujours été, un déluge, que dis-je, un ouragan de passions et d'émotions, un cas de bonne conscience nationale, criant parfois trop fort ce qu'elle pourrait très bien chuchoter. À fleur de peau peut-être, mais les nerfs au vif le plus souvent. Même le TNM ressemble cette fois à une chemise étriquée, trop petite pour ses grands écarts de voix, ses sauts cantiques dans l'arène de l'engagement. Les nerfs, Pauline, les nerfs...

Mais Pauline n'écoute pas et dans un sens c'est mieux ainsi. Elle reste fidèle à elle-même par principe et parce qu'elle n'a pas le choix. Comment pourrait-elle ignorer la sourde rumeur de l'énergie et du feu qui montent en elle et la secouent à chaque chanson. Comment une force de la nature peut-elle rester indifférente quand la nature se déchire et se déchaîne autour d'elle ? Intensité n'est plus un mot pour elle, c'est une façon de vivre sa vie... sur scène. Elle le dit d'ailleurs. « Ce que je chante est plus beau et plus vrai que ce que je vis. » Mais la vie finit toujours par se pointer au détour et par envelopper ses chansons d'une juste mesure poétique qui ne fait de Pauline ni une révolutionnaire, ni une anarchiste, ni une avant-gardiste. Non, Pauline n'est pas la statue de la liberté sur le fleuve Saint-Laurent, elle reste, et cette fois-ci, plus clairement que jamais, une interprète, un comédienne, une comique, une belle folle, un peu peureuse sur les bords, qui aurait envie de s'éclater mais qui n'est pas capable d'y aller à fond, par prudence, par pudeur, par inadvertance, qui sait ?

Femme de parole et femme de scène, la chanteuse straight debout devant son micro va cependant cette fois plus loin qu'elle n'a jamais été. Elle garde ses défauts, sa trop grande théâtralité, son timbre strident, des musiques qui laissent parfois à désirer, mais elle arrive cette fois à contourner les obstacles avec la bonne humeur et une nouvelle spontanéité. Au travers des textes des Denise Boucher, Gérald Godin, Gilbert Langevin, Felix Leclerc et Pablo Neruda, elle s'aventure dans la zone occupée de ses peurs, de ses passions, de ses désirs intimes, à la recherche du pays intérieur. Il n'y a pas de véritable striptease mais il y a l'indéniable honnêteté, l'élan, l'énergie, l'enthousiasme encore renouvelé et ce grand éclat de rire qui ferme le rideau sur la fille pas très cool qui cherche encore, qui cherchera toujours. Les gens cool n'iront peut-être pas voir Pauline, cette fois, mais les gens cool ne savent pas ce qu'ils manquent...

Le Devoir, *le 25 septembre 1980*

Pauline Julien

En ouvrant le journal l'autre matin, je n'étais pas fière. La critique du spectacle de Pauline Julien que j'avais malheureusement signée, me regardait d'un air plein de reproches, me signifiant que j'avais laissé s'accumuler les erreurs et les confusions.

Je n'ai jamais été une fanatique de Pauline Julien, mais je reconnais que la femme a du métier, qu'elle s'acharne depuis vingt ans à dire ce qu'elle pense et à le dire honnêtement. Dans son nouveau spectacle, non seulement elle se prévaut de ce droit acquis depuis longtemps, mais elle revendique quelque chose de bien plus important, son droit de changer, d'évoluer, son droit de ne pas se momifier dans des causes et des idéologies qui sont restées inertes. Il ne s'agit pas pour elle de renier ou de désavouer ce qu'elle a jadis endossé mais de montrer qu'elle a su dépasser ses premiers idéaux et investir son idéalisme ailleurs. C'est pour cela qu'elle prend un malin plaisir à chanter « J'aurais donc aimé ça être cool ». Celle qui depuis vingt ans a la flamme et la passion inscrites sur son front, se moque de sa propre indignation, rit d'elle-même et des autres et conclut qu'il ne faut pas toujours se prendre au sérieux parce qu'au-delà de la rhétorique et des discours, il y a la vie.

Pourquoi je n'ai pas écrit cela l'autre jour quand je m'arrachais les cheveux devant ma machine à écrire, je ne le sais. Le téléphone a peut-être trop sonné, l'air ne s'y prêtait pas. Qui sait ? Les excuses sont inutiles à ce stade-ci. Une chose est certaine, Pauline donne un bon show au TNM ces jours-ci, peut-être le meilleur de sa vie. Elle méritait mieux que cette critique mitigée, même si elle est la première à reconnaître que tout le monde a le droit de se tromper. Sans rancune, Pauline.

Le Devoir, *le 27 septembre 1980*

Pauline Julien

J'ai un problème avec Pauline Julien. Je crois qu'on appelle cela un conflit de générations. C'est plus fort que moi, plus fort que ma grille féministe. Le pire c'est que j'endosse complètement toutes ses idées mais que je suis allergique à la forme qu'elle emprunte pour les communiquer. La dernière critique sur Pauline a été écrite dans d'atroces déchirements. J'étais allée la voir au TNM avec des collègues de travail. Celles-ci étaient enthousiasmées et moi toujours pas. Lorsque vint le moment fatidique de rédiger la critique, je ne savais plus sur quel pied danser. Que faire quand le style, la manière d'un artiste, ne vous reviennent pas et que tout le monde autour crie au génie ? J'ai écrit une critique mitigée, mi-chèvre, mi-chou, colorée d'images exagérées et burlesques. Une critique tellement ratée que j'ai décidé de faire des excuses publiques à Pauline deux jours plus tard dans le journal. C'était évidemment trop tard. C'était peut-être surtout pour montrer que la critique n'est pas infaillible, qu'elle a le droit de se tromper et le devoir de le reconnaître.

Geneviève Paris : une guitare à soi

C'est Virginia Woolf dans *Une chambre à soi* qui écrivait : « Point n'est besoin d'être grand psychologue pour se convaincre qu'une fille de génie, qui aurait tenté à une certaine époque de se servir de son don poétique, aurait été à tel point contrecarrée par les autres, torturée et tiraillée en tous sens par ses propres instincts, qu'elle aurait perdu santé et raison. Cette femme douée pour la poésie était une femme malheureuse, en lutte contre elle-même. Les conditions de sa vie, ses propres instincts, étaient contraires à l'état d'esprit qui permet de libérer les créations du cerveau et de leur donner vie. »

Virginia Woolf parlait de la femme du 16e siècle. Du 16e siècle aux années 80, il y a bien entendu mers et mondes, lunes et soleils. Et pourtant il n'y a pas si longtemps, le monde de la musique, devenu le haut-lieu privilégié de l'expression de la génération montante, devait être pendant longtemps (et aujourd'hui encore) l'exclusivité de mâles bien pensants comme le fut au siècle de Virginia woolf, le monde de l'écriture et du roman.

Les parents qui fermèrent les yeux et se montrèrent tolérants lorsqu'ils virent leur fils de 13 ans tomber en amour avec une guitare électrique, se seraient montrés autrement plus intolérants si leur fille chérie avait décidé de faire la même chose. Pour tous les petits Éric Clapton, Jimi Hendrix, Jimmy

Page et Al Di Meola qui poussèrent au cours de la grande révolution psychédélique, combien de petites Geneviève Paris sont restées enfermées dans leurs chambres à contempler leurs poupées, contraintes au silence des vitrines où dormaient leurs guitares interdites. Combien ont timidement essayé d'imiter Joan Baez, Joni Mitchell ou Françoise Hardy pour se faire gentiment rappeler à l'ordre et couper le courant. Les temps ont peut-être changé, mais les musiciennes accomplies comme Geneviève Paris, enfin tolérées dans le sanctuaire masculin, sont encore des exceptions, des cas que l'on cite en exemple pour se soulager la conscience, des symboles que l'on investit de noblesse en déclarant : « pour une fille, elle joue vraiment bien. » Mais tenez-vous bien.

Il suffit d'écouter la première chanson du troisième disque de Paris pour comprendre que la force de la musique vient peut-être du fait que la fille qui la joue a dû se battre doublement pour prouver son point et montrer qu'elle était capable d'accoter n'importe quel autre guitariste, homme ou eunuque. En fait, les gars ont intérêt à faire attention et à bien aiguiser leur fin sens de la compétition parce que Paris va leur donner du fil à retordre. Sur ce troisième disque, *Boulevard du crime,* sur étiquette Beaubec, sans contredit son meilleur disque, la guitare de Paris s'y fait plus dangereuse et menaçante que jamais. Le style est net et tranchant, accroche la mélodie au détour sans éclat, sans jouer du muscle débile ou sans se complaire dans d'inutiles solos tapageurs ou tape-à-l'oeil. Économe et efficace, Paris use de simplicité et de sensibilité pour témoigner de sa puissante force de frappe.

Boulevard du crime (dont les paroles ont été écrites en collaboration avec notre Pierre Huet national) est la meilleure pièce. Chantant l'égarement d'une fille perdue dans le délire blanc de son propre cinéma, Paris épouse un pas de course, un rythme haletant qui sert le scénario de la chanson tout en permettant à la guitariste de jouer de tout son saoûl et de jouer avec le feu. Prenant parfois une voix rauque à la Julien Clerc ou alors une voix voilée à la Catherine Lara, elle chante et joue la rage et la détresse de vivre, la difficulté d'être dans un monde hostile et pétrifié. Les accords sont tristes, mélancoliques, mais ils ne sont jamais stériles ou déprimants.

Bien servie par une équipe québécoise qui comprend Jimmy Tanaka aux percussions, Jeff Fisher aux claviers, Pierre Hébert à la batterie et Michel Dion à la basse, Geneviève Paris ne pourrait mieux illustrer que le talent, le sens de la mélodie et l'habileté musicale, ne sont pas, comme on a longtemps voulu nous le faire croire, le monopole d'une petite clique de musiciens de génie. Pour une fois, et pour plusieurs à venir, ces messieurs musiciens devront apprendre à partager le gâteau du génie créateur au lieu de tout le temps vouloir se l'approprier.

Le Devoir*, le 11 juin 1980*

Geneviève Paris

Les lectures jouent un rôle capital. Elles nourrissent l'imagination et l'empêchent de se dessécher dans la production sous pression. Je venais de terminer la lecture d'un livre de Virginia Woolf lorsque j'ai écrit la critique du disque de Geneviève Paris. L'occasion était trop belle pour ne pas la récupérer et faire un brin de féminisme sur le dos de Geneviève Paris. J'avoue de plus être parfaitement épatée par une fille qui sait manier une guitare électrique avec le même naturel qu'un gars. On peut parler dans ce cas-ci d'une critique féministe, quoique je n'aime pas Geneviève Paris parce qu'elle a osé faire de la musique, mais parce qu'elle joue bien, point. C'est toute la différence entre le pamphlet et le journalisme...

Wondeur Brass : attention les gars, elles ne plaisantent pas

L'autre soir au Club Montréal, on présentait à grand renfort de publicité le groupe Girlschool, quatre jeunes Britanniques qui ont décidé après plusieurs siècles d'asservissement de s'adonner à la musique rock et d'adopter, pour le faire, la ligne dure du métal. Il n'y avait pas foule mais il y avait suffisamment de décibels pour réchauffer l'atmosphère et donner raison à ces quatre filles dans le vent qui militent avec leur guitare. Quelque chose cependant clochait dans le tableau. Dans le vacarme infernal du métal hurlant, les filles empruntaient des poses viriles et agressives, se prenant au jeu de domination de leurs oppresseurs. Parrainées par la compagnie de disques Warner Bros., elles ne faisaient au bout du compte que récupérer la conscience féministe sans un instant chercher à transcender leur propre sensibilité.

À quelques coins de rue plus loin, au Transit, Wondeur Brass offrait une autre version des choses. Ce collectif de neuf musiciennes, issues de groupes comme Arcenson, Fanfarlouche et Mona Lisa, qui prétendent avoir le « corps érotisé par le métal », est en quelque sorte la suite féministe de Montréal Transport. Les bébés de Duluth insolite continuent à fleurir. Dans le désert culturel post-électoral, la marginalité bohémienne semble être la seule avenue possible pour le renouveau de l'imagination locale.

Juchées sur des caisses de bois, les lèvres collées aux parois de cuivres jaunes sur lesquels on a oublié de passer le Pledge, Wondeur Brass joue au féminin. Attention les gars, elles ne plaisantent pas ! Au départ, on ne sait trop comment les aborder. Devant leurs faces de carême que pas le moindre sourire ne vient perturber, on se demande si on est invité au party ou pas. Leur paranoïa extrême, leur sentiment tragique de la vie, leur manque d'humour, leurs airs éplorés, leurs grandes déclarations philosophiques sur le monde qui court à sa perte et sur les restaurants grecs qui polluent Duluth, n'aident pas toujours à avaler la pilule. Leur musique de cirque maganée fait penser à du sous-Carla Bley dont elles auraient égaré les partitions musicales dans la machine à laver.

Subversives, elles le sont finalement malgré elles. Car dans le brouillon de leur interprétation, elles nous offrent un exercice de sabotage de la musique dite classique et conventionnelle. Leur absence de technique « patriarcale » vient confirmer les préjugés que nous pouvons entretenir à l'endroit de ce que la musique doit être ou ne doit pas être. Il est vrai que sous le désordre musical d'une Carla Bley se cache une compositrice qui sait ce qu'elle fait et ce qu'elle veut. Devant elle, 10 musiciens virils et virtuoses travaillent dur à pousser la musique jusqu'au bout d'elle-même. Les filles de Wondeur Brass opèrent dans une ligue différente. Elles n'ont pas d'hommes à leur disposition et elles n'en veulent surtout pas. Elles préfèrent pratiquer la guérilla, jouer tout croche mais jouer à fond en s'inventant des airs et des délires du Parc Belmont.

Leur démarche n'est pas au point : on sent vite que leur expérience de la scène est limitée. Elles sont encore mal à l'aise, gênées et gênantes. On aurait envie un instant qu'elles descendent un peu de leur nuage noir d'amazones rancunières, qu'elles soient moins éthérées et cérébro-vaginales, plus humaines, plus présentes, qu'elles laissent dépasser un peu de leur âme, pour rire ou pour crier.

Elles ont le temps, même si certains allumeurs de rumeurs

et de réverbères ont déjà réglé leur cas. Leur évolution ne manquera pas d'être intéressante. Il leur faudra choisir entre le militantisme dur et la communication plus douce, entre le désordre musical et l'anarchie contrôlée, entre la scène et le sauna. Pire encore, il leur faudra continuer et nous prouver qu'elles ne plaisantent pas.

Le Devoir, *le 22 juin 1980*

Wondeur Brass

La critique de Wondeur Brass est parfaitement contradictoire et complètement cohérente. Je tiens mon féminisme à distance tout en récupérant le jargon de la militante. Devant cette gang de filles qui ont le goût de jouer du saxe, je me suis rendu compte des doux dangers de la démagogie. Je ne vais quand même pas m'extasier à chaque fois que des filles décident de jouer de la musique et répéter ad nauseam comme c'est extraordinaire de les voir fouler des sanctuaires interdits.

La critique venant plus tard dans le calendrier, je pousse le raisonnement un cran plus loin. Le terme « patriarcale » est entre guillemets mais il soulève le brumeux dilemme de ce que la musique doit ou ne doit pas être. Je crois m'être inspirée à l'époque de la querelle qui entourait le genre des mots dans les dictionnaires de la langue française. Si je retourne voir Wondeur Brass, je lâcherai le dictionnaire et les revendications féministes. Je parlerai d'elles comme je parlerais du Vic Vogel Big Band. Ce sera le meilleur service à leur rendre.

André Gagnon : le speed freak de la Place des Arts

Que Dieu bénisse Paul Bley, Oscar Peterson, André Laplante, Louis Lortie, que Dieu bénisse tous les pianistes sensés de la terre, tous les pianistes qui ne prennent pas leur piano pour une porte de frigidaire. Que Dieu les préserve de l'ultime danger, celui d'un jour ressembler à Dédé Gagnon alias le p'tit Mozart, le p'tit Simard et le mini Liberace des pianistes québécois.

Propulsé comme une fusée sur la scène du théâtre Maisonneuve, André Gagnon nous fait cadeau cette année d'une belle liste de Noël et d'un plan à court terme d'éducation pour les adultes. Ce plan consiste à faire miroiter, sur les néons loués pour l'occasion, les lettres majuscules de son nom (au cas où l'on oublierait qui il est) au-dessus de notre tête avant et pendant quelques chansons du show. Entendons-nous bien. Je n'ai rien contre le fait de savoir écrire son nom, car après tout, rien de plus déprimant qu'un illettré qui ne sait que dessiner des x, mais quand on éprouve l'étrange envie d'afficher son nom un peu partout sur les scènes de la ville, quand de plus on éprouve le besoin de faire parader le portrait de sa mère (avant et après), sur les diapositives de la PdA, quand on pousse sa démarche jusqu'à projeter une petite publicité sur film pour annoncer un prochain hit disco en vente dans tous les magasins et qu'en interprétant un prélude de Chopin, on en profite pour montrer la photo du gars, avec en-dessous, une fois de plus, le nom du gars, alors là, je commence à douter sérieusement du bien-fondé de ces divers panneaux-réclame. La question que je me pose est la suivante : André Gagnon prend-il son public pour une parfaite poire ? Pour répondre à cette question, faisons appel à deux hypothèses. Ou bien André Gagnon est un admirable innocent qui veut bien faire et qui prenant conscience des soubresauts de son adrénaline, tente de compenser par un ralentissement de ses facultés intellectuelles. Ou alors il se prend carrément pour Dieu le Père sauveur de son peuple, le messager du Saint-Esprit venu repêcher ses brebis et les mener sur la bonne voie, celle des caisses enregistreuses dans le Miracle Mart de la danse et du disco.

Filant à 200 milles à l'heure sur son piano magique, André Gagnon, ses gestes secs et saccadés, est le prototype du speed freak. Tout ce qu'il fait, il le fait à la course, à la hâte, avalant tout rond aussi bien les berceuses que les ballades, débitant ses textes d'enchaînement comme s'il vendait des malaxeurs dans le rayon de la vaisselle chez Eaton. Gagnon court toujours plus vite que les notes, ce qui lui vaudra le surnom de Road Runner de la musique. Malgré cette vitesse vertigineuse, ou peut-être justement à cause d'elle, la musique d'André Gagnon, quoi qu'on en dise, n'est pas très variée, toujours les mêmes structures, les mêmes glissendos, toujours le même éventail de gammes excitées, fébriles, nerveuses. Mais qu'est-ce qui fait donc courir Dédé ?

Certaines mauvaises langues répondront qu'il s'agit en fait d'un besoin maladif de s'étourdir et d'étourdir le monde autour pour que personne n'ait le temps d'entendre et de voir ce qui se passe vraiment. Car quand la musique de Gagnon ralentit enfin, elle devient alors un long travelling qui donne davantage dans le crémage à la vanille et le pudding au chocolat que dans la beauté lyrique d'un champ de neige ou d'un fleuve gelé ; quand on lui enlève ses trémolos, ses violons larmoyants, ses gros coups de canon à la batterie et aux percussions, elle finit par ressembler à une mince couche de papier sablé.

Le problème dans tout cela, c'est qu'André Gagnon prend son rôle d'éducateur de masses, son rôle d'entertainer messianique au sérieux. Si au moins il avait la raillerie crasse d'un Liberace, si au moins il jouait proprement le jeu de l'illusion. Mais non, il fait tout le contraire. En dépouillant son show de l'habituelle enfilade d'artifices, en nous privant de ses jérémiades dans la nuit, de ses trois stepettes de crécelle, il croit nous faire une grande faveur. En réalité, il rend notre supplice d'autant plus grand. Il nous dit, me voilà en toute simplicité, moi et ma grande musique. Ce qu'il ne sait pas, c'est qu'il fait de la musique de maternelle et que malheureusement nous avons tous passé l'âge de la maternelle depuis longtemps.

Le Devoir, *le 30 octobre 1978*

André Gagnon : des vertes et des pas mûres...

La démolition systématique est un métier que j'ai parfois pratiqué. Je l'ai fait avec un certain style, ce qui est pire, en râclant les fonds de l'exagération pour mieux faire passer la pilule. Je l'ai aussi pratiqué à quelques occasions sans humour, avec un idéalisme ronflant, en sortant la hache de guerre sans raisons. S'il y avait de la malice dans le regard halluciné que je jetais sur René Simard, il y avait un abus de pouvoir dans la critique commise contre André Gagnon. Tout le monde n'aime pas notre Dédé national. Ceux qui ne le prennent pas en peinture ont dû être ravis par cette critique hargneuse et exacerbée. Je ne me donne pas raison pour autant. Il y a mille façons plus délicates de dire les choses.

Cinq années se sont écoulées depuis cette fatidique mise à mort. Cinq années c'est long dans la vie d'un critique. On apprend à faire des détours, à refouler ses antipathies personnelles, à développer une vision moins intransigeante. La distance s'installe et n'amène une perte ni d'intérêt ni de passion, mais un point de vue différent. On n'en revient pas systématiquement à soi. On se met à la place de l'autre, on visite son pays sans craindre d'être obligé d'y habiter. On est moins sur la défensive et on accorde à André Gagnon le droit d'exister.

En attendant Charlebois ou son ombre

À peine revenu de Paris, France, à peine remis de Michel Jasmin, Robert Charlebois multiplie ses sparages et fait des pieds et des mains pour se faire pardonner du grand public québécois et lui plaire à tout prix. On l'entend partout à la radio et à la télévision faire le beau et faire le fin. Certains le disent désespéré.

Le sourire aux lèvres et les pieds qui pataugent dans le liquide amniotique de son nouveau bonheur d'occasion, on l'entend presque faire son acte de contrition. Bien entouré des chiens de garde qui jappent dès qu'on l'approche et le dirigent les yeux fermés dans les allées pavées de la chanson alimentaire, Robert Charlebois n'accordera pas d'entrevue au *Devoir*. Mille excuses, chers lecteurs, mais il faut croire que vous ne le méritez pas.

Lorsqu'un artiste a peur de rencontrer un journal et un journaliste, lorsque sa compagnie de disques hausse les épaules avec suffisance, feint le mépris ou l'indifférence, on peut se poser de sérieuses questions sur la bonne santé du show-bizz québécois ou plutôt sur son état avancé de décomposition. Un artiste a le droit et le privilège de refuser d'accorder une entrevue à un journaliste, mais celui-ci a le droit en retour de voir dans ce refus et ce silence un signe inquiétant. Faut-il croire qu'à l'heure où Chantal Pary est devenue la plus grosse vendeuse de disques au Québec, à l'heure où Charlebois en est réduit à multiplier les excuses et à pratiquer le révisionnisme historique, le Québec est arrivé au seuil critique du sous-développement culturel ? Faut-il croire que la révolution amenée par la musique et la chanson se solde 15 ans plus tard par un bel échec ? À écouter l'attaché de presse rétorquer sur un ton de mercenaire : « Quand on aura besoin de tes services, on te le fera savoir », tandis qu'ailleurs il fait avaler à tous la vision prospère et pasteurisée d'un nouveau Charlebois beau, fin, poli et amélioré, on en vient à sérieusement déprimer.

Robert Charlebois ne sait probablement pas qu'il n'accordera pas d'entrevue au *Devoir* et ne veut surtout pas le savoir. À en juger par son nouveau disque *Heureux en amour?* où même le point d'interrogation est ambigü, on peut facilement supposer qu'il préfère jouer à l'autruche, faire table rase du passé et se contenter du confort douillet de sa nouvelle planque. Victime docile d'un *star system* qui l'a avalé tout rond comme une grenouille, Charlebois continue, à 37 ans, à perpétuer ce vieux mythe d'un artiste infantile et manipulé, qui n'a aucun véritable contrôle sur sa destinée.

Certains le disent fini, desséché, désespéré, d'autres comparent son itinéraire à celui d'une croisière vouée au plaisir à perpétuité. La clef du secret réside finalement dans *Heureux en amour?*, la troisième édition d'une autopsie du bonheur absolu. Charlebois s'y livre un peu plus que d'habitude à travers les paroles des autres. Ducharme, Plamondon, Diane Juster, Jean-Lou Dabadie s'évertuent à nous tracer le portrait d'un homme soulagé d'un immense fardeau, un homme qui n'était pas tout à fait prêt à conduire le Québec vers le monde moderne, un chanteur ordinaire qui a été piégé par un malentendu du collectif. Charlebois n'a jamais été un agent de changement social, il a seulement été le miroir d'un moment, l'image éphémère d'une société qu'il voudrait croire aujourd'hui, malgré le chômage, l'inflation, l'assimilation, heureuse et prospère, se dorant sous un joli soleil bourgeois.

On ne l'a pas vu venir. Mais entre *Tout écartillé* et *CPR Blues,* le vrai Charlebois chantait déjà « demain je m'en fous, je m'en vais au soleil ». On n'y faisait pas attention à l'époque. On commence seulement à comprendre alors que celui qui aurait pu crier « vous êtes pas tannés de mourir bande de caves », nous demande aujourd'hui avec insouciance : « Heureux en amour ? » Le point d'interrogation passif est là pour la forme et pour la frime. Charlebois ne veut pas se faire le porte-parole du nouveau désordre amoureux, il veut tout bêtement nous démontrer que tout le monde a le droit d'être heureux en amour, les bandits, les baveux, les laids, les fatigants, même les chanteurs populaires. On comprend qu'il n'est pas le héros tragique et suicidaire d'un Québec en mal d'affirmation, mais qu'il n'est qu'un amuseur public poids plume, un démobilisateur avec un sens inné du rythme, un phrasé unique, un talent pour les mélodies et un sens de l'humour plutôt léger.

Dans la chanson *Faut que ça change,* il nous avoue qu'il a tout ce que tout le monde veut, mais qu'il est souvent malheureux, qu'il change parce que le monde le veut, parce que le nouveau ça réveille. OK, dit-il, j'ai compris le message, comprenez-le vous aussi. Je ne me prends pas au sérieux. Et pendant ce temps-là, le Québec affamé d'idoles et de rois, tombe des nues.

Avec *Heureux en Amour ?,* Charlebois consacre un dernier cliché, celui qui veut qu'un homme se calme à 40 ans. Ailleurs, Dylan, les Stones, Frank Zappa ne se posent pas la question. Même John Lennon avait réussi à franchir le cap en gardant une certaine distance philosophique. Charlebois, lui, préfère se taire. Le silence est d'or. Chez Charlebois, il est le parti de celui qui se défie de lui-même et la marque de commerce d'une triste récupération.

Le Devoir, *le 12 décembre 1981*

Robert Charlebois

Ce texte est un règlement de comptes. Robert Charlebois ne veut pas m'accorder d'entrevue, très bien. Je me passe du personnage, je me rabats sur le produit (son disque) et j'en profite pour le planter. Magistralement et avec un plaisir presque perfide. Mais qui sait lire entre les lignes comprendra que la vengeance n'est pas la seule flamme qui m'anime. À travers ma déception, je cherche aussi à être honnête avec le lecteur et à lui donner l'heure juste quant à la vraie nature du chanteur « ben ordinaire » qui a finalement peur de rencontrer une journaliste.

Pourquoi Le Devoir *serait-il privé d'une information à laquelle tous les autres médias ont amplement accès ? Le journal est-il trop intellectuel ou sa journaliste trop heavy ? Est-ce une question de tirage, de rentabilité ou d'image tellement fragile qu'elle ne peut souffrir la moindre remise en cause ? Lorsqu'une personne publique refuse d'accorder une entrevue à un journal, la direction du journal préfère taire l'incident. Inutile d'informer le lecteur des jeux de coulisses qui se déroulent entre les grands de ce monde. Je suis contre le principe. Le refus de Charlebois était personnel, mais il était aussi politique, donc public, donc publiable. Les lecteurs du* Devoir *étaient en droit de savoir que Robert Charlebois n'était pas toujours ouvert à la communication. C'est pour cela que j'ai pondu l'article et récupéré l'incident de façon à illustrer la mentalité plutôt conservatrice, pour ne pas dire protectionniste, d'un chanteur populaire qui ne fait pas confiance à certains médias.*

Lors de sa dernière tournée de promotion, son attachée de presse a proposé une entrevue avec Charlebois au Devoir *en spécifiant qu'il fallait envoyer à peu près n'importe qui sauf moi. Qui a parlé de contrôle de l'information ? Certainement pas Robert Charlebois...*

Les « Trois L » à la PdA : le courage de devenir « kétaines » ridicules

Comme le disait si bien la divine Sarah Ménard, « il vaut mieux chanter ses propres kétaineries et devenir enfin souverainement ridicule que de chanter les kétaineries des autres et devenir grotesque ». Donald Lautrec, Pierre Lalonde et Michel Louvain ont compris la leçon.

Rebaptisés les « Trois L » pour les besoins de la récupération tranquille de leur producteur dans le recyclage débridé du passé, les trois grâces nous présentent un panorama québécois de la musique populaire des vingt dernières années. Affublés de tuxedos un peu trop empesés, ils ne nous ouvrent pas le volet le plus reluisant de notre culture à la sélecte Place des Arts. Ils s'en prennent plutôt à ces vieux fonds de tiroir du gogo et du yéyé, témoins incriminants d'une époque qu'on aimerait parfois mieux oublier. Impossible. Ils sont là tous les trois, plantés comme des piquets sur la vaste scène, symboles ressuscités de la génération pepsi. Ils chantent leurs vieux succès, les vieux succès des autres et, comme il se doit en territoire occupé, les trois quarts des chansons sont en anglais.

La première heure du spectacle est imbuvable. Déformés par la télé, pollués par la post-synchronisation et le miracle du « lip-sync », les « Trois L » ont perdu l'habitude de la scène. S'accrochant à leur micro comme à une bouée de sauvetage, ils ressemblent à trois représentants de la Chambre de commerce qui attendent l'autobus sans savoir quoi se dire. Leurs plaisanteries volent au ras de la platitude et s'écrasent mollement dans une absence désespérante de rythme naturel. Après de vaines vocalises, ils se confondent en imitations et passent sans vergogne de Willie Lamothe à Yves Montand, des Platters à Tony Roman et nous offrent un mélimélo culturel que le plus brillant des sociologues aurait été incapable d'imaginer. Leur kétaine est pur, authentique, indélogeable.

Il faudra attendre la deuxième partie du spectacle pour enfin le déloger et comprendre que les « Trois L » tentent en fait de nous initier à l'art de la parodie. Leur message est clair tout à coup. Ils n'ont plus envie de se prendre au sérieux, ils ont juste envie de nous montrer l'envers de la brillante médaille d'or plaqué. Le vrai spectacle commence enfin. Louvain danse un tango avec la dame en bleue qui porte une robe froncée sans doute achetée dans un magasin de draperies. Lalonde délaisse la pommade du séducteur pour sortir son vrai accent de gars de club, tandis que Lautrec en profite pour user de son humour noir en envoyant des pointes sucrées à ses confrères. Entre deux stepettes et un petit coup de couteau, ils chantent le palmarès rock de la fin des années 50. Ils portent cette fois des petits vestons de coiffeurs italiens, leurs cheveux sont gras et plaqués, et la salle entière est à leurs pieds. À bien y penser, ils sont franchement mourants.

Ce n'est pas tant ce qu'ils font que ce qu'ils représentent. Et ce n'est pas tant ce qu'ils représentent aujourd'hui que ce qu'ils ont déjà représenté dans le Québec kétaine de la révolution industrielle.

Les « Trois L » ne se sont finalement jamais fait d'illusions. Leur apport à la culture québécoise fut ponctuel. Ils n'ont pas mis cette culture au monde, ne l'ont pas révolutionnée, ne l'ont même pas officialisée et n'ont fait qu'incarner ses complexes et chanter sa colonisation. Au plus, ils ont répondu à la demande d'un marché, convaincus au départ des limites sérieuses de leurs talents. Aujourd'hui, ils reconnaissent et acceptent le fait et cette prise de conscience, aussi récupératrice et manipulatrice soit-elle, reste salutaire. Sarah Ménard l'a dit : « Il n'y a pas de mérite à être kétaine, tout le monde l'est, mais le seul moyen de ne pas le rester, c'est d'avoir le courage de devenir ridicule. » En ce qui concerne les « Trois L », c'est maintenant fait.

Le Devoir*, le 2 février 1981*

Les trois « L »

Cette critique a le mérite de ne pas trop se prendre au sérieux comme les trois grâces qui l'ont inspirée. Entre le premier et le deuxième acte, la critique lâche son sens critique pour élargir le débat et le situer dans un contexte culturel plus large. J'ai hésité avant d'utiliser le mot « kétaine » parce que je ne voulais pas avoir l'air de mépriser les « trois L » du haut de ma grande sagesse bourgeoise, en même temps je trouvais que le mot leur convenait à merveille et faisait ressortir le côté sympathique de leur entreprise. Je venais d'aller voir une pièce de Jean-Claude Germain portant sur la nécessité d'être kétaine et de l'accepter. Je trouvais que le moment était tout indiqué pour dresser certains parallèles. Inutile cette fois de sortir le marteau du jugement dernier...

Gilles Vigneault : au-delà de la psychose du pays, un souffle nouveau

La famille au grand complet était au rendez-vous du père, du patriarche Vigneault disparu de la scène Montréalaise depuis trois ans, dépité par la défaite référendaire, délogé du TNM par *Pied de poule* et venu remonter le moral des troupes du haut de son perchoir à l'Arlequin.

J'avoue que j'allais revoir Vigneault à reculons, peu désireuse d'entendre parler de pays, patrie, patrimoine, folklore et fleur de lys. Je ne devais pas être la seule. Le Québec au complet a le goût ces jours-ci de s'enfuir avec E.T. Vigneault avait prévu le coup puisqu'un de ses premiers monologues parle justement de l'usure d'une admiratrice qui lui demande s'il va encore ressortir ses mêmes vieilles affaires. Il se moque de lui-même, se moque d'elle, mais les ressort quand même, parce qu'on a beau faire table rase du passé, les racines, c'est important. Vigneault ne change pas. Solide comme le roc, entêté comme une mule, réfractaire aux modes, il peut encaisser le chèque de la Fondation Molson sans ternir son engagement ou ramollir ses convictions.

Vêtu de bleu marine, les cheveux hirsutes, projetés en arrière par un halo de lumière, tel un Léo Ferré du terroir, il déploie cette année une énergie aussi chaleureuse que professionnelle. On aurait presque envie de remarquer que la défaite lui va à merveille, que l'échec politique a été son antidote à la panne sèche et au manque d'inspiration. Les nouvelles chansons ne sont pas aussi nombreuses que les anciennes, mais elles savent frapper l'imagination par leur poésie simple, leur force d'évocation. Vigneault nous fait encore, malgré l'usure du temps, voyager à travers le Québec sauvage et enneigé, une terre de durs labeurs et de révoltes silencieuses. Il nous fait respirer la poudrerie, l'air marin salé, l'odeur du pin dans les camps de bûcherons, entendre le craquement des chaises berçantes sur la galerie. À travers la cacophonie des villes abruties, des hommes et des femmes aliénés par la routine du 9 à 5 ou encore par la peur du chômage, il nous tend une brindille de vie chaude et crépitante, d'air frais et pas trop pollué.

Avec le métier bien installé dans sa voix moins râpeuse, dans ses gestes de plus en plus gracieux, il nous parle aussi de la continuité, de la survivance envers et contre tous. L'ironie a remplacé la colère, mais l'ironie est douce et pas encore complètement amère. Passé la psychose du pays, il constate que la vie continue malgré tout, que les « gens qui sont de veille sont des gens d'ici même si on les croira pour longtemps endormis ». À plusieurs reprises il parle du vent de l'histoire qui a soufflé sur le pays, brisé les amarres, déchiré les voiles, mais qui a aussi démonté la mer sans pour autant la faire disparaître. Les traditions une fois de plus triomphent par la force de leur pérennité.

S'il commence la soirée en demandant combien de fois il a été trahi par son frère, par son pareil, il la termine en chantant chacun fait selon sa façon, rendant la ville et le système de consommation plus responsables des malaises contemporains que le manque de courage des hommes. Militantisme en douce qui se répand à travers les métaphores et les atmosphères et révèle un Vigneault qui pèse davantage ses mots, qui n'ose plus dire aux gens quoi faire, quitte à se faire accuser de diluer le propos. Même en parlant du pays, il nous fait découvrir un mot neuf et mystérieux, investi d'une charge émotive qu'on ne sait plus tout à fait comment définir. Vigneault répète le mot comme un *leitmotiv* lyrique et, pour la première fois, le politicien s'incline devant le poète.

Le Devoir, *le 17 septembre 1982*

Gilles Vigneault

J'ai souvent été à contre-courant du public. Pas parce que j'aime la confrontation, mais parce que je crois que ce sont les opinions discordantes et dissidentes qui font avancer les choses. J'ai aimé Gilles Vigneault le jour où il a cessé d'être un monument national et le symbole trop éloquent de l'idéologie nationaliste. Le jour où le grand public infidèle s'est détourné de lui pour Pied de poule *ou Yves Montand. Le jour où il a repris sa place dans l'opposition avec les poètes plutôt qu'avec les politiciens.*

La critique est une machine à convaincre qui use de stratagèmes politiques. Elle s'adresse à tous ceux qui n'arrivent pas à se faire une idée et qui marchent par qu'en dira-t-on et par clichés, en prenant certaines choses pour acquises sans chercher à les analyser.

Deux ans après la défaite référendaire, au moment où tout le monde avait subitement envie d'apprendre l'anglais et de se pousser aux États-Unis, Vigneault, à nouveau réfugié dans l'opposition, redevenait important et signifiant pour la survie et l'équilibre culturels. J'ai rédigé à son intention une critique politique, le reconfirmant dans ses positions, mais aussi une critique subjective reconnaissant pleinement l'artiste en lui. Car la politique heureusement ne suffit pas. Elle n'est qu'un moyen qu'on se donne pour exprimer une idée. L'art, c'est précisément ce qu'on a à dire et comment on le dit. Sans art, la politique ne fait tout simplement pas le poids.

Entre Raoul et Michelle, j'aime encore mieux le Zoobar

Le hasard fait drôlement les choses. Le hasard a voulu cette fin de semaine que Raoul Duguay, Michelle Richard et Nowhere Rock nous offrent, chacun à sa façon, un témoignage de la vie culturelle montréalaise. Témoignage éloquent. De Saint-Denis jusqu'à Bleury en ligne toujours droite sur la grande Catherine, je me suis demandée maintes fois, la crise, quelle crise ? J'ai compris que le showbizz n'est pas un métier mais une maladie dont l'optimisme flamboyant est inversement proportionnel au pessimisme ambiant.

Raoul Duguay est arrivé sur la scène du Saint-Denis en « shakant de tous ses neurones ». Il est arrivé entouré du Corps de clairon de Laval, à coups de pétards, de tonnerre. On l'a vu descendre du plafond en balloune, traîner le char allégorique de la fée des étoiles. Pour nous en mettre plein la vue, il a même sorti Michel Rivard des tiroirs de la LNI, Jocelyn Bérubé de sa retraite fermée, Joanne Blouin de ses clubs de 5 à 7 et Estelle Sainte-Croix de ses commerciaux pour La Baie. Il y avait tellement de monde sur scène qu'on s'est demandé à qui exactement appartenait le show. Puis on a vu Raoul émerger de la confusion, empêtré dans ses bébelles, ses gadgets, ses maximes à la Reader's Digest et ses airs suaves à la Guy Godin pour chanter *La vérité*, la seule chanson authentique de la soirée. La foule s'est levée tout d'un coup pour applaudir le clown à la voix d'or, le poète d'avant la grande mutation démocratique. Le rideau de la vérité est tombé et le Raoul cosmique chromé 82 a continué avec son amour cardiaque, ses belles manières théâtrales, son nouveau sens de l'humour et de la coquetterie visuelle. Il a suivi la recette au pied de la lettre. Cette recette avait un nom particulier : comment appliquer un gros diachilon sur la balloune pour l'empêcher de se dégonfler.

Michelle Richard a suivi la même recette. Comme Raoul, elle a passé plusieurs semaines avant son spectacle de la Place des Arts à aiguiser l'appétit des gens, leur promettant monts et merveilles : un grand orchestre, des danseurs, des flaflas et des tenues de soirée. Elle a même fait circuler des chiffres : 100 000 $ pour trois soirs de gloire à la Place des arts, une diète-miracle, une promesse de mariage, une cure de caniche. Elle a déclaré qu'elle attendait depuis 25 ans. Elle aurait peut-être dû attendre un peu plus longtemps.

Le show n'était pas raté, il était tout simplement triste, au seuil du sous-développement culturel. Pas de décor, un grand orchestre planté bêtement sur des caisses noires en contreplaqué, des marques de craie plein le plancher et, au beau milieu de tout ça, Michelle Richard croulant sous les paillettes, telle une Diane Dufresne manquée, parlant un français faux et pincé, levant péniblement de la patte avec les danseurs, aussi légère qu'un éléphant. Michelle parlant de ses triomphes sur les pages couvertures des journaux de Péladeau et avouant que les grandes stars souffrent parfois de solitude dans leurs tours dorées. Michelle vivant son rêve complètement éveillée, convaincue qu'il suffit de chanter sur une grande scène pour devenir une grande dame. Qui oserait la décevoir...

Et la musique dans tout cela, elle fout le camp, comme la poésie, comme l'énergie. Entre le réchauffé et le manque de sincérité, autant se perdre parmi la faune hétéroclite du Zoobar, regarder s'affirmer une relève exaspérée qui n'a plus rien à perdre.

Le groupe s'appelait Nowhere Rock et décrivait bien l'état

d'esprit de la fin de semaine. À mi-chemin entre Pagliaro et Pierre Harel, le chanteur délirait sur les décombres de la ville, accompagnant ses plaintes d'un rock poussif et palpitant. Le chanteur n'avait pas investi 100 000 $ en costumes et accessoires, il n'avait pas hypothéqué sa maison et sa blonde pour pouvoir rouler en cadillac, mais son énergie semblait vraie, enfin sincère. J'ai compris que le talent n'a pas toujours de prix et, plus souvent qu'autrement, s'il est authentique, il sait monter seul sur scène, sans masque, sans artifices et sans alibis.

Le Devoir, *novembre 1982*

Raoul Duguay, Michelle Richard et Nowhere Rock

Cette critique n'a pas été censurée. Elle n'a tout simplement pas été publiée. La non-publication et la non-diffusion sont encore les formes les plus efficaces de censure.

Jugée bête, méchante et blessante, la critique exprimait selon les autorités une position trop déprimante et trop négative. À quoi bon rappeler à Michelle Richard qu'elle était médiocre et qu'elle dansait comme un éléphant ? À quoi bon en effet ? Il y a quelques années, cette critique n'aurait eu aucune difficulté à être publiée. Elle aurait peut-être, après publication, causé un certain émoi mais sans plus. Les gens s'attendent à ce que j'ai une position plus dure que les autres. Pourquoi ne pas en profiter ?

Cette critique n'était pas juste bête et méchante. Elle cherchait aussi à saisir l'esprit d'un moment. Il n'y avait rien de divertissant dans les spectacles de Raoul et de Michelle, il n'y avait que de la surcharge matérielle et des coûts de production tellement élevés qu'ils ont dû, par la suite, plonger nos deux artistes en pleine faillite. La critique portait sur le recours à l'accessoire. Peut-être me suis-je mal exprimée, peut-être ai-je moi aussi trop nagé dans l'accessoire et oublié l'essentiel. Je sais en tout cas qu'il me faudra désormais prendre des chemins détournés pour rendre compte de certaines tristes réalités.

Rock'n roll et chocolat mou, Berroyer, connais pas

Il n'a pas de prénom, ou du moins il fait semblant de ne pas en avoir, Berroyer tout court. En France, il semble être un héros de la contre-culture (si elle existe encore) tout comme n'importe quel scribe qui a une tribune dans *Harakiri* ou *Charlie Hebdo*, les voix de la corrosion marginale. Dans le numéro 757 du *Nouvel Observateur*, Delfeil de Ton écrit à son sujet : « Berroyer vient de publier chez Henri Veyrier, un livre qui s'appelle *Rock and Roll et chocolat blanc*. On peut le lire sans aimer le rock n'roll ni le chocolat blanc, il n'y parle que de Berroyer. Il va devenir célèbre. »

Je ne connais pas Berroyer, je n'ai jamais entendu parler de lui. Vous me direz que c'est parce que je ne suis pas la lectrice la plus assidue de *Harakiri* le scatologique et que je ne connais rien aux délices de l'humour scalpel de *Charlie Hebdo*. Je vous répondrai que vous avez parfaitement raison. Berroyer, donc, ça ne me dit rien. Le chocolat blanc non plus, que Laura Secord me pardonne. Le rock'n roll par exemple, c'est une autre paire de manches. Tout nord-américain qui se respecte y a goûté au moins une fois dans sa vie, sinon toute sa vie. Je ne fais pas exception. Le rock'n roll anglophone et anglophile me suggère une vaste mythologie qui va de l'Amérique à l'Angleterre en passant par Charlebois et le Ville Émard Blues Band d'avant le déluge. Depuis plus de 20 ans, le rock'n roll courtise la culture occidentale, rayonnant partout ou presque, partout sauf peut-être dans la mère patrie. En France, l'explosion rock a été escamotée par Adamo et Mademoiselle Âge tendre, par Sheila et Sylvie, par Johnny et Filipachi. Édith Piaf a sans doute été la seule grande rockeuse de la France. Que Dieu ait son âme.

Les temps changent heureusement. En 1979, voilà que notre cousine se découvre, à travers le punk et le new wave, une âme de rockeuse, qu'elle se met au pas, à l'heure américaine. Les multinationales du disque, qui pendant longtemps n'ont fait que du dumping, deviennent subitement recruteurs de jeune talent local et influençable. Vingt ans plus tard, le rock et surtout son industrie font leur entrée en France. Pendant que l'Amérique devient disco, la France se branche. Mieux vaut tard que jamais.

Si Berroyer avait eu un brin de rigueur historique, s'il avait été moins imbu de lui-même et plus ouvert à la société qui l'entoure, s'il avait pour une fois consenti à nous épargner le récit de ses déboires avec sa concierge et sa caissière de supermarché, il aurait pu retracer le mouvement et nous expliquer pourquoi la France a longtemps été le parent pauvre, le tiers monde de la révolution rock. Mais non, Berroyer est un paresseux. Il aime écrire des phrases courtes et maîtrise avec beaucoup de virtuosité le style fast food. Il écrit bien mais il écrit aussi en l'air. Ce qui est drôle pendant les dix premières pages commence à se ratatiner au bout de cinquante. S'appuyant mollement sur le prétexte de la tournée française et suisse de Starshooter, Telephone et Higelin, les trois gros noms du rock français, Berroyer en profite surtout pour verser au coeur des coulisses du rock français dans la plus pure subjectivité.

La vision vaguement apocalyptique (et subjective) d'un Hunter S. Thompson qui hallucine à Las Vegas pendant une convention des forces policières américaines, m'intéresse. J'y sens un esprit subversif qui vit douloureusement un grotesque cauchemar américain. La subjectivité d'un Berroyer qui délire sur la Gibson qu'il a échangée pour une Stratocaster qu'il a par la suite revendue pour une Telecaster me laisse un peu sur ma faim. Je n'y vois pas de pertinence sociale, scientifique, historique ou anthropologique. Pour être franche, je m'en fous. Tout comme je me fous du fait que Starshooter se maquille les yeux avant d'entrer en scène et qu'il ne mange que végétarien. Tout comme je me fous, éperdument cette fois-ci, du journaliste Berroyer qui joue à l'anti-journaliste et qui n'arrête pas de me casser les oreilles (ou les yeux) parce qu'il se sent soi-disant incapable d'écrire son livre. Pendant tout ce temps-là, je me fatigue les doigts à tourner les pages jusqu'au chiffre 180. Là où je m'en fous moins, et où en fait je rage, c'est quand je lis : « C'est là qu'on voit l'importance de l'apparition de la langue française dans le rock. De la langue sauvage, non académique. Higelin, Telephone, Starshooter, c'est la première de jeunes qui s'expriment en français sur support rock. » Que Berroyer n'aime pas de Gaulle, c'est tout à fait son droit, mais qu'il oublie, par inadvertance ou par imbécilité, de mentionner qu'au Québec en 68, Charlebois faisait déjà des siennes, qu'Offenbach, Dionysos, Nécessité étaient sur le point de naître, est absurde. C'est dire que la francophonie c'est la France, qu'au-delà de la France il n'y a que les limbes. C'est impardonnable, tout comme l'est l'orthographe ahurissante de Keith Jarrett, John Mac Laughling, Eddie and the hot Roads, Doctor Felgood et j'en passe. Mille excuses Berroyer, mais me faire dire que Miles Davis c'est du James Brown intello, ça me donne l'envie subite de me joindre aux charismatiques !

L'intention reste malgré tout plutôt pure. Berroyer parle de sa culture, ce n'est pas de sa faute si Telephone a vendu trois disques au Québec, et si tous les postes ont refusé de le faire tourner. Ce n'est pas de sa faute si Starshooter est un « running gag » dans les coulisses de l'industrie et si Higelin, malgré son grand talent, nous a tous fait suer avec ses airs de star. Ce n'est pas de sa faute si on en a vu d'autres. Berroyer finalement aime Telephone et Starshooter comme il aime le vin, le camembert, sa concierge et sa mère. Il les aime moins pour leur musique que pour leur nationalité. Comme quoi le chauvinisme existe même dans le rock. Il a écrit un livre, il en a bien le droit. Moi aussi je vais écrire le mien. Je vais l'intituler Hot dogs steamés et rock'n roll pour jeunes colonisés. J'y parlerai de Toaster, Truck et Tomate congelée, trois groupes qui n'existent pas encore mais que je vais bientôt inventer. J'espère que mon éditeur n'oubliera pas d'en envoyer une copie à Berroyer...

Le Devoir, *le 23 juin 1979*

Berroyer

Il n'y a rien à dire sur ce texte sinon qu'il me procure un plaisir fou à chaque nouvelle lecture. Pas pour son côté farouchement anti-français, mais pour la multiplication d'arguments incriminants qui viennent clouer le cercueil de ce pauvre Berroyer qui se prend pour le nombril du monde et qui oublie trop souvent que la France n'est malheureusement plus cette grande puissance culturelle qu'elle a déjà été.

Une critique sans arguments, sans preuves à l'appui, ne vaut rien et ressemble à une entreprise de démolition vide et gratuite. Lorsque les arguments n'en finissent plus de s'accumuler et viennent scientifiquement renforcer un point de vue, l'effet est divertissant et dévastateur. Demandez à Berroyer ce qu'il en pense. Il risque de répondre qu'il ne me connaît pas et qu'il ne veut surtout pas me connaître.

L'ENTREVUE

Rencontres du troisième type

Tous les jours je rencontre des gens que je ne connais pas, que je ne connaîtrai jamais. Je ne sais rien d'eux. Je vais à leur rencontre un peu en psychiatre, un peu en détective, pour leur soutirer des secrets professionnels et pour les démasquer. Je vais à leur rencontre en espérant qu'ils se révéleront à travers leurs propos, qu'ils m'étonneront et qu'ils m'apprendront quelque chose sur eux-mêmes, sur le fonctionnement de la société et sur les mystères de la nature humaine. Je cherche à démystifier l'image qu'ils cultivent à travers le miroir grossissant des médias. Je cherche à neutraliser le pouvoir illusoire et la fascination factice qu'ils exercent sur les gens. Je regarde les mythes se dégonfler et s'humaniser sous l'éclairage cru de la réalité.

Je ne suis jamais neutre, jamais détachée au cours de mes rencontres. Je refuse de faire le magnétophone passif ou la secrétaire soumise. Peu m'importe que la communication soit polie et détendue, pourvu qu'elle soit vivante, dynamique, pourvu qu'elle soit claire, qu'elle amène chacun à défendre ses positions et à exprimer ses convictions.

L'entrevue est une rencontre éphémère qui marche ou qui ne marche pas selon que les personnes en présence sont sur la même longueur d'ondes ou pas. L'entrevue est une mise en scène qui fait appel à des éléments autant psychologiques que politiques. L'entrevue est une pièce de théâtre qui se joue entre deux personnages postés sur les côtés opposés de la clôture devant un troisième personnage — le public — qui brille par son absence mais dont la « présence » silencieuse ne s'en fait pas moins sentir.

L'entrevue est un interrogatoire. Tous ne répondent pas de la même manière. Il y en a qui se livrent avec générosité, d'autres qui se protègent et se racontent avec parcimonie. Il y en a qui partent à la course confiants que quelqu'un va courir pour les rattraper. Il y en a encore qui n'écoutent pas les questions et qui arrivent avec des réponses toutes faites.

Les meilleures entrevues dépassent la simple représentation, oublient le troisième, le public, et osent s'aventurer sur le terrain glissant de la conversation. Les rencontres préméditées et montées en conférences de presse sont rarement réussies à moins d'avoir affaire à des professionnels qui ont une conscience aiguë de leur dédoublement et qui profitent de la tribune pour véhiculer un message et promouvoir certaines valeurs. Ils sont les exceptions qui confirment la règle. La plupart des personnages publics ne vous rencontrent que pour vendre leur disque, leur film ou leur prochain show. La plupart des politiciens ne vous rencontrent que pour répéter la ligne du Parti et gagner leurs élections. L'entrevue n'est qu'un prétexte pour obtenir de la publicité gratuite dans les journaux. Elle est tellement partie intégrante de la campagne de promotion que les artistes, écrivains, savants, personnalités et politiciens finissent par devenir des commodités domestiques que l'on parade comme des chiens savants ou des boîtes de savon. Dans les grandes manifestations internationales, ils défilent à la queue leu leu, rencontrent entre dix et douze journalistes par jour à qui ils ressortent la même vieille cassette usée jusqu'à la corde.

Je me souviens d'avoir couru pendant trois jours après le cinéaste américain Dennis Hopper au Festival du film de Cannes. Son attachée de presse m'a finalement réservé un ridicule quart d'heure entre CBS, NBC, la radio allemande et les nouvelles françaises. Le cinéaste n'avait plus rien à dire. Il était tellement vidé qu'il ne se souvenait même plus de ce qu'il était venu dire. Le phénomène s'est reproduit avec Tom Waits. Je l'ai rencontré dans une chambre d'hôtel à Paris à la fin de la journée. J'étais la septième sur sa liste. Au beau milieu de l'entrevue, il est littéralement tombé de sa chaise tellement il était soûl de fatigue, tellement il était soûl, tellement il en avait marre de se répéter.

Je suis en désaccord avec ces rencontres préméditées qui coïncident avec la sortie d'un produit quelconque. Tous les journaux reproduisent plus ou moins la même entrevue. L'entrevue est souvent réalisée conjointement par tous les journalistes des journaux compétitifs dans le rituel des déjeuners ou conférences de presse. Ces rencontres font soi-disant gagner du temps à tout le monde. Elles centralisent l'information, uniformisent le propos et tuent toute initiative.

En dehors de ces « mises en scène », c'est souvent impossible de rencontrer les personnages publics. Lorsqu'ils n'ont rien en chantier, aucun projet de loi, aucun référendum, aucun nouveau roman, ils ne veulent pas rencontrer les journalistes sous prétexte qu'ils n'ont rien à dire. En réalité ils n'ont rien à vendre. Le public n'est ainsi pratiquement jamais invité dans le laboratoire, dans l'antichambre du pouvoir, sur le plateau de tournage ou dans la salle de répétition. Il n'est jamais témoin du processus de création ou de la prise de décision. On le met devant un fait accompli. À lui de consommer, de voter, de tout gober...

L'entrevue peut être un immense message publicitaire. C'est le piège à éviter. Le journaliste doit être vigilant, attendre son interlocuteur au détour comme une bête de proie et lui poser la question qui stimule sa réflexion et le pousse à dépasser la banalité des clichés et des formules toutes faites.

Pendant que la cassette tourne et enregistre l'histoire, un journaliste peut être tellement absorbé par les propos de son interlocuteur, tellement pris dans le feu de la conversation qu'il perd la distance indispensable pour mener l'entrevue à terme. Son interlocuteur l'a eu. Car une entrevue c'est aussi une rencontre physique dans un lieu géographique déterminé. Le lieu peut influencer la conversation, le charisme de l'interlocuteur aussi. La qualité du propos n'est pas garantie pour autant. Il y a des gens tellement chaleureux qu'ils donnent l'impression qu'ils vous ont dévoilé de grandes vérités. En réécoutant la cassette à froid, on se rend compte qu'ils n'ont rien dit, qu'ils se sont finalement dérobés avec beaucoup d'habileté. L'entrevue est ratée mais l'article n'est pas obligé de l'être pour autant. Il faut à ce moment-là en informer le lecteur et en faire son complice.

Je me souviens d'une entrevue catastrophique avec Lino Ventura. J'ai eu la maladresse de sortir ma carte féministe en plein repas. Lino a failli en avaler de travers. Il s'est immédiatement lancé dans une violente riposte anti-féministe. Edwidge Feuillère, la grande dame du théâtre français, m'a fait trépigner d'indignation et pleurer comme une écolière en me rappelant sur un ton dédaigneux qu'elle n'avait pas de temps à perdre avec les journalistes. J'ai rencontré Diane Dufresne, Robert Charlebois, Jean-Pierre Ferland et Dominique Michel une première et une dernière fois. Lorsque les articles sont sortis, ils ont juré qu'ils ne m'accorderaient plus jamais d'entrevue, sous prétexte que je les avais dépeints sous un jour négatif et défavorable.

Avec le temps on apprend à poser les bonnes questions, celles qui vont dérouter l'interlocuteur ou encore le pousser à déclarer des choses stupéfiantes. L'entrevue reste fascinante parce qu'elle peut donner lieu à un échange, un duel, une rencontre, un débat. Elle peut être complètement artificielle comme elle peut être généreuse, stimulante, éducative. L'entrevue, c'est l'histoire qui s'enregistre et qui s'écoute parler, c'est le temps qui passe, les valeurs qui changent et évoluent, c'est ce que nous avons dit un jour et que nous croyons toujours, ou ne croyons plus...

Les silences dorés de Dominique

On ne peut pas être brillant tous les jours, il y a même parfois des jours qui se prolongent en pénibles semaines, faute de matière, de concentration, d'illumination de la part de ce pauvre scribe sollicité à droite et à gauche, harcelé par les conférences et les cafés, par les opéras rock, les problèmes de personnalité, les trips ésotériques, le retour à la terre, l'aliénation moderne; scribe-esclave obligé d'écrire et d'écrire, de produire de la viande et du texte comme dans une vraie manufacture de saucisses. On ne peut pas être drôle, comique, faire son show tous les jours et on a le droit, de temps en temps, d'être exempté, excusé comme aujourd'hui par exemple.

Assis dans la luxueuse pouponnière de la suite royale du Château Champlain, n'osant pas piler sur le beau tapis crème, frais aspiré, le journaliste, un peu nostalgique parce qu'il y a à peine un an il se retrouvait dans les mêmes circonstances devant Emmanuelle, puis il y a un an et demi devant Pétula Clark, le journaliste vit un grand dilemme : doit-il continuer sa carrière et jouer le jeu des questions et des réponses ad vitam aeternam en faisant semblant que l'artiste en face de lui est un cadeau de Dieu, ou doit-il au contraire songer à aller vendre des aspirateurs ? La question est importante et plus le journaliste se la pose, plus il devient bas. Étroitement surveillé par des personnes bien intentionnées, le journaliste se fait néanmoins rappeler à l'ordre. Dominique Michel doit bientôt arriver et il est grand temps que les questions déjà ovulées commencent à voltiger dans l'air, il est temps que le journaliste distrait s'intéresse un peu à son patient.

Patient n'est pas un mot excessif, car si Dominique Michel pouvait rentrer par la porte d'en arrière, ramper par terre, répondre au téléphone et servir les canapés, au lieu de faire face à de vieilles questions usées, je pense bien qu'elle le ferait. En attendant, elle n'a pas le choix. Elle est arrivée, tellement petite et menue que personne ne l'a vue rentrer. En fait, il a fallu cinq bonnes grosses minutes aux photographes trop occupés à boire et à jacasser, pour qu'ils se rendent compte qu'il était temps qu'ils prennent leur job au sérieux. Traînée puis drainée sur le divan du psychiatre et sous la férule des médias, Dominique Michel sourit tout le temps, place son bon profil dans l'angle de la caméra, son regard vert dans les rayons du soleil couchant et pour vous rendre la tâche utile et agréable, elle ne vous dit rien. Débrouillez-vous comme vous le pouvez, elle est un mur de béton, voire même un coffre-fort d'acier contre-plaqué. Le silence est d'or, disait un jour un grand prophète qui aurait mieux fait de se la fermer.

Elle répond oui, elle répond non, elle soupire pendant un « peut-être », mais ne lui en demandez pas plus, car elle ne se gênera pas pour lâcher le flot de sa modestie, prenant un air humble et soumis tout en vous offrant un autre canapé. Elle donne si peu de chair à gruger qu'on finit par se demander si elle a vraiment envie de faire un show à la Place des Arts et quelques heures de promotion au Château Champlain, ou si elle ne s'est pas plutôt trompée de porte ; en fait, elle est venue prendre le thé avec le gars de la chambre d'en face. N'exagérons rien. Elle fait tout de même défiler tour à tour Barrette et Bissonnette, ses co-équipiers, nous explique qu'elle s'est fait courtiser pendant quatre ans par Latraverse avant d'accepter de remonter sur les planches, qu'elle ne vit q'une aventure à la fois, que le talent de l'équipe avec qui elle a monté le show l'a profondément bouleversée, qu'elle a même failli entrer en religion (là encore j'exagère). Elle dit que le show est basé sur la tendresse, sur le romantisme, et que les femmes libérées devraient peut-être changer leur fusil d'épaule.

Elle s'anime quand il est question du public. Miss Radio-Télévision se transforme alors en Miss Altruisme, expliquant comment elle a été obligée de charcuter ses trois heures de show, de peur de tanner son public ; comment le public qui paie billets, gardienne, coiffeur et nouvelle robe, lui inculque de nobles obligations morales.

À la fin d'une heure d'interrogatoire serré, la réserve de canapés est épuisée, mais le sujet ne l'est pas puisqu'on n'en sait toujours pas plus sur Dominique. Sans doute abusée par trop de journaux jaunes, Dominique n'a plus envie de se confier, plus envie de partager ses petits secrets, ses petites remises en question ; avec le temps elle est devenue une exhibitionniste ratée sous le charme discret de la bourgeoisie qui préfère se taire plutôt que de se couler. Et elle a raison même si j'ai décidé, à bout de questions et à bout de souffle, d'aller passer l'aspirateur pour me désennuyer.

Des femmes comme Dominique sont faites sur mesure pour la scène, et c'est là, loin de la foule déchaînée, qu'elles devraient rester.

Le Devoir, *le 18 septembre 1978*

Dominique Michel

Ce texte est un exemple parfait du peu de choses qui se disent lorsque des artistes de la scène se retrouvent en conférence de presse devant une meute indifférente de journalistes. Soucieux de vendre des billets et de ne pas s'aliéner leur public, ils se contentent d'énumérer la longue liste de musiciens et de concepteurs qui les entourent. Ils se confondent en chiffres où rivalisent le nombre de décors et le nombre d'éléphants qui vont parader sur scène pour bien montrer au public que celui-ci en aura pour son argent.

Ce texte est également un exemple parfait des libertés de style permises à l'époque et que les compressions d'espace ne toléreraient plus aujourd'hui. Le préambule s'éternise et retarde l'entrée en matière parce que la matière n'est pas assez substantielle. Ma frustration face au fait que Dominique Michel n'a rien à dire entraîne un durcissement du ton et de l'écriture. Quant à Dominique Michel qui ne parle déjà pas beaucoup, elle refuse de m'adresser la parole depuis ce temps-là.

Alain Bernardin : les vices et les vertus du Crazy Horse...

Le titre de cet article a failli être : Alain Bernardin, propriétaire du Crazy Horse, assassiné dans sa chambre d'hôtel par une jeune journaliste enragée. Mais comme ce journal n'est pas particulièrement friand de sensations fortes et comme le fait divers ne relève pas tout-à-fait de ma compétence, il faudra se contenter de prudente modération, de tolérance, de rage étouffée et de dents grinçantes. Il faudra poliment écouter Alain Bernardin, assis au bar d'un hôtel, raconter qu'il aime les femmes et le trouble qu'elles lui font éprouver, que le corps féminin est un atout à ne pas négliger et que le Crazy Horse est sans aucun doute la meilleure chose qui est arrivée aux femmes depuis la pilule et Simone de Beauvoir.

Padre et padrone de la célèbre boîte parisienne depuis 1951, Alain Bernardin est également propriétaire de 24 jolies et jeunes filles qui travaillent sous ses ordres, pour ne pas dire sa dictature, 6 jours par semaine. De passage cette semaine dans la métropole en compagnie de Poly Underground, et Lova Moor (Love Amour), Bernardin est venu lancer un film-documentaire qu'il vient de réaliser sur une journée dans la vie du Crazy Horse. Le prétexte de cette alléchante oeuvre d'art que certains critiques français « gauchistes » ont qualifiée de « film de l'ancien régime », n'est autre que Colette. En effet, saviez-vous qu'avant de devenir célèbre, Colette a travaillé pendant 7 ans dans le music-hall comme danseuse, stripteaseuse, racolleuse et j'en passe ? Saviez-vous également que ces moments mémorables n'ont pas été inscrits sur film et que ça nous aurait tous fait une belle jambe, s'ils l'avaient été. Quoi qu'il en soit, Bernardin, sympathique misogyne aux tendances paternalistes, voyant une lacune cinématographique dans le domaine du music-hall, a décidé d'y remédier, question également de faire un peu de promotion pour son casino du nu.

Bernardin qui doit avoir quelque part entre 50 et 200 ans, vêtu de son habit de nuit 24 heures par jour, est le genre d'homme avec qui Freud aurait pu s'entendre. Ce qui est fascinant chez lui, c'est cette vision toute particulière (et j'éviterai d'employer le mot rétrograde) qu'il a de la femme : « une femme sur 10 000 est digne de se montrer nue » dira-t-il. Ou encore, « la pudeur naît de la laideur, ou alors les jolies filles sont de plus en plus rares ». Les heureuses élues qui ont la chance de travailler dans sa boîte pour une somme mensuelle d'environ 1 500 $ (dont 27 % doivent obligatoirement être déposés dans un compte d'épargne) sont toutes scrupuleusement choisies. « Je refuse d'engager de belles filles sans personnalité, avoue-t-il, je refuse d'ailleurs de croire qu'une belle fille est forcément idiote (sans blague). Mes filles ont toutes du caractère, une intelligence bien à elles. Si elles manquent de culture, c'est tout simplement parce qu'elles n'ont pas eu à se développer dans ce sens-là. Mes filles travaillent 6 jours par semaine et c'est mieux qu'elles soient ainsi toujours occupées, sinon elles vont faire du shopping et dépensent leur argent. Le vendredi, la piscine est obligatoire parce que c'est important qu'elles sachent nager. J'essaye par là de remédier à la carence de leur famille qui ne leur a pas appris à nager. Après 30 ans, les filles doivent se recycler parce que le nu se fait jeune et que, passé un certain âge, ce n'est plus très joli à voir. Plusieurs danseuses deviennent donc habilleuses, maquilleuses à la boîte et restent ainsi avec nous pendant de nombreuses années. »

Lorsque je lui demande si le Crazy Horse sert de tremplin

pour une brillante carrière dans les arts, il me répond tout de go que le Crazy Horse n'est pas un tremplin mais une plate-forme, l'ultime consécration. « Après le Crazy, mes filles se marient, ont des enfants et mènent des vies très rangées. » Et la libération de la femme dans tout cela, l'aliénation de la femme-objet-esclave qui, passé un certain âge, ne sert plus à rien, dis-je indignée. « Au prix où je paie mes danseuses, elles ne se font pas exploiter, loin de là, d'autant plus que le plan d'épargne leur permet de se ramasser une importante somme d'argent et de n'être pas complètement démunies quand leur contrat est terminé. Mes filles sont bien traitées, jouissent d'une sécurité matérielle, sont admirées, adulées par des gens venus du monde entier. Pour ne pas exploiter une femme, il faudrait ne pas l'employer ; dès ce moment-là elle deviendrait chômeuse et ça serait mille fois pire. Sans compter que ce n'est pas parce que mes filles sont nues sur une scène, qu'elles sont des objets. Au contraire, sur une scène, mes filles sont dominatrices et méprisent les hommes. » Inutile de dire que la logique de Monsieur Bernardin est irréfutable.

À la veille d'un divorce et d'un remariage avec Lova Moor, une danseuse qui vit avec lui depuis 2 ans, Bernardin tient à ce que la plus grande moralité règne dans sa boîte de nuit : « 24 filles ensemble c'est de la dynamite, ça peut créer des tas de problèmes et c'est pour cela que je tiens à les surveiller de près, je ne veux pas de filles aux moeurs faciles. Les filles n'ont pas le droit de s'asseoir dans la salle avec les clients, elles doivent attendre que tout le monde soit parti et ne pas adresser la parole aux Johnny (un Johnny, m'explique-t-il, c'est un gars qui attend à la porte de la loge avec un bouquet de fleurs et plusieurs projets d'avenir). Je ne veux pas que mes filles deviennent des filles à vendre. » À l'entendre parler, le Crazy Horse semble pire que le couvent. « Vous savez, me dit-il sur un ton confidentiel et presque pontifical, dans un métier aussi risqué, il faut avoir une moralité bien plus rigoureuse. »

En attendant que le Crazy Horse devienne un lieu de pèlerinage aussi saint que l'Oratoire Saint-Joseph ou que le Vatican, Bernardin, qui songe à déménager le Crazy Horse, ne poursuivra pas sa carrière de cinéaste mais cherchera à ouvrir un musée du nu, question de déshabiller quelques statues et d'exalter leur beauté froide et féminine, à moins évidemment, que nouvellement converti à la moralité chrétienne, il ne décide de se faire moine.

Le Devoir, *le 5 août 1978*

Alain Bernardin

Cette entrevue avec Alain Bernardin me fait bien rire. La contradiction entre les bonnes intentions du personnage et le cynisme de la journaliste est amusante. Pour cette entrevue, j'ai surtout fait appel à la ruse. Alain Bernardin a en effet rencontré une journaliste un peu timide qui lui a posé de sérieuses questions sur le fonctionnement de sa boîte. La journaliste lui a même donné l'impression qu'il l'avait convaincue par la force et le bon sens de ses arguments. En rentrant dans la salle de rédaction, la journaliste a changé son fusil d'épaule. D'effacée et timide qu'elle était pendant leur entretien, elle est subitement devenue passionnément féministe et s'est indignée impunément du charmant misogyne qu'elle venait de rencontrer. Comme quoi l'écriture est parfois une douce vengeance...

L'incorrigible Geneviève Bujold

Assise dans le noir du Théâtre de Quat'Sous, un jeudi soir de la fin février, les cheveux décoiffés, le visage à peine maquillé, Geneviève Bujold accompagnée de Louise Latraverse et de Luc Plamondon écoute François Perdu chanter « le chemin vers Hollywood, faut le faire seul ». Elle rit de temps en temps, se ronge les ongles plus souvent. Je dois l'appeler le lendemain pour fixer une entrevue, mais je me demande si je ne devrais pas tout simplement l'interpeller pendant l'intermission. Sauf que les choses ne sont jamais simples dans l'univers privé des étoiles filantes. À l'intermission, Geneviève se tient sagement dans un coin, à l'ombre de la foule de jeunes premiers. Non loin d'elle, Bibi Anderson, venue tourner Quintet à Montréal, regarde dans le vide puis se tourne vers une compagne et lui demande si elles vont aller prendre un verre après. Bujold et Anderson ne se sont pas vues, du moins elles ne se sont pas parlé. La pièce reprend, l'action se corse au moment où François Perdu se rend compte qu'Hollywood n'est qu'une immense machine à illusions. Bujold semble tout à coup s'amuser énormément comme si ce scénario-là elle le connaissait déjà trop bien.

Le lendemain matin à neuf heures et demie, elle est à l'autre bout du fil ; la voix rauque m'explique que le temps presse, qu'elle doit faire ses valises et que l'entrevue ne pourrait avoir lieu. J'insiste — ça fait deux semaines que j'attends, j'ai fait au moins vingt coups de téléphone pour avoir son numéro privé, j'ai dû faire appel à mes dernières ressources, tout le monde attend, s'impatiente — elle accepte.

Deux minutes plus tard, l'attachée de presse m'appelle. Geneviève a changé d'idée, elle se sent coincée dans une situation qu'elle ne contrôle pas, elle n'a pas vraiment besoin de faire cette entrevue, et puis *Le Devoir* est un journal à tendances libérales, elle refuse de servir de pantin politique. Ce n'est pas la première fois qu'elle change ainsi d'idée aussi abruptement. À Québec pendant le tournage du Dinah Shore Show (pour lequel elle est expressément descendue de Malibu), elle est revenue sur ses projets d'entrevues et de conférences de presse au moins 12 fois. À la dernière minute, elle a même failli retourner en Californie sans apparaître sur l'émission sous prétexte que certaines scènes lui déplaisaient souverainement. Voilà donc que ça recommence. Je décide de l'appeler, de cesser de la vouvoyer et d'essayer de lui parler d'égal à égal. Je m'attends à ce qu'elle me raccroche au nez mais de toute façon je n'ai plus rien à perdre. Elle répond au téléphone d'une voix gaie. Elle trouve la situation ridicule mais m'explique qu'elle se sent tiraillée à droite et à gauche et que c'est pour cela qu'elle réagit aussi catégoriquement. J'écoute, pleine de compassion. Bien sûr qu'elle fera l'entrevue.

J'arrive en fin d'après-midi au sommet de Redpath dans un petit château qui appartient à Paul Amond, son ex-mari. Elle a fait un feu dans la cheminée. Elle m'apparaît tout à coup, malgré sa minceur, beaucoup plus grande que dans ses films. Le visage est intact, celui d'une fleur qui, malgré ses 35 ans, ne se résout pas à se faner et à perdre ce sourire de jeunesse éternelle. Elle sert du thé avc des amandes et des raisins, m'explique qu'elle a cessé de fumer depuis une semaine et qu'elle mangerait les murs de la maison si elle pouvait. Elle est d'une incroyable vivacité, d'une inépuisable énergie, veut m'aider à installer l'enregistreuse ; l'Incorrigible c'est bien elle. Assise en tailleur indien sur la moquette moelleuse, de profil, elle se concentre comme si elle apprenait un rôle et plonge tout à coup dans l'entrevue. Je lui demande d'abord si l'exil qu'elle s'est imposé en Californie lui pèse lourd. Elle s'esclaffe immédiatement : « Exil, c'est un bien grand mot. Je ne considère pas cela comme un exil. Évidemment la Californie c'est loin, mais rien ne m'empêche de revenir ici aussi souvent que j'en ai envie. Il n'y a pas de régularité dans mes visites, sauf que je viens au moins deux fois par année, sinon plus. La Californie c'est un pays à part ; les gens qui y vivent viennent tous d'ailleurs et sont tous là pour les mêmes raisons, ce sont tous des déracinés. L'exil on n'y pense même plus, on est tous complices d'un départ, d'un retour. Je sais que je pourrais maintenant vivre n'importe où dans le monde mais j'aime vivre en Californie. Il y a quatre ans, quand je suis partie à Hollywood, c'est comme un chapitre de ma vie qui se terminait ici. Je suis partie là-bas travailler et c'est exactement ce que j'ai fait, un film en a entraîné un autre. Pendant ces quatre ans j'ai fait mon métier comme n'importe qui, comme le monde ordinaire qui va au bureau tous les matins. Les gens pensent que faire des films c'est la gloire, le glamour, la voiture, le chauffeur. Je regrette de les décevoir mais on se lève tous les matins à 4h30, pour être une heure plus tard en studio, on finit à 8h. Pas question de sortir le soir. N'empêche que j'aime ça travailler, je suis bonne dans ce que je fais, je me sens sécure sur un plateau de tournage. C'est quand je ne travaille pas que les affaires vont mal. La vie en dehors du travail est plutôt difficile. D'abord quatre ans à Hollywood c'est comme 100 ans ailleurs. La vie est intense, folle, c'est la jungle, le *struggle for life* perpétuel. Si t'es pas fort, tu péris. Il faut que tu apprennes à te connaître et à te défendre, c'est ce que j'appelle du *street fighting*. Ici les gens disaient : « Geneviève c'est une dure, elle peut prendre n'importe quoi. » Laissez-moi vous dire que quand je suis arrivée là-bas, j'étais un mouton blanc. Après quatre ans, on pourrait croire que les choses s'améliorent, mais pas du tout, c'est pire, sauf que tu ne prends plus les choses au sérieux. Là-bas c'est comme une thérapie continuelle qui ne m'aura pas coûté une cenne et qui m'en aura rapporté. »

Je lui demande de me parler de ce fameux contrat avec Universal, contrat qui a failli entraîner sa perte, et si elle manifeste une certaine lassitude à revenir sur des choses du passé, elle consent néanmoins à m'en donner les grandes lignes :

« J'ai signé un contrat de trois films avec Universal pour faire Anne aux Mille Jours. À un moment donné, j'ai refusé de faire un film. La compagnie m'a poursuivie pour un montant d'argent que je n'aurai probablement jamais, ils m'ont boycottée, m'ont empêchée de travailler. Puis un avocat m'a dit un jour que si j'acceptais de faire Earthquake, le problème pourrait se régler. J'ai accepté tout de suite et je ne le regrette absolument pas. Même si Earthquake n'avait aucune valeur artistique, je n'ai pas été misérable pendant le tournage, j'ai fait mon métier du mieux de mon possible. J'ai appris un tas de choses. Après ça, ils m'ont demandé de faire le film de pirates (Swashbuckle). Le script n'était pas bon, mais on était tous (Robert Shaw, Peter Boyd) obligés de faire le film par contrat. On s'est dit autant avoir du fun et on a eu du fun pendant sept semaines au Mexique. L'histoire a l'air simple quand on la raconte mais rien n'a été simple, tout a été pénible. Maintenant mes relations avec Universal sont beaucoup plus amicales. Ils voulaient que je fasse Airport, je leur ai dit "écoutez les gars, je peux le faire si vous y tenez absolument mais il me semble qu'il y a beaucoup d'autres actrices qui voudraient le faire à ma place". Ils ont compris. »

Lorsque je lui demande si ces expériences de films à recettes ne lui laissent pas un goût amer dans la bouche, si elle n'aimerait pas à la place faire des films plus intéressants, moins commerciaux et plus artistiques, elle se confond en contradictions : « Ce que je voulais faire, je ne l'ai jamais su, ça n'a jamais été précis dans ma tête. Je voulais faire des films, être comédienne, je ne savais pas du tout quel genre de films je voulais faire, je n'avais aucun plan déterminé. Du théâtre classique au Conservatoire, je suis passée à Resnais, puis j'ai fait trois beaux films avec Paul Almond (Isabelle, Act of Heart, Journey). D'ailleurs si tous les films que j'ai faits étaient empilés dans une pièce en feu, je sauverais avant tout les trois films de Paul, Kamouraska et Les Troyennes. » Elle ajoute aussitôt, comme pour sauvegarder l'expérience d'Hollywood, que les autres films plus commerciaux ont été des terrains d'apprentissage tout aussi valables.

« En tant que comédienne, j'ai étiré des muscles, peut-être pas ceux de l'âme et du coeur mais d'autres genres de muscles tout aussi importants. Et puis j'étais partie sur le mot travail. Maintenant, je me sens comme à un tournant. Ou bien je m'installe, dans le sens que je pourrais facilement m'enligner dans le star system, faire de plus en plus d'argent à chaque film, tourner des films à toute épreuve. Mais j'ai tout à coup le goût de prendre des risques, mon côté rebelle, celui qu'on a voulu niveler au moyen du gros fer à repasser de la machine industrielle, veut autre chose. Je voudrais faire des films où je serais concernée de la source. Aux États-Unis, personne n'a encore écrit de rôle pour moi. Paul Almond écrivait des rôles pour Geneviève Bujold. Avec Coma (son tout dernier film) ils se rendent compte que je peux être un potentiel rentable car les femmes qui incitent le monde à aller au cinéma sont rares aux États-Unis, ce sont en général les hommes qui attirent les foules. Le vent semble tourner pour moi ces temps-ci. Je reçois énormément de scénarios de films d'horreur mais rien ne m'intéresse encore vraiment. » Difficile de suivre le cheminement erratique de sa pensée, de ses réflexions parfois contradictoires et pourtant je ne peux m'empêcher de deviner, à travers cette confusion effervescente, une détermination presque guerrière. De toutes les comédiennes québécoises qui ont rêvé de faire carrière à Hollywood, Geneviève Bujold a été la pionnière, la seule à se tracer un chemin jusqu'aux étoiles. « Beaucoup de gens m'ont reproché d'être une vendue, d'aller aux

États-Unis pour faire de l'argent et j'ai souffert beaucoup de cette séparation entre moi et le monde ici. Il ne faut pas se faire d'illusions, là-bas, il n'y a personne qui reste en haut de l'échelle sans talent, parce qu'il y a trop de monde en bas qui secoue l'échelle. Je crois qu'il s'agit avant tout de talent et de destinée. Ce qui m'a poussée tout au long de cette aventure, c'est mon appétit, j'étais une affamée, je voulais à tout prix faire du cinéma. On ne peut pas dire que je suis le prototype de la belle femme. À Hollywood, il y en a des milliers avec des jambes longues d'ici à demain, une chevelure épaisse. Les choses sont venues à moi et j'étais très très disponible. si les choses doivent t'arriver, elles vont t'arriver. »

A-t-elle cherché le succès à tout prix ?

« Le succès, j'ai oublié ça. Ce qui compte pour moi maintenant c'est d'aller au bout de mes capacités et de savoir que je suis dans le bon chemin. C'est presque religieux mon affaire. Je veux servir à quelque chose, toucher le monde, c'est mon seul amour. Je n'ai pas d'homme dans ma vie. Certaines ont l'amour, d'autres une carrière, moi je veux les deux ; travailler mais avoir une relation substantielle avec un homme. Ça fait longtemps que je suis toute seule. D'instinct je me suis repliée sur moi-même parce que je suis méfiante d'avance et que la paranoïa est un mal dont tout le monde souffre là-bas. J'ai même exagéré ma mission d'aller travailler. Finalement, ma vie ces temps-ci n'est faite que de moments sans continuité. C'est comme le tournage d'un film : tu vis intensément avec du monde pendant six semaines, tu partages tout avec eux puis du jour au lendemain tout est fini. Je pense que mes relations avec les gars fonctionnent de la même manière, ne durent que le temps d'un film. C'est peut-être mieux ainsi parce que tu te protèges mieux et puis ça fait moins mal, la souffrance étant pour moi une compagne d'une fidélité étonnante. »

Sent-elle qu'elle a des affinités avec les féministes dans sa façon combative d'aborder la vie ?

« Hollywood est une société carrément dominée, écrasée

par les mâles. Les avocats, producteurs, réalisateurs, fonctionnent tous de la même manière : ou bien ils jouent au père ou bien ils veulent te mettre, pas question de parler d'égal à égal avec une femme. Le seul terrain où tu peux user de pouvoir c'est quand tu fais suffisamment rentrer d'argent dans les caisses pour exiger que tout se déroule à tes propres conditions. Avec Streisand par exemple, les millions roulent. Elle n'a pas peur de les écoeurer et elle a tout à fait raison. »

Si la situation est à ce point pénible, pourquoi rester là-bas, pourquoi connaître et s'imposer un tel enfer ? Ma question restera sans réponse parce qu'elle appartient à ce terrain vague et inexplicable des paradoxes humains. Dans le fond, ces confrontations continuelles sont une partie inhérente de sa vie de comédienne, elle ne peut s'en passer. « Pour la première fois, je me fais construire une maison à Malibu. Jusqu'à présent, je louais tout, maison, voiture, télévision. Cette fois-ci, comme j'avais un peu d'argent de côté, j'ai décidé de l'employer à un usage concret, tangible. Au lieu de vivre dans des valises et des hôtels, la gitane a le goût de se stabiliser un peu. Je veux être à la fois plus sage et plus rebelle, perdre moins de temps avec des inutilités. Je me sens vraiment comme à un virage. Est-ce que j'ai peur de me retrouver sans travail ? Je ne le sais pas. Le *next move* est sans aucun doute un épisode à suivre. »

Le Devoir, *le 11 mars 1978*

Geneviève Bujold

Inutile de répéter les mille péripéties par lesquelles je suis passée avant d'accéder à son altesse Geneviève Bujold. La Bujold est le prototype parfait de la vedette qui a fait carrière à l'étranger et qui revient dans son patelin en jouant à l'inaccessible. Pourquoi a-t-elle fait tout un plat avant de me rencontrer et pourquoi était-elle si simple et si directe en entrevue, je ne le saurai jamais. Il n'en reste pas moins qu'une fois le mur de Berlin franchi, une fois qu'on s'est battu et débattu pour elle, Geneviève Bujold ouvre grand la porte et se livre avec chaleur. Loin de l'enfer hollywoodien, elle parle librement, en posant un regard lucide sur les autres et sur elle-même, sans mâcher ses mots, parce qu'elle se sent en confiance et qu'elle sait pertinemment que le Big Business du cinéma américain ne lit pas les journaux du Québec. Cette entrevue l'a saisie à un tournant de sa vie. Je serais curieuse de rencontrer Geneviève Bujold aujourd'hui et de lui demander où elle en est rendue. Je me demande si elle est encore capable d'une aussi belle franchise.

Leonard Cohen : portrait robot d'un poète perdu

Leonard Cohen, un des multiples personnages du livre *La mort d'un homme à femmes* (*Death of a ladies' man*) est debout dans sa cuisine de la rue Vallières juste en face du Parc du Portugal, une guitare entre les mains et une nouvelle chanson sur la bouche. Dans la cuisine, il y a une Suzanne de passage, une Suzanne fort belle assise sur une chaise comme dans un tableau de Modigliani ; il y a d'ailleurs toujours une Suzanne de service qui traîne près du poète et qui au signal lui lance un coup d'oeil complice. En face de Suzanne, il y a un sculpteur qui n'habite pas là mais qui y passe les grandes heures de ses petites journées. L'autre soir, lors de l'enterrement de l'homme à femmes, il portait une veste et une cravate et on l'aurait facilement pris pour un des éditeurs du poète. Aujourd'hui avec sa vieille chemise fanée, il est heureusement redevenu lui-même. À travers les rideaux de dentelle blanche de la cuisine, l'on aperçoit une fille qui promène son chien dans le Parc du Portugal, elle aussi fait partie du cercle secret des poètes maudits, elle aussi connaît Leonard Cohen.

Au milieu de la cuisine grise, Leonard Cohen, le personnage du livre, vient de déposer sa guitare et pour la septième fois cette semaine, il s'apprête à aller prendre un long café (a long coffee) au restaurant d'en face, un petit bouge de 2 par 4 sur la rue Saint-Laurent et qui tout récemment, à cause de la loi Laurin, vient de changer de pancarte. L'établissement s'appelle maintenant, et fort respectablement d'ailleurs, Restaurant Cookie. On y boit du café chaud, on y mange du poulet ou du boeuf bouilli en écoutant le récit des aventures de son propriétaire. Celui-ci se nomme Sam, il a connu la guerre, les camps de concentration, on l'a retrouvé à Jérusalem une année, puis à Montréal, l'autre. Aujourd'hui cependant il déclare volontiers au poète qu'il songe sérieusement à déménager le siège social de son 2 par 4 à Toronto. Aujourd'hui, la vie du poète qui se prend parfois pour Leonard Cohen quand il ne se prend pas pour l'ombre de lui-même, se déroule dans une grande simplicité : l'hiver se passe sur la rue Vallières à noircir les cahiers d'école dans le confort chaud des habitudes et des univers rétrécis ; un quart de nuit dans l'art et un quart de jour dans le quotidien.

Dans la salle d'étude du poète, une modeste table de bois presque monastique, des photos d'enfants, quelques livres sur la mythologie, deux manuscrits dont l'un porte le titre, tout indiqué pour l'occasion : My life in Art — Ma vie en Art. Le magnétophone a ouvert sa grande gueule vorace et se prépare à bien avaler tous les propos du poète. Les voici : « Pourquoi, demande la machine, le poète n'a-t-il pas sorti de livre depuis six ans ? » Le poète réfléchit un instant. « Attendez voir », dit-il, en faisant un suprême effort de mémorisation. Il sort un agenda et regarde ce qu'il a officiellement fait au cours des six dernières années. « J'ai sorti *The Energy of slaves* en 72. Après ça, j'ai enregistré les disques *New skin for an old ceremony,* puis *Death of a ladies'man.* J'ai également écrit deux autres romans que je n'ai pas cru bon de publier pour la simple raison qu'ils n'étaient pas très intéressants. Je suis en général un bon juge pour ce genre de choses, mon intuition ne me trompe jamais. Il faut que le livre corresponde aux courants de pensée d'une époque, qu'il s'inscrive dans une réalité quotidienne, qu'il fasse son chemin seul dans le monde. *Death of a ladies'man* est probablement le produit d'une époque, il marque la fin d'un règne, celui de l'homme à femmes. La notion d'un tel homme est périmée, dépassée aussi bien dans la vie que dans la poésie, c'est une forme de séduction parfaitement désuète. Le livre ne le dit pas noir sur blanc mais le suggère, c'est d'ailleurs un livre qu'on ne doit pas lire comme un roman parce que ce n'est pas un roman, c'est un recueil de poèmes avec une galerie de personnages et un thème pour cimenter le tout, mais c'est un livre d'écriture, de langage, et non un livre qui raconte une histoire. Je l'ai écrit comme un roman, mais ça reste de la poésie.

Parlons un peu du thème, du ciment. Le thème du livre c'est le mariage. Je fais une sorte d'apologie d'une institution qui se nomme le mariage. Ma position est essentiellement optimiste, et promaritale. Évidemment quand j'écris que le "mariage est le cimetière de l'amour", je ne parle pas de la mort. Il faut me comprendre, je dis en fait que le mariage nous repose et nous libère de l'amour, nous libère du romantisme et de l'incroyable pression d'être l'éternel amant. Dans le mariage, on peut enfin être soi-même avec tout ce que cela comporte de bon et de mauvais. On n'a pas besoin de parader, pas besoin d'être constamment en alerte, de se demander si on va plaire ou pas, si on va être accepté ou pas. Le mariage c'est l'ultime liberté de marcher nu devant une femme, simplement, sans attentes, sans passion, sans angoisse, sans se demander suis-je séduisant, ai-je assez de muscle, de biceps? C'est un repos, c'est l'acceptation totale et ça n'a rien à voir avec ce que certains nomment l'indifférence. »

Mais si le mariage est une institution à ce point précieuse, le poète sait-il pourquoi cette institution est présentement le grand échec de notre société? Le poète traqué prend tout à coup une mine sombre : « Je ne sais pas, je ne veux pas le savoir, ce n'est pas mon rôle de le dire. Mon livre n'est pas un guide pratique, un abc du bricolage pour réussir son mariage, mon livre ne cherche pas à promouvoir une idéologie. Mon livre parle du mariage et par le fait même devient le mariage, relate la façon dont marche ou ne marche pas un mariage. Mon livre n'est pas un manifeste en faveur du mariage, c'est une simple constatation. Mon livre fait appel aux mêmes mécanismes que ceux qui régissent le cerveau ; il traite du ying et du yang, du négatif et du positif, des pôles d'attraction qui unissent et divisent les hommes et les femmes. Il se sert du principe même de la vie, l'union du masculin et du féminin. La vie c'est aussi simple que cela, le reste n'est qu'une variation sur un même thème. »

Pourquoi est-il alors question de l'art et de la vie du poète dans l'art ? Parce que le poète ironise et qu'en fait il n'y a pas un brin de vie dans l'art. « L'art est la glorification de tout ce que la vie peut comporter de minable et de mesquin. On vit sa petite vie de tous les jours, on mange, on dort, on pisse et puis, dans des moments de grande inspiration, on monte en épingle un petit morceau de minable et on appelle cela de l'art. Il y a un côté dérisoire à tout cela et c'est important de garder cela en tête, de ne pas trop se prendre au sérieux. Il y a malgré tout des moments où je retourne à moi-même, où mon écriture passe avant tout, passe avant mon fils, ma femme, et d'autres moments où je suis totalement absorbé par le morceau de vie que je vis, ça change constamment. On n'est jamais une seule chose à la fois, on est différents personnages ; parfois je suis le poète illuminé qui croit son oeuvre invincible, ailleurs je suis le critique qui ironise et qui tourne tout à la dérision, celui qui renie la poésie, celui qui y croit jusque dans l'absolu, ce n'est pas statique mais éternellement mouvant. »

Est-ce que la politique a un rôle à jouer dans le mariage ? « Je ne sais pas au juste. Je crois que l'histoire entre le Québec et le Canada est l'histoire d'un mariage qui ne marche pas. Je ne blâme pas un parti plus que l'autre, je constate. Je constate que le mari et la femme sont des êtres très différents. Je constate que le Québec appartient encore corps et âme à l'Église, que le gouvernement est présentement entre les mains d'hommes qui ont été formés par les Jésuites ou alors qui sont eux-mêmes d'anciens Jésuites. L'Église a toujours été omniprésente au Québec et continue à l'être. Les Québécois, comme les Juifs d'ailleurs, ont toujours eu la certitude d'être une nation privilégiée, une nation choisie avec un destin particulier, avec une vocation spirituelle, un devenir linguistique, culturel, religieux, mystique. Alors qu'à Toronto, les préoccupations premières sont d'un ordre pragmatique (y a-t-il suffisamment d'argent ? les lumières rouges marchent-elles bien ?), ici on a des considérations d'un ordre presque apocalyptique. Il y a un côté très messianique dans la façon dont les gens gouvernent ici. On pense en fonction de sauver une race, d'ériger une nation. Je trouve cela un peu bizarre. Et puis nous autres, les Juifs, on a vu trop de drapeaux monter et descendre et quand on sait qu'en fin de compte, on se dirige tous vers la même chose, la tombe, on ne peut s'empêcher de trouver ces grandes théories et ces beaux idéaux, un peu futiles. »

La machine refuse tout à coup de poursuivre la conversation, elle est restée coincée sur le mot messianique, un mot que le poète ne cesse de répéter et de caresser. Le poète se prend-il lui-même pour le Messie ? « Je suis pour l'État libre de Montréal, dit-il pour disperser les doutes, je n'habite pas un pays, j'habite un quartier, un univers complètement à part des autres, complètement en retrait de la civilisation moderne, du monde normal des affaires, de l'argent, du succès, de la promotion sociale. Je n'ai pas d'appétit pour cela, je n'en ai jamais eu. Je me contente de faire ce que j'ai à faire, la vie prend le reste en charge. » Maintenant que le livre est terminé, que le disque est rendu au bout de son sillon, le poète va redevenir chansonnier avec un nouveau disque qui s'intitulera *The smokey life* (la vie enfumée). On ne sait au juste de quoi il s'agira, sans doute des hivers lyriques de la rue Vallières dans les bas-fonds de Montréal. Le chanteur-chansonnier sait qu'il devrait veiller de plus près à sa carrière, à sa promotion, partir en tournée et jouer le jeu, mais le poète se fait vieux et puis il prend son nouveau rôle de père et d'époux au sérieux. « Si mes affaires marchent relativement bien en Europe, aux États-Unis je suis un peu dans la catégorie des perdus dans la brume, je suis un peu comme Éric Anderson, on me garde par principe, parce que mes disques ne coûtent pas trop cher. Quand viendra le temps d'aller ailleurs, je le ferai, mais je ne suis pas pressé. »

Dans le dernier hoquet de la machine, le poète avoue finalement qu'il a très peu d'ambition.

Le Devoir, *le 4 novembre 1978*

Leonard Cohen

Le magnétophone a joué un rôle déterminant dans cette entrevue. Il n'a pas marché une seule seconde. Je l'ai branché sans vérifier si tout était en ordre. Je l'ai branché pour ne pas trahir les propos du poète et parce qu'une présence technologique agit souvent comme stimulant à la conversation. Le micro d'une enregistreuse, l'oeil torve d'une caméra ont des effets insoupçonnés sur les gens et les feront bafouiller ou au contraire préciser leur position et clarifier leur pensée.

Prenant le magnétophone à témoin, Cohen s'est lancé dans un long et lumineux discours sur la vie, l'amour, l'art, le mariage, la politique et le Québec. Au bout d'une heure et des poussières, lorsque je suis revenue à mes esprits et à la machine, je n'ai pu que constater le triste dégât. Cohen a poussé de grands cris et refusé de répéter le moindre mot. Le destin avait frappé, tant pis. Je me suis donc précipitée au journal, la tête encore toute bourdonnante de ses paroles et j'ai rédigé l'entrevue de mémoire en l'espace d'une heure. Il faut dire que j'aime Leonard Cohen et que j'aime la façon dont il parle. Magnétophone ou pas, j'ai bu toutes ses paroles comme si c'étaient les miennes. La prochaine fois j'irai le voir sans magnétophone.

En attendant Tom Waits

Le couloir qui mène à la chambre 597 est parfaitement minable. De longues fissures jaunes strillent les murs et contemplent le tapis rouge rongé aux mites, le plancher en pente raide, la peinture qui s'effiloche de tous côtés ; un couloir de vieux film français que Tom Waits et son folklore de robineux en déroute n'aurait pas mieux imaginé. La porte de la chambre d'hôtel s'ouvre. Au beau milieu de la pièce vide, entouré d'un amoncellement de bouteilles de toutes sortes, Tom Waits. Visage émacié, chemise et pantalon noirs, cravate dénouée, souliers percés et posture nonchalante, il est l'incarnation vive du poète maudit des temps modernes. Il a de petits yeux de taupe, perdus dans le beurre d'un après-midi entier d'entrevues. Par un étrange hasard de correspondances, il me fait beaucoup penser à Humphrey Bogart.

Je m'assois vis-à-vis, mal à l'aise et mal préparée. Je sens qu'il va me faire travailler. Dehors c'est le printemps à Paris, les mobylettes et le métro, une atmosphère de foire dans laquelle le hobo solitaire d'une Amérique insolite, émule de Jack Kerouac et de Charles Bukowski, de Louis Armstrong et de Fats Navarro, des cafétérias et des cantines, des « diners » de la nuit, me paraît tout à coup déplacé. Je ne sais pas quoi lui dire, lui ne sait pas quoi répondre. Ça commence mal. Il revient d'une nuit d'insomnie, s'est levé à six heures du matin à

Bruxelles pour se retrouver, quelques heures plus tard, dans une chambre d'hôtel à Paris. Demain il jouera au Palace, un vieux théâtre que d'habiles hommes d'affaires ont transformé en une chic boîte punk de Paris. Il a 29 ans mais il avoue qu'il aime en paraître 60. Vivre vite et fort, mourir jeune, voilà sa devise. Il me débite son curriculum vitae : 6 disques, 7 années de route à travers les clubs, bars et piano-bars de l'Amérique, 2 fils (9 et 11 ans) d'une première femme qu'il a épousée à 18 ans et qu'il a depuis quittée. « Je crois encore au mariage, dit-il, mais pour une nuit seulement. » Il parle comme il chante, avec un assortiment de mégots usés au fond de la gorge. Son passe-temps favori : boire dans les bars, passé minuit. Il n'aime pas les entrevues. Je suis d'ailleurs la septième de la journée à lui soutirer des propos historiques et il commence à montrer des signes inquiétants d'amnésie avancée.

« Ça fait toute une journée que je parle de moi, que je me répète comme un vrai abruti, j'en ai marre. Le journaliste a tous les avantages. Il arrive ici avec son équipement, ses questions, ses préjugés, c'est lui qui mène le bal, qui s'occupe de la mise en scène, c'est lui qui définit le cadre, moi je n'ai qu'à suivre. Lui pose les questions, moi je cherche les réponses. On n'a vraiment pas le même métier. Lui s'assoit, moi il faut que je me lève, que j'aille trouver la vérité, c'est un peu ingrat comme profession. »

Après ce court laïus, Tom Waits passe aux choses sérieuses et répond docilement aux questions encombrantes de contrats, de tournées et d'engagement. Pour l'occasion, il prend même un ton solennel de magnétophone dont la cassette serait coincée. « Je suis venu à Paris il y a deux ans. J'ai joué au Pavillon, pas le grand mais le petit, il faisait un froid de loup, il y avait des chiens qui aboyaient partout, c'était comme une exploration intense de la terreur, c'était vraiment charmant. Cette fois-ci ça sera mieux. La tournée est mieux organisée, après Paris, je me retrouve à Dublin, Londres, Amsterdam, Copenhague, la Suède et finalement l'Australie, c'est le tour du monde en 80 jours. J'aime ça l'Europe mais je suis à l'aise aux États-Unis, je connais les routes, ça fait sept ans que je les parcours, j'ai été dans toutes les villes imaginables, j'ai même été à Montréal, il y a quatre ans en première partie de Frank Zappa. Je passe la moitié de ma vie sur la route, dans les clubs, dans les salles de concerts, dans les collèges, je fais tout le cirque qu'il y a à faire. »

Je crois deviner, entre deux soupirs, le ton désabusé de quelqu'un qui n'apprécie pas sa condition. J'en viens même à me demander si Tom Waits ne fait pas ce qu'il fait un peu à contrecoeur. « Ça fait sept ans que je fais ça, c'est une carrière en bonne et due forme. C'est ça que je veux dans la mesure où je n'ai pas envie de travailler dans une épicerie. Seulement je ne pensais pas que ça m'entraînerait aussi loin aussi souvent. Ces jours-ci je suis dans un pays différent tous les soirs, je ne dors pas et j'aime bien fréquenter les bars. Je n'aime pas manger. La plupart des gens viennent en Europe pour manger, moi ça ne m'intéresse pas, j'aime autant aller boire. Quand je ne suis pas dans un bar, je suis dans un taxi, dans une loge, dans un avion, un aéroport, un autobus, une voiture louée, finalement je ne vois rien, je ne fais rien. Je dois être à mille places à la fois et en plus, je dois être quelqu'un pour tout le monde. Quand j'ai envie d'écrire, il faut que je m'enferme pendant un mois dans une chambre d'hôtel pour avoir la paix. C'est comme ça que j'ai écrit *Blue Valentine* (son dernier disque). Je me suis loué une chambre d'hôtel à Los Angeles et j'ai écrit tous les jours pendant un mois. Après ça je me suis retrouvé en studio avec les musiciens, on a tout enregistré en cinq sessions, ça coûte moins cher de cette façon-là. Il y avait George Duke aux claviers, personne ne l'a su parce qu'il aime mieux prendre un pseudonyme quand il fait des sessions. »

Tom Waits s'est tu. La tête penchée, les épaules courbées, il est sur le point de s'endormir sur sa chaise. On dirait que le monde s'est éteint autour de lui, que tout a disparu. Je le sens comme dans un rêve, dans une torpeur d'alcool qui l'empêche d'articuler. « Je pense que nous sommes tous étrangers à nos propres rêves. Ce avec quoi on se retrouve au bout du compte n'est jamais comparable à ce que l'on a rêvé. Je vais bientôt écrire un scénario sur ce thème-là. Ça va se passer la veille du jour de l'An en Californie entre deux hommes, l'un s'appelle Jack Farley Fairchild et l'autre s'appelle Domino Fedora. Je vais intituler cela, *Why is the dream so much sweater than the taste ?* Je vais raconter l'histoire d'un homme qui a bien réussi dans l'échec et d'un autre qui a échoué à réussir. Il y sera question de moi parce que je suis dans toutes mes histoires, je me prends pour Alfred Hitchcock. »

Avant d'être musicien ou compositeur, Tom Waits est un merveilleux poète, un écrivain, un journaliste sublimé. Le souffle de son verbe dans ses plaidoiries-chansons est étourdissant. Ses héros sont toujours les mêmes, des putains, des voyous, des perdants, des solitaires, tous ceux qu'une certaine société refoule dans les bas-fonds de l'anonymat. Et ses personnages semblent toujours venir d'un autre monde, d'une autre époque, comme si Waits avait encore la nostalgie du temps passé.« Je ne suis pas nostalgique, il n'y a rien au monde qui me pue plus au nez que la nostalgie. Je suis peut-être sentimental, mais pas nostalgique. Je me sens beaucoup de compassion pour la condition humaine, j'écris l'histoire des petites gens à qui on n'écrit jamais d'histoires ou de chansons. Au lieu de faire des fausses promesses et de chanter un monde de merde dont personne finalement ne fait partie, j'essaye d'être honnête, de parler du vrai monde et des vrais problèmes, c'est ce qu'on appelle ma conscience sociale. Je vis tout près des gens dont je parle et je crois que c'est important de raconter leur histoire et non pas celle du gars qui habite à Beverly Hills. Ça n'a rien à voir avec les années 50, c'est tout simplement un monde en soi. Peu importe si on vient des années 60 ou des années 50, ce qui est important c'est où on s'en va. C'est pour cela que j'admire tant les punks. Ils ont du cran, ils sont insolents et subversifs. Leur musique c'est comme un accident d'auto, c'est passionné, désespéré, c'est une musique qui n'a rien à voir avec les vestiges décrépis et moribonds des années 60. Quand je pense à tout ce qu'on a voulu faire avaler, tous ceux qui me font penser à Andy Williams, Vic Demone, tous ceux comme Crosby Stills et Nash, je ne veux rien savoir de toute cette pourriture. »

Et Kerouac? Son visage s'éclaire. Je viens de prononcer le mot magique : « Kerouac est un de mes grands héros. J'admire l'homme et l'écrivain, c'était un bon catholique. Il avait le complexe typique de la persécution religieuse. Nous sommes tous motivés par ce même complexe et par la culpabilité. Moi en tous les cas, c'est cette culpabilité qui me tient en vie. Coupable parce qu'on réussit, coupable parce qu'on ne réussit pas, il n'y a pas à s'en sortir. Moi, je suis entre les deux. Je n'ai jamais réussi dans le circuit commercial. Marcel Marceau joue plus souvent à la radio que moi. Je me suis entendu à la radio une fois en 73 dans le Dakota. Dans une certaine mesure, ça m'arrange, je ne suis pas obligé d'écrire pour un public, on m'accorde le bénéfice du doute. Jusqu'à date, il n'y a pas eu de passes, de buts ou d'erreurs, c'est à la fois ma bénédiction et ma malédiction. Je suis encore avec une compagnie de disques (je touche du bois) et les choses ne vont pas trop mal. En studio, je ne sens pas de pression, de personne sinon de moi-même. Ça pourrait être mieux, mais ça pourrait aussi être pire. »

C'est la fin de l'après-midi. Tom Waits est soulagé, l'interrogatoire est terminé et il vient de découvrir un article sur lui dans le *Rock et Folk* d'avril. Il demande qui est ce personnage étrange qui fait la couverture. C'est Johnny Hallyday. Ça le fait rire. Le jour où Tom Waits sera sur la couverture d'un magazine est un jour que nous attendons tous avec impatience. « C'est facile d'avoir des héros, des idoles, de porter quelqu'un aux nues parce qu'il a dit telle chose. Être un héros, c'est toute une autre affaire, c'est un métier dangereux parce que tu risques à chaque jour d'y laisser ta peau, ta lucidité, ton intégrité. C'est pour cela que j'admire tant un gars comme Bruce Springsteen. Il y a en lui un feu que personne, pas même le cirque, ne saura éteindre. Finalement on a peu de choix : ou bien on prend le risque de dire ce que l'on pense et le risque de se casser la gueule, ou bien on moisit tranquillement dans son coin. Moi, ça fait longtemps que j'ai choisi.

Le Devoir, *le 5 mai 1979*

Tom Waits

Tom Waits était saoûl, fatigué, tanné, écoeuré. Il est tombé de sa chaise, il a failli s'endormir devant moi. J'ai insisté. Il a fait un dernier effort de bonne volonté. Nous nous sommes quittés sans rancune. Je me rends compte qu'il a parlé quand même, qu'il a même beaucoup parlé.

Nicole Martin : la chanteuse raisonnable

Midi et demi au rez-de-chaussée du Ritz Carlton. Une longue table a été dressée le long du mur principal du restaurant. Trois gros bouquets de fleurs qui sentent le salon funéraire siègent au centre de la table et servent d'écran aux conversations.

C'est l'heure des affaires brassées en mastiquant, l'heure des pourboires distribués sans parcimonie et des additions ramassées à la sauvette par d'habiles chevaliers servants. Les journalistes arrivent un à un, pas réveillés et pas tout à fait remis de la fin de semaine. On les invite à rencontrer la compagnie : d'abord l'attachée de presse habillée dans les couleurs de ses communiqués, le producteur de disques, le gérant, le directeur artistique, l'agent, un demi-monde conciliant d'intermédiaires qui font équipe pour sécuriser la chanteuse et qui, juste quelques heures avant d'encaisser pour elle, lui font croire qu'elle n'est pas seule au monde. Voilà finalement la chanteuse elle-même en personne, qui arrive en coup de vent, à peine sortie d'une photo de mode et déjà bien installée dans l'imaginaire figé du restaurant.

La chanteuse est en forme ce matin. Elle porte une robe noire tellement échancrée que les serveurs qui bourdonnent autour ne font même plus semblant de loucher. La chanteuse demeure impassible et imperméable. Elle ne craint ni les courants d'air ni les regards indiscrets. Sa voix est basse, douce, veloutée, par moments, on dirait presque de la pure soie. La chanteuse boit de l'eau Perrier, évite jusqu'à la dernière minute d'accepter la cigarette qu'on lui tend et cache avec pudeur ses petites mains aux ongles courts et rongés. Son regard est franc et direct et ne se dérobe jamais. La chanteuse est parfaite, la chanteuse est sympathique. Pendant qu'elle insiste sur la nécessité d'être authentique et de donner un vrai show, la nécessité d'être généreuse, d'être bonne et meilleure encore, l'attachée de presse distribue le long-jeu de Noël qu'elle vient tout juste d'enregistrer. La chanteuse ouvre la parenthèse sur le long-jeu et explique qu'elle a eu énormément de difficulté à chanter *Minuit chrétien* parce que c'est une chanson d'hommes qu'elle voulait interpréter à la manière d'une femme.

Une grande blonde de la télévision vient interrompre la conversation et demande une entrevue que la chanteuse se fait un plaisir de lui accorder. Cinq minutes plus tard, elle revient à table et poursuit le récit de ses souvenirs, ses débuts dans un cabaret de Québec à 12 ans, parmi les femmes à postiches, le spray-net et les demandes spéciales sous l'oeil vigilant de sa mère qui voyait déjà le nom de sa fille en grosses lettres scintillantes sur Broadway ou peut-être même à la Place des arts. La mère est aujourd'hui fière de sa fille. Si elle ne s'occupe plus de sa carrière comme avant, elle se console au moins en la regardant à la télévision. Tous les jours elle lui téléphone pour lui dire combien elle la trouve belle, sa fille.

Picorant la salade dans son assiette, la chanteuse n'a tout à coup plus grand chose à raconter. Elle se met alors à improviser, dit que l'amour et le métier sont les deux seules choses qui comptent dans sa vie, dit aussi qu'elle en a assez de chanter les femmes victimes et éternellement éplorées et qu'elle voudrait maintenant exprimer le côté fort et entêté de sa personnalité. Interrogée sur ses goûts, elle déclare que chez les femmes elle aime Natalie Cole et chez les hommes, Elton John. Au bout d'une heure et demie cependant elle ne sait plus quoi raconter et semble prête à s'en excuser.

Qu'y a-t-il de plus à dire. La chanteuse est gentille, elle chante bien, elle est raisonnable et rangée, elle vend l'amour rose et rouge aux couples et aux enfants âgés. Elle est une chanteuse parmi tant d'autres, un peu plus belle, un peu plus fine, sans écarts et sans excès. Lorsque le dîner est terminé, que les lumières s'éteignent et qu'elle nous renvoie chacun chez soi avec sa photo, son disque et son communiqué, on ne lui en veut pas. Au contraire, on l'aime et on la remercie d'avoir une si belle personnalité.

Le Devoir*, le 13 novembre 1979*

Nicole Martin

Ce portrait a priori banal a fait perdre au Devoir *un contrat de publicité de 5 000 $. Le vase a débordé. Mes rapports déjà conflictuels avec la maison de production Kébec Spec que je traitais de pâtisserie ont été carrément rompus. On m'a bannie. Plus d'invitations aux conférences de presse et aux premières, plus d'entrevues avec les artistes de la maison, plus d'annonces dans* Le Devoir, *le boycottage systématique. Ça m'apprendrait. Quand les enfants sont méchants à l'école, on les met dans un coin en pénitence. On m'a donc laissé sécher pendant quelques mois jusqu'au jour où Kébec Spec a eu besoin de rejoindre le public du* Devoir *pour lui vendre un spectacle d'Yvon Deschamps. Le boycottage fut levé et j'ai pu, au grand désespoir de plusieurs, réintégrer mes fonctions de critiqueuse professionnelle.*

Pierre Nadeau superstar

Pierre Nadeau n'arrive pas en retard. Pire encore, il se fait un devoir, sinon une obligation, d'arriver en avance pour mieux occuper l'arène et mettre toutes les chances de son côté. De la hâte d'en finir au trac avant de commencer, il y a parfois la minceur d'une image et la responsabilité d'une réputation. J'arrive au rendez-vous avec dix minutes d'avance sur l'heure fixée, bien préparée à déjouer le coureur, à arroser l'arroseur et à aller fouiller de l'autre côté de l'affiche de publicité. Peine perdue, il est là, debout au téléphone, et essaye avec force naturel d'établir une obscure communication avec Paris. J'hésite. Est-il vraiment sérieux ? Veut-il m'impressionner ? Ou est-ce une de ses nombreuses tactiques pour mieux intimider la pauvre interlocutrice que je suis devenue ? Si je m'appelais Barbara Walters ou Oriana Fallacci, je comprendrais, mais comme tel n'est pas le cas, je ne sais plus maintenant quelle attitude adopter. Je m'assois, docile, et pourtant pas tout à fait convaincue de l'honnêteté de ses intentions. Appeler Paris comme s'il s'agissait de Longueuil, debout à un bar, la main dans la poche et l'air nonchalant, sans baisser la voix ou chercher le ton de la confidence, n'est pas un geste particulièrement modeste, c'est presque comme aller au dépanneur lui demander s'il n'aurait pas une bouteille de Dom Pérignon. Deux minutes ont passé, Pierre Nadeau essaye pour la troisième fois de rejoindre

Paris sans succès. Il me fait tout à coup penser à ces hommes d'affaires terriblement affairés, le cigare au bec et l'attaché-case au vent, une montre qui indique l'heure de Londres et celle de New York, appelant Shangaï pour demander quel temps il y fait et si les imperméables sont encore de saison. Je me ravise. Pierre Nadeau est un gars sympathique et un gars honnête, il ne cherche pas à épater la galerie qui d'ailleurs ce soir est déserte, mais tout simplement à rejoindre l'Élysée Matignon, pour inviter Giscard en échange de quelques diamants à venir faire un tour à son émission. Je ne saurai jamais la fin de l'histoire. Au bout de la quatrième fois, Nadeau se fera une raison et laissera tomber le téléphone et la communication.

De retour à la réalité, Pierre Nadeau vient me rejoindre à table et s'assoit sous la caricature du géant Ferré. Drôle de hasard. Il a son sourire des grandes sorties, celui qui coulisse et cabotine et qui pourrait vous faire avouer n'importe quoi. Il a le charme facile et l'assurance moqueuse des casse-cou et des téméraires :impossible, à moins d'être Lise Payette ou Golda Meir, de lui résister. J'ai 12 012 questions à lui poser, des questions récoltées à droite et à gauche, dans les couloirs du commérage et ceux de Radio-Canada. Pourquoi pose-t-il sur les photos avec son chien ? A-t-il déjà proposé le mariage à Dalila Maschino ? Est-il vraiment obsédé par son image ? Pourquoi a-t-il accepté avec autant d'empressement d'être la « cover-girl » de Radio-Québec ? Sait-il que sa femme et lui ont été surnommés « les-Jean-et-Janette-de-l'information » ? Se prend-il encore pour Jacques-le-matamore ou a-t-il depuis opté pour Superman ? Va-t-il un jour lui aussi vendre du yogourt et que mange-t-il pour déjeuner ?

« Pierre Nadeau a mis dix ans à bâtir une crédibilité professionnelle, maintenant il passe à la caisse », les mots sont extraits d'un article paru dans *Le 30*, le journal de la fédération professionnelle des journalistes du Québec. Certains aiment Pierre Nadeau, d'autres pas. Certains le trouvent manipulateur et démagogue, d'autres tout simplement fascinant. Certains l'envient, d'autres lui reprochent son sens du spectacle et du vedettariat. Une chose est certaine, Nadeau laisse peu de gens indifférents. Animateur à une émission d'information quotidienne à CFGL, un poste privé dont il est maintenant en partie actionnaire, se promenant du lundi au dimanche entre les affaires publiques de Radio-Québec (*Les Lundis de Pierre Nadeau)* et les affaires culturelles de Radio-Canada (*L'Observateur),* interviewer-vedette à *L'Actualité*, récipiendaire du Prix Olivar Asselin pour 1979, le visage placardé dans toute la ville et sur tous les autobus quand ils ne sont pas en grève, Pierre Nadeau non seulement cette année passe à la caisse, mais il part avec. Quand les journalistes de l'objectivité deviennent des commodités commerciales, il faut parfois se poser certaines questions. Et les questions, croyez-moi, Pierre Nadeau connaît ça. S'il n'a pas inventé le mot, il a du moins travaillé fort à lui donner une jolie réputation.

« Les gens disent que c'est mon année, moi je me plais à croire que c'est mon année depuis longtemps. Je n'ai pas décidé cette année plus qu'une autre de me faire voir. De toute façon si on fait de la télévision et qu'on n'aime pas se faire voir, on est aussi bien de changer de métier. Je faisais des magazines télévisés depuis une dizaine d'années et j'en avais un peu ras le bol parce que je sentais que je tournais en rond. Je retournais toujours aux mêmes endroits, j'ai été au Moyen-Orient au moins dix fois, en Afrique, je ne sais plus combien de fois, un jour j'ai eu peur de manquer de ferveur et d'enthousiasme, peur de ne plus savoir redécouvrir les sujets pour les spectateurs qui, eux, n'en ont pas forcément la même connaissance que moi. Alors je me suis dit que ça serait peut-être mieux que pendant un bout de temps, je fasse autre chose. J'avais aussi envie de permettre à d'autres de se faire les dents sur ce métier. Je suis et reste, dans le fond de mon coeur, un reporter, quelqu'un qui aime bien traduire avec des images et des mots simples, une situation que j'ai le privilège de vivre pour d'autres. Quant à dire que je passe à la caisse, oui c'est vrai : je passe à la caisse, je fais plus d'argent que les autres années mais je paie aussi plus d'impôts. De toute façon je ne fais pas ça pour l'argent. Je le fais pour rompre avec certaines habitudes, passer de l'autre côté de la clôture ; c'est peut-être en fin de compte aussi la crise de quarante ans. »

Important indice. Le vieux singe à qui on n'apprend plus à faire des grimaces ; celui dont la pupille se dilate au moindre réflecteur ; celui qui, l'air de rien, ne manque pas un détail ; celui qui saisit les bruissements de la cassette qui tourne et qui, en s'écoutant parler, fait parfois exprès de perdre le fil de la conversation pour brouiller les pistes et semer la pagaille ; celui qui se fait à la fois police ou complice selon l'angle de la caméra, l'infaillible reporter connaît ses limites. Déformation professionnelle, manipulation, distraction, qui sait ? J'ai l'étrange impression en posant des questions à Pierre Nadeau qu'il est en train d'écrire l'article pour moi, que tous ses gestes et propos ont la conscience claire de la caméra, la conscience de cette image de lui-même que le monde autour lui renvoie. Sauf qu'à force de se faire ami des caméras, à force de les manier jusqu'à la manipulation, Pierre Nadeau n'arrive pas toujours à contrôler ses transparences. Aujourd'hui l'image qui passe et trépasse lui donne un goût de déjà vu, un sens de *vieillissement*. Je n'ai pas une seule fois mentionné le mot et pourtant il revient, mine de rien, dans les recoins plus sombres de la conversation et flotte dans l'air avec une insistance sourde et implacable. Je me rends compte tout à coup que je n'ai pas envie de voir ce mot dans la bouche de Pierre Nadeau. Dans l'inconscient collectif des évangiles télévisés, Pierre Nadeau n'a pas d'âge, ou si plutôt il a l'âge et l'allure de l'éternelle jeunesse. Bondissant dans l'image irrationnelle avec son micro-matraque, au Vietnam ou au Chili, une voix sèche et crépitante cousue au fil de l'événement et de l'instantané, en jeans et sans cravate, Pierre Nadeau c'est la télévision de la révolution fébrile, c'est du rock'n roll, puissant, direct, sans succédanés, une vitesse d'autoroute dans la voie rapide de l'actualité.

Pierre Nadeau c'est tout de suite et pas tout à l'heure, parce que tout à l'heure ce sera trop tard et que de toute façon la bombe aura explosé, c'est le G.I. qui met le feu à une paillotte avec un briquet Zippo, c'est octobre 70, Allende assassiné, c'est la réalité qui arrive en schrapnel dans le salon à l'heure du souper, quelque part entre le constat d'impuissance et celui de tout vouloir faire éclater. Pierre Nadeau c'est l'ivresse folle d'être là au moment où se fait l'histoire mais c'est aussi la répétition hallucinante de cette histoire qui ne se laisse pas dompter, la fascination froide de l'objectivité qui, à force de témoigner, sature et se fait complètement neutraliser. Des images rapides, éphémères, passagères, qui impriment sans plus impressionner, des images sans consistance, juste bonnes à repasser sur vidéo tard dans la soirée. Quand on incarne l'effroyable vitesse de l'actualité, comment ralentir sans s'ennuyer. Je vois mal Pierre Nadeau devenir le Walter Cronkite de Radio-Québec ou de Radio-Canada, je le vois mal pontifier avec sagesse sur le feu brûlant et consumé de l'actualité. Je vois mal Pierre Nadeau devenir un autre que cette tornade humaine que les écrans ont stigmatisée.

« Je fais un art mineur, je me sens un peu comme un Serge Lama à qui on demanderait de chanter Othello à l'opéra. Je viens d'une école où on nous a appris à ne pas donner d'opinion, juste de l'information. Ma définition du métier c'est encore d'arriver avec tous les faits importants, de les présenter de façon claire et concise tout en laissant au spectateur le soin de tirer ses propres conclusions. La télévision n'est pas, et ne doit pas être un cours du soir. La première fonction de la télévision c'est le divertissement, ce qui n'est pas incompatible avec l'information. Quand on informe les gens, il faut le faire de façon sérieuse, ce qui ne veut pas dire plate. Il ne faut jamais abuser de la capacité de concentration du téléspectateur. L'important c'est de ne pas tromper les gens, de rapporter les faits le plus rapidement possible et simplement. Il faut que la fonction de journaliste à la télévision soit investie de crédibilité, que le public fasse entière confiance au journaliste. Je ne prétends pas faire du journalisme d'enquête. Pour faire ce type de journalisme de combat, il faut avoir des piliers et des assises, il faut fouiller ses dossiers, avoir du temps et des moyens. Au Québec, on tombe vite dans la routine des conférences de presse, on n'a pas toujours la motivation de soulever les tapis, on retrouve cela beaucoup plus chez les Anglo-saxons. Et puis même aux États-Unis, l'enquête du Watergate est finalement le travail de deux journalistes. N'eût été de Woodward et Bernstein, il n'y aurait peut-être jamais eu de Watergate. »

Pierre Nadeau pratique à merveille l'art de la justification et se dérobe avec facilité devant les questions mesquines ou épineuses. À force de voir faire les autres, il a bien appris la leçon. Celui qui trouve toujours les bonnes questions et s'en fout des réponses, celui aussi qui a le mérite d'avoir dépoussiéré l'information québécoise, reste un homme d'images plus que d'idées. Fils spirituel de René Lévesque et de Judith Jasmin, ardent défenseur de l'électronique impartial, tiraillé entre son vieil atavisme de Jésuite (il a fait son cours classique à Brébeuf) et son esprit téméraire et aventurier, Nadeau succombe aujourd'hui à l'ultime tentation, celle de vouloir courtiser l'éternité et de rapatrier les pièces détachées de son oeuvre : « Je n'ai pas de livres qui me restent, pas d'écrits que je peux relire, je n'ai qu'une collection de cassettes. Un jour peut-être j'écrirai mes mémoires. »

C'est sans doute pour cela qu'il a accepté de se joindre aux « transfuges de Radio-Canada », pour cela aussi q'il a accepté, après avoir été l'homme d'action du *60* et de *Télémag*, d'être l'homme-objet des caméras : « Je n'ai aucun intérêt à me faire voir, de toute façon le monde m'a vu depuis assez longtemps. Je l'ai fait pour Radio-Québec, parce que je suis assez "trooper" : quand j'embarque, j'embarque à fond. L'année dernière, j'étais le gars le plus "hot" en télévision. *Télémag* avait dépassé le million, j'ai trouvé ça normal que Radio-Québec se serve de ma gueule pour aller chercher un auditoire. Je ne regrette rien, je m'amuse comme je ne me suis pas amusé depuis longtemps. Le problème de Radio-Québec c'est celui du petit fusil israélien contre les grosses fusées soviétiques, on n'a pas le même impact que les autres parce qu'on ne peut rejoindre que 40 % de l'auditoire, on avait besoin d'une offensive publicitaire. Aujourd'hui, c'est terminé, les panneaux sont descendus et Joël LeBigot m'a remplacé sur les autobus. »

Un oeil indiscret et vaguement psychologue pourrait tout de suite identifier le voile du regret dans les propos de Pierre Nadeau, le regret de voir que toutes les choses ont une fin. Quand on a tout fait et qu'il reste peu à faire, qu'on a le téléphone dans sa voiture et toutes les médailles multimédias de l'actualité, quand les défis ont été surmontés, que reste-t-il ? L'argent ? Le pouvoir ? Peut-être la politique : « Quand on fait le métier que je fais, on cherche quelque part à être aimé. En politique, on ne se fait pas aimer, c'est tout le contraire, on s'attire la défaveur de la moitié sinon des trois quarts du monde. Le pouvoir, j'estime que j'en ai et je n'en veux pas plus ; je ne veux pas non plus d'une job à temps plein où je n'aurai pas le temps de respirer. Non, la politique ne m'intéresse pas. Plus tard, j'aurai peut-être envie, mais je sais aussi que plus tard, il sera sans doute trop tard. »

Le Devoir, *le 17 novembre 1979*

Pierre Nadeau

Le sujet Pierre Nadeau me fascinait. J'aimais la façon dont il pratiquait son métier et j'aimais ce qu'il représentait. Il était pour moi l'incarnation même des trépidations folles et enivrantes de l'actualité. J'avais grandi en regardant Le 60, *ravie de voir la télévision québécoise sur le front, participer à l'histoire du monde entier et battre au pouls palpitant de la planète.*

J'étais séduite par le personnage Pierre Nadeau et par son image de coureur téméraire. J'étais aussi sur mes gardes. Rien de pire en effet que de nourrir un parti-pris avant d'entreprendre une entrevue. Tout se passa relativement bien pendant l'entrevue.

C'est de retour à la salle de rédaction que la torture a commencé. En effet, je ne voulais pas perdre la face en lançant trop de fleurs à Pierre Nadeau. Mais je ne voulais pas non plus manquer de respect à un homme que j'admirais. Comment trouver le ton juste et suffisamment nuancé ? Tiraillée entre mon esprit critique, ma culpabilité et ma passion pour le sujet, j'ai écrit l'article dans le doute total. J'ai même fait parvenir un télégramme à Nadeau pour m'excuser d'avance. Le doute provenait de la difficulté d'écrire sur quelqu'un qui pratique plus ou moins le même métier que soi. Pour la première fois peut-être, je me sentais étroitement surveillée par quelqu'un qui pourrait me juger en connaissance de cause. Mais Pierre Nadeau ne juge pas les gens, ou du moins ne le fait pas publiquement. Il m'envoya à son tour un petit mot pour me signaler que les gens de son entourage trouvaient que je l'avais bien radiographié. Cette évaluation de l'extérieur me soulagea d'un immense poids. C'était donc que j'avais passé l'épreuve et réussi le test.

Jeanne Moreau et le dur désir de durer

La lumière du jour était pâle et laiteuse et un linceul opalescent voilait la ville. L'hiver implacable, inévitable, était dans l'air. Dans sa suite silencieuse au neuvième étage, Jeanne Moreau attendait. Portant des jeans et des souliers vernis mauves, elle avait choisi pour compléter le tableau, une ample blouse bleue électrique qui contrastait presque trop violemment avec la transparence de sa peau. Le rendez-vous fixé à deux heures avait été reporté d'une demi-heure. Jeanne Moreau aime parfois, sans raison, gagner du temps.

À la nouvelle heure convenue, Jeanne Moreau ouvre la porte de sa suite, et de son sourire, éternel et mystique, elle laisse entrer les intrus. La suite est impeccable, rien ne traîne et ne trahit l'ordre sinon le plateau abandonné du petit déjeuner et deux livres soigneusement posés sur la table à café. L'un s'intitule *J'ai vaincu mon cancer.* L'autre, *La Bête qui avalait tout le monde,* porte un titre tout aussi symbolique. Jeanne Moreau aime lire et regarder la télévision, elle n'aime pas sortir et préfère recevoir chez elle. Jeanne Moreau fait asseoir les intrus venus la questionner et ouvre grand les rideaux. Elle s'éclipse un moment dans sa chambre et en ressort, tenant entre ses mains une caméra miniature. Sans dire un mot ni même montrer l'objet au photographe intrigué, elle se dirige vers la fenêtre et se met à prendre des photos de la ville, du ciel et des toits. « Les ciels ici sont magnifiques », dit-elle. La lumière bleuetée de l'après-midi mourante semble la fasciner. Elle reste un moment la caméra entre les mains, le regard perdu, les pensées à mille années lumière de la réalité. Elle a le regard noyé de Catherine dans *Jules et Jim*, quelques minutes avant qu'elle ne se jette à l'eau. À reculons, elle vient s'asseoir sur le divan droit, se plier aux exigences de la conversation.

Elle jette un coup d'oeil de professionnelle sur le magnétophone pour s'assurer qu'il tourne puis, préoccupée par les réflexions de la lumière sur son visage, hésite avant de se placer dans le bon angle de la caméra. Elle change de positions plusieurs fois pendant l'entrevue et fume les cigarettes à la chaîne sans en offrir. La douceur veloutée de sa voix détonne avec la nervosité de certains regards et la sécheresse de ses gestes. Jeanne Moreau est toute petite et pourtant on la dirait immense. Elle est loin d'être belle et loin d'être parfaite et pourtant son visage est aussi attirant qu'un aimant. Est-ce l'image, le symbole, est-ce ce regard un peu brumeux que plus rien ne peut surprendre, est-ce la fragilité de ce visage fripé que la lumière peut aussi bien séduire que ravager ? On a tellement écrit sur Jeanne Moreau, tellement extrapolé sur les contours flous de son visage, sur les arcs expressifs de sa bouche, la force de son regard, sur l'ambiguïté de son charme, qu'à la regarder on aurait presque envie de la toucher pour s'assurer qu'elle existe vraiment en dehors des mythes et des écrans.

Assise sur le divan, Jeanne Moreau ne dit rien et attend. Celle qui a incarné au cinéma l'idéal moderne de la femme émancipée et indépendante, celle qui en même temps s'est servie de tous ses pouvoirs de séduction pour attester sa supériorité sur les hommes, n'a plus l'arrogance railleuse d'antan. Mais à 51 ans, celle qui a tourné une centaine de films, connu un millier d'amants et répondu à un million de questions, n'est pas encore fatiguée d'être Jeanne Moreau. Les entrevues ne l'indisposent pas, au contraire, elles lui permettent de rencontrer des gens. « De dire que c'est toujours agréable, explique-t-elle, ça serait mentir, mais comment connaître les gens et leur pays autrement. Refuser de parler aux journalistes, c'est passer à côté du pays, c'est comme ne vouloir tourner des films qu'en studio. »

Jeanne Moreau aime les studios, comme elle aime les plateaux de tournage, les réflecteurs et les salles de maquillage. Il ne fut jamais question pour elle, comme pour sa copine Bardot, de se retirer. « Bien sûr que ça m'intéresse encore d'être comédienne, ce n'est pas une question. C'est comme me demander si j'ai encore envie de vivre. Tant que je serai en vie, je serai une comédienne, c'est toute ma vie. C'est pas parce que je suis passée deux fois derrière la caméra que je vais arrêter de jouer. On peut faire plusieurs choses à la fois dans la vie, jouer, chanter, écrire. Dans la vie qui passe, on perd de la jeunesse mais on gagne beaucoup d'autres choses. Tout ça c'est lié à mon goût de la vie. Et puis c'est un plaisir d'être un comédien, de ne pas avoir de responsabilité et d'être pris en charge, demandez-le à Simone Signoret, elle joue dans mon deuxième film et elle sait exactement de quoi je parle. J'aurais bien aimé réaliser un film avec Bardot mais elle n'a pas voulu, ça ne l'amuse plus du tout de faire du cinéma, de toute façon Bardot n'a jamais voulu devenir comédienne. Moi, j'ai décidé à 15 ans que c'était le seul métier que je voulais faire, Bardot, elle, n'a pas choisi. Elle faisait de la photo, elle a rencontré Vadim, puis elle a été prise dans l'engrenage du phénomène qu'elle a créé. Moi, c'est tout le contraire, c'est la différence entre celui qui va travailler parce qu'il est obligé et celui qui y va par plaisir. Sur un plateau, je suis comme un poisson dans l'eau. Je ne me sens pas du tout écrasée par la routine, un rôle n'est jamais pareil, l'ambiance est différente, rien finalement ne se ressemble, c'est le mystère du cinéma et des artistes. »

Jeanne Moreau n'a pas tourné dans un film depuis quatre ans. Son dernier passage à l'écran remonte à son propre film *Lumière.* Après cela, Moreau a joué *Loulou* au théâtre, puis elle a réalisé son deuxième film *Adolescente* avec Simone Signoret et une jeune comédienne de 13 ans. Lorsque George Kaczender, le réalisateur montréalais controversé de *In praise of older women,* l'appela pour lui proposer un rôle dans l'adaptation cinématographique du roman de Romain Gary intitulé *Your ticket is no longer valid,* elle accepta. Le rôle était court, condensé, et Moreau avait à jouer aux côtés de Richard Harris, un homme qu'elle dit beaucoup admirer. « Le rôle était tellement conventionnel que ça m'a amusée. D'habitude on demande à un personnage de se développer pendant des séquences et des séquences, ici le personnage doit exister très vite en trois scènes. J'aimais la rapidité, la violence, aussi le petit côté conventionnel, la vision très masculine de la femme. Je joue le rôle d'une prostituée, patronne d'un bordel, qui a profité de son métier pour tuer des S.S. C'est un personnage romanesque, un peu à la manière des personnages des vieux films américains. Je me souviens d'un film dans lequel on voit Marlène Dietrich dans le fond d'un décor, elle tire les cartes, on sent dans ses gestes qu'elle a tout un passé, qu'elle a connu des hommes, j'aimais cette référence cinématographique. Je n'ai rien contre la vision des hommes, après tout on vit dans un monde d'hommes. Je ne suis pas du tout du genre féministe militante, je ne fais pas de politique, seulement du cinéma. »

Lorsqu'on lui demande quel cinéma elle aime, elle répond qu'elle aime le bon cinéma, depuis *Casablanca* jusqu'à *Close encounters,* n'importe quel cinéma, sauf celui dans lequel elle joue. Celle qui va rarement voir ses « rushes » va encore moins revoir ses vieux films. Pourquoi ? « Parce que ce n'est pas mon destin, mon destin c'est d'agir devant un public, pas d'être dans la salle avec le public. » On n'ose lui demander si c'est une question d'âge, si elle a peur de se voir vieillir, elle répondrait sans doute que le coeur n'a pas d'âge, que la beauté est intérieure et que de toute façon elle se fout éperdument de son image depuis qu'elle a vingt ans. Et pourtant, dans la suite tranquille, le regard de Jeanne Moreau vient de se brouiller, elle détourne la tête pour cacher l'infinie tristesse qui vient de s'emparer d'elle, la voix est maintenant à peine audible. Elle parle sans trop de conviction, comme un coureur essoufflé, du prochain film qu'elle va réaliser en anglais en 1981, un film qui s'intitulera *Desir* et qui parlera de ceux qui satisfont leurs désirs et de ceux qui ne les satisfont pas, de ceux qui connaissent la frustration et de ceux qui deviennent violents. Elle écrit le scénario en pensant à Robert de Niro. « C'est un homme qui me plaît » dit-elle. Voilà encore la voix qui se défile. Jeanne Moreau est fatiguée. La dernière question au sujet des réalisateurs avec qui elle aimerait tourner ne suscite aucune passion chez elle. Celle qui un jour envoya à Fritz Lang un télégramme en lui écrivant « je sais que vous ne voulez plus faire de cinéma, mais si jamais vous changez d'avis, j'aimerais bien tourner avec vous », n'est aujourd'hui pas plus intéressée par Woody Allen que par William Friedkin, le réalisateur de l'*Exorcist* qu'elle épousa il y a un an et avec qui elle est sur le point de divorcer. « Il y a dix ans, j'aurais peut-être envoyé des télégrammes, dit-elle, mais plus maintenant. » Le silence pend lourdement comme un rideau gênant. Les intrus sentent qu'il est l'heure de partir. Jeanne Moreau est partie dans l'intimité de ses pensées, son sourire est revenu, mais elle n'est plus là. « Au revoir », dit-elle, tandis que la petite brèche dans sa voix répond : on ne se reverra pas.

Le Devoir, *le 11er décembre 1979*

Jeanne Moreau

Nous n'étions pas sur la même longueur d'ondes. Je l'ai senti dès la minute où j'ai posé le pied dans sa suite d'hôtel. Il n'y a eu aucun éclat, aucune prise de bec, mais il n'y a pas eu beaucoup de chaleur et de communication non plus. Jeanne Moreau n'aime pas particulièrement les femmes surtout lorsqu'elles ont vingt ans de moins et qu'elles lui posent d'insolentes questions sur son âge et son éventuelle retraite. Je m'y suis peut-être mal prise...

Jeanne Moreau semblait en fait bien plus apprécier la compagnie de mon photographe que la mienne. Pendant toute la durée de l'entrevue, elle lui a adressé la parole plutôt qu'à moi. Un malaise implacable a flotté entre nous sans que je puisse arriver à briser la barrière de glace. La suite était trop propre, trop froide, trop silencieuse, comme un tombeau de luxe, satiné et sans âme. Jeanne Moreau semblait ailleurs. J'étais déçue. J'avais une tout autre image d'elle. Je m'attendais à rencontrer une femme humaine, enjouée, excentrique, bonne vivante. J'ai croisé à la place un espèce de fantôme fatal. Plus on avançait dans l'entrevue, plus je mettais les pieds dans le plat et plus Jeanne Moreau devenait vague, se réfugiant dans l'univers secret de ses pensées. Au bout d'une heure de martyr, je me suis levée poliment, l'ai saluée et j'ai bien failli m'enfuir en courant.

Camille Laurin : portrait d'un ministre

Le pouvoir et l'argent ont le prestige de l'infini, disait Valéry. Par un mardi après-midi de décembre au neuvième étage d'un édifice d'Hydro, dans un vaste bureau de baies vitrées et de tapis crémeux, le pouvoir portait un complet gris, une cravate à pois et fumait avec l'acharnement d'un sapeur. L'oeil brun, la mèche de cheveux volontaire et noircie par la teinture, le pouvoir s'appelait Camille Laurin. Nouvellement entré dans ses fonctions de super-ministre de l'Éducation, Camille Laurin n'avait pourtant rien d'un dictateur imbu de son propre pouvoir. Aux demandes d'un attaché de presse plutôt zélé, il avait accepté de se soumettre à un véritable blitz publicitaire qui devait placarder sa photo dans tous les journaux et coïncider avec le lancement de sa politique sur le droit d'auteur, le début de sa croisade contre Trudeau et avec son transfert de ministère.

Convoquée pour faire le portrait humain d'un ministre, je compris trop tard qu'une heure c'était un peu rapide pour faire le tour d'un homme. Je fus néanmoins saisie par l'étrange contraste entre l'apparence physique sévère et rébarbative du ministre et par ce ton de voix doux, chaleureux, animé par la compassion des guérisseurs de grands maux. Assise face à lui, impressionnée par la prestance du décor, fascinée par ses mains noueuses de paysan, je savais que ses antécédents en tant que psychanalyste lui avaient valu un statut de professionnel des rapports humains et je me méfiais. Je compris très vite que la méfiance était hors d'ordre et qu'elle était le piège d'une image et non d'une réalité.

Surnommé le « Doc » par ses confrères ou encore « Camomille » par les farceurs, on attribue toutes sortes d'interprétations caractérielles à ce ministre de 58 ans qui refuse de laisser ses cheveux blanchir et qui porta presque seul la croix de la loi 101 en agitant le flambeau d'un nationalisme que certains Anglais paniqués taxèrent de machiavélique. Les minorités ethniques et les Anglais ne s'entendent pas bien avec le docteur Laurin mais pas pour les mêmes raisons. Les premiers n'apprécient tout simplement pas sa loi. Quant aux deuxièmes, ils se méfient de sa stratégie. Avec son ton calme et pondéré, avec cette logique rigoureuse, cette façon d'exercer un leadership ferme et rationnel, avec son immense capacité de production, Camille Laurin porte en lui les germes de la discipline anglo-saxonne. Pour ses adversaires, Laurin est d'autant plus redoutable qu'en pensant comme eux il sait bien les déjouer.

Du côté francophone, peu de gens osent le critiquer. Sa nomination au ministère de l'Éducation atteste de son pouvoir et de son influence au sein du gouvernement où il compte le Premier ministre et le ministre des Finances parmi ses alliés. Pendant les réunions au sommet, Laurin n'intervient pas souvent, ne parle pas fort mais lorsqu'il a quelque chose à dire il est écouté avec respect. Dans les milieux politiques, les milieux universitaires et hospitaliers, il est reconnu pour sa patience, son écoute attentive, sa diplomatie, sa mémoire visuelle qui l'aide à se rappeler des noms et des visages, sa volonté et cet optimisme un peu fou qui l'aide à affronter les plus périlleuses montagnes. On le dit infatigable à la tâche, indestructible. Rien ne l'a jamais abattu, même pas l'échec du référendum, ni même la mort de sa femme en janvier dernier suivie de la mort de son premier petit-fils dans des circonstances tragiques à sa résidence d'Outremont. L'année dernière Laurin passa le plus douloureux hiver de sa vie sans pour autant se laisser aller à la dépression. Il se réfugia cet été un mois dans un petit village italien où il mangea peu et en profita pour réfléchir beaucoup, puis revint au Québec remonter le moral des troupes défaites.

Aujourd'hui malgré des délais qui risquent d'être courts, il a accepté la lourde responsabilité du ministère de l'Éducation après avoir hésité un gros trente secondes. Quand il y a quelque chose à faire, Camille Laurin avoue qu'il ne sait pas comment résister. Certains comparent son empressement au vieux réflexe du médecin qui accourt sur les lieux de l'accident dans l'espoir de ressusciter le plus agonisant des blessés. Ils croient qu'en devenant ministre, le docteur Laurin n'a fait qu'augmenter la liste des patients qui sont maintenant six millions. Laurin rit de la comparaison car il lui arrive souvent de retourner à la grille du thérapeute pour soigner une province en détresse. « J'apprécie de plus en plus ma formation de médecin, parce que c'est une formation pratique, pragmatique, qui me sert dans l'exercice de mes fonctions tous les jours. Ceci dit, je ne vois pas les Québécois comme mes patients. Nous sommes après tout une société très saine et dynamique malgré nos maladies. »

Entré en politique lors de la fondation du Mouvement Souveraineté-Association en 1966 puis du Parti québécois l'année suivante, Laurin explique que son réveil nationaliste est venu tard et qu'à 20 ans, par exemple, il n'était pas du tout nationaliste parce qu'il était trop occupé à lire, à chanter et à s'imbiber du monde entier. « Mon engagement a pris forme dans l'exercice quotidien de mon métier de psychanalyste. C'est là que j'ai compris que la dépression existentielle de mes patients tenait à des raisons qui ne leur étaient pas propres. Un des facteurs de dépression chez les Québécois venait d'un manque à être tributaire des contraintes extérieures. Je me suis dit qu'au lieu de traiter à la pièce mes déprimés, j'allais essayer de m'attaquer à leurs contraintes, aux facteurs extérieurs qui pèsent sur leur existence individuelle et collective. Cinq ans plus tard, un médecin français en venait à la même conclusion en analysant le phénomène de mai 68. La deuxième raison qui motiva mon engagement c'est que j'étais à l'époque directeur d'un département à l'université et directeur d'un hôpital. J'étais le Canadien français de service qui était délégué dans tous les comités fédéraux. J'ai rencontré mes homologues anglophones et je me suis rendu compte à quel point ces gens-là nous méprisaient profondément derrière leurs amabilités. Ils nous voyaient comme le petit canard noir parmi les canards blancs et j'ai compris à ce moment-là que mes petites victoires étaient insuffisantes par rapport à l'enjeu global. »

Est-ce le constat de l'impuissance du médecin qui le poussa par après à courtiser le pouvoir ? Laurin ne le dit pas. Il dit cependant que le pouvoir ne l'intéresse pas. « J'ai goûté au pouvoir quand j'étais médecin, ça ne m'a pas beaucoup impressionné. Je ne crois pas au pouvoir. Je me vois avant tout comme le serviteur des serviteurs. Au temps des rois, tous les rois avaient un fou du roi qui venait chaque matin leur faire la grimace pour leur rappeler leur vanité. Moi, chaque matin quand je me lève, je me regarde dans le miroir en me demandant pourquoi je fais cela. J'ai toujours la même réponse, je ne fais pas cela pour moi, je le fais pour apporter du mieux aux autres, sans cela je n'ai pas d'affaire là. »

Lorsque je lui fais remarquer que la notion de pouvoir est presque contraire à la reconnaissance des forces vives de l'individu, il sursaute presque : « Je crois et je lutte depuis toujours pour le développement maximal des talents et des aptitudes de chacun. Je crois à la profonde inégalité des aptitudes autant qu'à la nécessaire égalité des chances. Ceux qui sont forts pourront toujours s'en sortir mais les autres... On n'est pas tous préparés de la même manière pour assumer la vie. Je veux aider les gens qui en ont besoin mais pas contre eux-mêmes, je ne veux pas me substituer à leur liberté, c'est comme apporter aux plantes les soins d'un jardinier. Pour moi, tout se ramène à l'agriculture et au jardinage. »

Le voilà tout à coup parti dans des métaphores qui me rappellent celles de Mister Chance dans *Being There.* Je lui demande s'il a vu le film. Il ne semble pas comprendre la nature de ma question puisqu'il me répond qu'il n'a pas le temps d'aller au cinéma. Je me demande tout à coup s'il m'écoute vraiment ou s'il est remonté sur le pilote automatique d'un programme politique. J'ai envie de changer de sujet et je lui demande abruptement s'il croit à la force des petits et des perdants. Il hésite une fraction de seconde comme si on lui avait tendu un piège, puis repart de plus belle : « Je suis un perdant dans le sens que je viens d'une famille pauvre, une famille de 14 enfants. J'ai obtenu mon éducation par charité, quelque part j'ai gagné. Je crois que les difficultés sont importantes, qu'elles sont un défi, une provocation vers quelque chose de meilleur qui nous amène à nous dépasser mais encore faut-il que nous ayons les outils, les encadrements pour survivre aux difficultés. Je refuse d'être fataliste, déterministe, de dire qu'on n'a pas de chance, l'important ce n'est pas de dépasser ou d'égaler les autres, l'important c'est de développer notre plein potentiel et d'accéder à la maturité. La maturité d'un peuple vient selon lui avec son indépendance politique mais pas au nom de l'État-Nation. Le ministre reconnaît cependant qu'il y a encore beaucoup de chemin à faire surtout en matière culturelle où le Québec n'a pas la meilleure des santés. Malgré notre vitalité, on est encore en période de sous-développement culturel. C'était finalement beaucoup plus facile avant. Dans les années 60, on avait une révolution à faire avec l'industrialisation, l'urbanisation, la modernisation, on a donné un gros coup et on l'a fait en pleine croissance économique. Puis les choses ont commencé à moins bien aller, les Arabes se sont mis à rationner leur pétrole. Le Québec, qui avait déjà un retard à rattraper, a été affecté plus que les autres, ça crée une sorte de complexe de crise et de morosité intellectuelle et affective mais ce déclin de la productivité est le reflet d'une profonde mutation que l'on vit collectivement à travers le monde. Les Américains eux ont réagi en se projetant dans le futur et l'espace, ils ne l'ont pas fait dans un désir de dépassement de civilisation, ils l'ont fait parce qu'ils n'avaient pas le choix face aux Russes. Pendant ce temps-là, nous, on regarde passer les trains mais c'est finalement le lot des petites nations de regarder les grands empires, de les observer et d'essayer de profiter des retombées qu'ils entraînent sur le plan aussi bien matériel que spirituel. Je reconnais que le Québec a peur face au monde actuel c'est pour cela qu'il est retourné vers le connu, le folklore, la religion, la ceinture fléchée, le gouvernement n'a pas vraiment été responsable de cela. La seule image du passé que nous avons valorisée c'est la poussée vitale d'un peuple qui persiste à vouloir être, en dépit des obstacles, un passé dont on peut être fier et qui nous mènera sains et saufs à l'avenir. Le Québec est un champ clos où se battent des forces contradictoires. Il ne faut pas s'en faire, tout ça, ça fait partie des tensions naturelles de la vie. »

Il y a quelque chose d'irrésistiblement séduisant dans le rêve du docteur Laurin. La clarté et la volonté avec lesquelles il se permet de rêver rassurent et régénèrent. En montant dans sa voiture pour me rendre avec lui au lancement de sa politique sur les droits d'auteurs, je me sentais optimiste et de bonne humeur. La chaleur et la sensibilité de l'homme m'avaient impressionnée. En descendant de la voiture, je me voyais prête à le suivre jusqu'au bout du monde. Je me mis à marcher à ses côtés d'un même pas rapide et déterminé. Ce n'est que lorsque je me retrouvai au beau milieu des escaliers, dans une direction opposée à notre destination, que je compris avec soulagement qu'il ne savait pas plus que moi où il s'en allait.

Dans une autre entrevue accordée cette fois à Paule des Rivières, M. Camille Laurin, nouveau titulaire du ministère de l'Éducation, décrira quelles seront ses priorités.

Le Devoir, *le 13 décembre 1980*

Camille Laurin

Avant Camille Laurin, je n'avais jamais de ma courte carrière journalistique interviewé un ministre ou un personnage politique. Lorsque l'attaché de presse m'appela pour une rencontre avec le nouveau ministre de l'Éducation, je fus à la fois confuse et intriguée. Pourquoi moi et pas un chroniqueur en éducation ? L'attaché de presse voulait en fait les deux. Le chroniqueur éducatif pour le côté spécifiquement politique de l'entreprise et moi pour le côté « human interest ». On attendait de moi un portrait de l'homme et non du ministre.

Le ministre était à l'époque en pleine campagne électorale et avait besoin de la plus large couverture de presse possible. J'acceptai l'invitation, fis quelques recherches au préalable et me rendis au rendez-vous sans trop savoir à quoi m'attendre. Je fus étourdie et distraite par l'aura d'autorité et de pouvoir qui se dégageait du ministre et ne pus me résoudre à lui poser ces insidieuses questions qui l'auraient amené, malgré lui, à nous révéler sa vraie nature. Je n'avais pas l'habitude de confronter le pouvoir et mon adversaire était de taille. Il faut se lever de bonne heure pour coïncer Camille Laurin. L'homme est un habile politicien qui pousse l'art du patinage jusqu'au raffinement. Pas surprenant que j'accueille avec un immense soulagement notre égarement impromptu dans les dédales de la Place des arts. Après une heure de verbiage politique où le ministre avait réponse à tout, où tout semblait beau et parfait, cet incident banal fut investi à mes yeux d'une haute valeur symbolique. Comment un homme qui semble tout savoir, tout connaître et être au-dessus de ses affaires, peut-il être distrait au point de se perdre à la Place des arts ? Comment peut-il le faire avec tant d'assurance et m'entraîner presque malgré moi dans une direction que je savais pertinemment mauvaise. Le destin venait de me rappeler à l'ordre. Je n'avais pas su poser les bonnes questions mais j'avais pendant quelques brèves secondes saisi l'homme en flagrant délit d'inconscience et d'absence. Ce fut ma seule victoire sur Camille Laurin.

Marguerite Duras : une femme impossible à cerner

Il pleuvait sur Montréal. Les essuie-glaces de la voiture de police stationnée de travers devant l'hôtel étaient restés en suspens comme des larmes figées. Dans une heure seulement, un homme paniqué viendrait braquer son revolver sur la caissière du Royal-Roussillon. Il s'enfuirait par la porte arrière, à quelques mètres seulement de la table où déjeunait Marguerite Duras.

Descendue tôt dans le bar de l'hôtel, toute petite dans un coin sombre, elle sirotait un verre de vin blanc avec son café matinal. Son visage beige et parcheminé était sans expression. Derrière ses lunettes, elle me regardait brancher mon magnétophone en silence avec la curiosité que l'on peut avoir pour un extra-terrestre avec lequel il va falloir communiquer. J'avais préparé des questions, un tas de questions, mais je sentais qu'elles ne me serviraient à rien. Fallait-il une fois de plus lui parler de ce rapport de meurtre qu'elle entretient avec le cinéma, de la toute-puissance du texte, de la souveraineté de la parole, de l'esclavage de l'image, de la falsification de la vérité au cinéma ; fallait-il parler de Dieu, ce mot qu'elle emploie quotidiennement et qui dans sa bouche semble tout à coup investi de banalité. Oui bien sûr. Mais j'avais trop lu d'entrevues du genre. Il fallait autre chose, traverser l'écran trop opaque de ses mots, transgresser le pouvoir intellectuel et aller à la recherche de la femme, de cette petite bonne femme dont l'idéalisme subversif exaspère les bourgeois, de cette visionnaire pour qui le cinéma actuel n'est qu'une vaste poubelle, de cette mère spirituelle qui porte trop de bagues brillantes aux doigts, qui vit impunément à 60 ans avec un homme qui pourrait être son fils et avoir l'âge de son frère mort à 27 ans, de cette sorcière cosmique qui ose franchir le seuil du noir dans la salle de cinéma et qui laisse les gens seuls à eux-mêmes, accrochés au timbre envoûtant de sa voix. Qui est donc cette femme qui, du haut de ses cinq pieds, déclare : « Ce n'est pas que j'écris mieux que les autres, c'est tout simplement que j'écris, moi. » Cette femme au discours vertigineux et dont les intellectuels ont fait un monument, existe-t-elle vraiment ?

J'ai compris très tôt que, malgré la voix pleine de chaleur et de compassion, malgré les élans spontanés qui percent à travers le barrage intellectuel, la femme est impossible à cerner, impossible à interviewer. « Vous n'êtes pas dans la bonne voie, ne cesse-t-elle de répéter. » Yann Andréa est là. Il est l'acteur, l'ami, l'amant, le secrétaire, le chien de poche savant, celui qui retranscrit fidèlement sur des bouts de papiers les paroles prophétiques du génie, celui qui explique quand on ne comprend pas. Marguerite, pendant ce temps-là, affirme qu'il faut aller au-delà de la compréhension parce que c'est un stade archaïque et ancien. Je cherche en vain une vulnérabilité, je n'en trouve pas.

Marguerite Duras est bien assise sur le trône de sa sagesse et de son intelligence, rien ne peut l'atteindre, rien ne peut la faire dévier de sa voie. Son assurance et cette immense prétention divine sont troublantes, effrayantes. N'a-t-elle jamais peur de se tromper, d'être incomprise ? « Peut-être, là, tout de suite avec vous, mais jamais à travers mes livres ou mes films. De toute façon il ne faut pas réduire cela à de la peur, parlons plutôt d'une crainte. » Et le public là-dedans, son public n'est-il pas prêt à la suivre aveuglément n'importe où dans le délire ou la folie. « Non, dit-elle d'un ton sec et systématique. Quand il veut refuser, il refuse. Il a refusé, par exemple, le film *Vera Baster*, moi aussi je l'ai refusé parce que c'est un film qui s'est conduit comme un film, alors que ce n'était pas un film. C'est difficile de mener un film à terme, la fin d'un film c'est en général ma propre lassitude. »

Elle revient sur la question du public. « Les gens m'apprennent quand même des choses sur mes films mais ils ne m'ont jamais convaincue du postulat final. C'est moi qui, ultimement, sais si un film est bon ou pas. De toute façon je n'essaye pas de faire de bons ou de mauvais films, cette terminologie est périmée, je fais des films pour rejoindre les gens. Mes films marchent quand les gens se laissent aller, qu'ils sortent de la salle de cinéma en se disant qu'ils n'ont rien à ajouter. Je ne demande rien d'autre au public. Si le public ne comprend pas, tant pis, c'est un public perdu. Le grand public est un public perdu à lui-même et je n'ai pas la générosité d'aller le chercher. Je ne suis pas une militante. Je suis contre la mutilation militante qui veut rabaisser tout au niveau de la masse. J'ai perdu dix ans de ma vie avec les classes sociales, c'est un problème secondaire dans la mesure où je crois que les individus ont chacun une chance à l'intérieur des classes, ils peuvent choisir de vivre ou de mourir. Vous pouvez toujours employer le mot élitisme mais on l'emploie très rarement dans mon cas. »

Dans le no man's land clandestin de la création, Marguerite fait avant tout des films pour elle, des films dans lesquels elle parle rigoureusement d'elle. Elle ne fait jamais des films sur la mort ou l'amour, elle fait des films, point ; elle se laisse happer par le vertige de la page blanche, de l'écran noir et raisonne après coup devant le fait accompli.

« *L'Homme Atlantique*, dit-elle, est un film qui fait plus peur que les films de catastrophes américains parce qu'il s'adresse à une partie de vous qui n'est pas exploitée par les mercenaires du cinéma. Je suis complètement moi-même, sans mémoire du cinéma. J'ai tous les droits. Quand dans *L'Homme Atlantique* je dis que je n'ai plus d'images, c'est vrai. La plus grande honte, ça serait de vouloir illustrer cela et je sais que tous les cinéastes ne sauraient résister à la tentation. C'est ça le clivage, c'est ça la profonde vulgarité des cinéastes, leur naïveté, celle de croire qu'ils peuvent tout illustrer. C'est comme au supermarché. »

Retenons donc l'image et laissons les mots perpétuer les malentendus. « Il ne faut pas moraliser les mots. Les mots sont la vérité et le mensonge. J'ai commencé à lire à 18 ans, j'ai eu la chance d'échapper à une culture littéraire, de ne pas déraper dans l'instruction. Ma mère ne connaissait pas Rimbaud. Mes premières lectures, je m'en souviens comme des émotions les plus fortes que j'ai jamais connues. Les mots c'est ce qui sort de vous jusqu'à votre mort, c'est ce fatras, ce bordel qui jaillit de vous et qui ne se ressemble jamais. Non, je ne serais jamais à court de mots. »

Quelque part pendant la conversation j'ai perdu pied et Marguerite a perdu intérêt. J'aurais voulu revenir à quelque chose de familier, de rassurant mais son intellectualisme profond et tout-puissant m'a désemparée. L'entrevue, je le sais maintenant, est ratée. Nous pourrons toujours parler de la pluie et du beau temps, de la lumière grise de Montréal, de l'homme au revolver, de sa déception de voir que le Québec ne s'est pas séparé, elle est déjà très loin et moi je dois me débattre seule devant l'écran noir qu'elle m'a laissé.

Le Devoir, *le 28 octobre 1981*

Marguerite Duras

Marguerite Duras m'a dit une chose intéressante. Elle m'a dit que ma position dans la vie était particulière, puisqu'on ne pouvait l'asseoir nulle part, ni à droite, ni à gauche, ni même au centre. Nowhere. Je n'ai pas su si je devais prendre cela pour un reproche, un simple constat ou un compliment. Je crois pourtant que c'est précisément à cause de ma position floue et flottante au royaume de l'intelligence toute-puissante et de l'abstraction galopante, que nos avons eu des problèmes de communication. Nous ne parlions pas le même langage et chacune se refusait au langage de l'autre. Je me débattais contre l'hermétisme intellocrate de sa pensée, tandis qu'elle s'y enlisait avec acharnement, me rappelant à tout bout de champ que l'art était pur et noble et ne devait pas se salir et se souiller dans la réduction journalistique. Je voulais simplifier les choses. Elle insistait pour les enrober de mystère et prenait un malin plaisir à les compliquer à outrance. Nous n'étions vraiment pas faites pour nous entendre.

Le monde selon Yves Montand

Debout. On imagine Yves Montand debout, en imperméable froissé, fumant une cigarette amère au coin d'une rue de Paris mal éclairée. Debout par principe, debout devant l'histoire et l'éternité.

On le retrouve assis sur un divan de velours, perché sur des coussins, entouré d'une barricade de micros. D'habitude, il ne donne pas de conférence de presse parce qu'il n'est pas ministre ni diplomate et que ça fait trop prétentieux. Il a décidé de faire une exception pour le Canada parce que ça fait longtemps, plus précisément 19 ans, qu'on ne l'a pas vu. Mais il garde comme principe que moins on parle, mieux c'est. Tenez-vous le pour dit.

Il est en costume gris clair, chaussures et chaussettes noires, épingle de Solidarité au revers de sa veste jusqu'à ce que Lech Walesa soit libéré. Il sourit d'un air tendu, le visage crispé, dévoré par une angoisse qu'il doit traîner comme un boulet nécessaire depuis toujours. Malgré ses 61 ans, sa forme resplendissante, l'homme n'est pas serein. Il semble plus vieux que sur ses affiches, moins pimpant que sur scène, plus rude qu'au cinéma. En même temps, une douceur infinie se mêle aux inflexions de sa voix. Le charme Montand est entièrement localisé dans cette voix, sensuelle et susurrante quand il parle de la tendresse, intempestive et passionnée quand il s'agit de misère politique, de guerres et d'atrocités.

Mais ce charme peut aussi casser net, et Montand devenir dur, mauvais, presque violent. C'est ce qui se produit lorsque la conversation dévie sur la situation politique mondiale et que le gauchiste déçu ne peut plus contenir son amertume. Son visage alors se refroidit, son regard fige, le chanteur devient tout à coup inquisiteur. Il prend aussi parti. Pour l'Amérique d'abord, même si celle-ci lui a refusé l'entrée au pays au coeur du maccarthysme, à cause de ses sympathies communistes. Pour Israël ensuite. Montand ne regrette jamais ses paroles, même ses récentes déclarations farouchement antipalestiniennes rapportées dans *Le Nouvel Observateur* à l'aube du massacre, et qu'il soutient envers et contre tous. Montand est un homme fidèle, un homme avec le sens de la continuité historique.

« Il faut toujours revenir à la base, dit-il. À Beyrouth nous avons vu ce que nous avons vu et c'est condamnable. Aujourd'hui, c'est la grande déchirure pour le peuple israélien qui se trouve confronté avec ce que tous, je dis bien *tous* les États ont fait à un moment ou l'autre de leur histoire. Subitement, Israël est un État comme un autre de par le fait qu'il est resté les bras croisés pendant qu'on massacrait à côté. Et ça, il ne faut pas avoir peur de le dire, pas plus qu'il ne faut avoir peur de dire qu'à partir du moment où la gauche et la droite, où l'est et l'ouest ont reconnu l'État d'Israël et où les Arabes ont refusé de partager l'État d'Israël alors que les Israéliens étaient pour, il n'y avait plus d'espoir. De la minute qu'on a commencé à tirer sur les enfants et les paysans dans les kibboutz, vous et moi, et tout le monde n'avons rien fait. Nous avons dit que c'était épouvantable, mais on a laissé faire quand même. Il faut revenir à la base. Moi ça ne m'amuse pas du tout de voir dans quelles conditions vit le peuple palestinien. J'ai défendu le monde arabe quand il fallait le faire. Pour Alger, ce n'était pas facile, je l'ai fait, j'ai été boycotté, je n'en tire aucune gloire, mais lorsque je vois que la première phrase de la constitution palestinienne c'est de détruire Israël, je ne peux pas accepter. Je me fie sur la base. Après cela évidemment les choses deviennent compliquées, il y a les bavures, les erreurs. Impossible cependant d'effacer la vérité historique, la vérité des faits. Moi j'essaie tout simplement d'être lucide et conséquent avec moi-même et même à ça, je ne dis pas que j'ai raison. Je ne suis pas comme ces politiciens qui détiennent des certitudes sur tout, qui ont toujours de bonnes raisons. »

Pourquoi alors tant insister pour donner son opinion sur les sujets d'ordre politique ? « Parce que si je ne réponds pas, on dit que je me défile et si je réponds, on dit, il n'arrête pas de parler de politique. On n'en sort pas. »

Montand en sort malgré tout parce qu'il a du cran, du chien, du caractère, qu'il n'a pas peur de dire ce qu'il pense tout haut, au risque de froisser les sensibilités délicates. Parce que la politique c'est une façon de donner de la pesanteur, de l'étoffe, de la dignité au chanteur de variétés. L'écouter parler, étaler ses convictions, se tenir debout même assis, c'est plonger sans décalage horaire dans une époque révolue et découvrir une autre conception des hommes. Car au-delà de la leçon politique, Montand est resté un humaniste pur et dur, amoureux des hommes et les détestant tout en même temps. Il faut savoir qu'il n'y a d'espoir pour personne et être décidé à changer les choses quand même, tel est son slogan.

Avez-vous un idéal, lance quelqu'un dans la salle tout à coup silencieuse. Montand distrait répond d'une voix éteinte, « non je n'en ai pas », puis se ressaisit. « Non, à moins d'être une chaise ou un mollusque, on ne peut qu'être préoccupé par la chose politique. De par ma condition sociale de départ, celle d'un jeune fils d'immigré qui va à l'usine à 11 ans, je ne raconte pas ça pour faire pleurer les violons, mais il est vrai que j'étais à l'usine à 11 ans et qu'à partir de ce moment-là, la politique m'a intéressé. »

La préoccupation politique ne hante pourtant pas son spectacle ? « Heureusement, sans cela le spectacle serait ennuyeux.

Les gens viendraient voir un monsieur qui donne un meeting, ça n'intéresserait personne. C'est pour cela que j'ai chanté *Lunaparc* pendant les années 50. Les gens se demandaient qu'est ce que c'est que ce monsieur qui va à la fête plutôt qu'à la réunion syndicale. Le spectacle, c'est une fête pour moi et le spectacle est différent chaque soir, il n'est pas mécanique vous pouvez me croire. Ceci dit, je ne change pas de spectacle entre Montréal et New York même si pour Montréal j'aurais aimé glisser deux ou trois petits bouts en anglais. Je me souviens que la dernière fois, on avait failli me tirer dessus, bon cette fois je n'ai pas insisté. »

Le bonheur, monsieur Montand, parlez-nous du bonheur. « Le bonheur, je ne sais pas, c'est un verre d'eau quand on a soif, c'est l'être aimé qui arrive et qui ne vous voit pas, c'est une foule de petits détails, ça ne se définit pas. Entendre dire en politique qu'il faut se battre pour le bonheur, c'est consternant, comme si un parti politique pouvait vous procurer le bonheur, c'est complètement idiot. C'est comme croire que la vie c'est l'enfance, l'adolescence, l'âge mûr, l'âge moins mûr, la vieillesse et la mort. Pas du tout. » Alors la vieillesse, parlez-nous de la vieillesse. « La vieillesse je n'en n'ai pas peur, mais si, je sais que j'ai déjà 10 ans de trop. Il faut être lucide avec soi-même. À 61 ans, on découvre des tas de choses, à 70 ans aussi, à 80 ans aussi, à 90 probablement aussi. Mais il faut rester comme nous étions à 18 ans. À cette époque, 30 ans, c'était déjà le maximum, 40 ans c'était la fin. Il ne faut pas essayer d'arrondir les angles, les réveils seront trop brutaux, il faut s'accepter comme on est. Je comprends très bien qu'une femme puisse tricher un petit peu parce que la vie est cruelle pour les femmes, pour leur visage surtout, pour un homme c'est moins grave. Ceci dit, je crois qu'il faut, même à 61 ans, garder son jugement dur, aussi excessif qu'à 18 ans. C'est ce que j'essaie de faire sans jouer les jeunots parce que j'y crois, et que c'est probablement la dernière fois que je peux le faire, même si je suis encore là à 70 ans, ce que je ne me souhaite pas forcément, j'espère crever avant. »

Ces dernières paroles sont prononcées avec une drôle d'urgence, comme si Montand était déjà appréhendé par sa propre défaite. « Les mémoires, non merci » dit-il. Il en profite pour dénoncer *Le Chant d'un homme*, un livre paru récemment sur lui, qui a été rédigé à partir d'entrevues recueillies ici et là dans les journaux, malgré lui. Les autres ont mis Montand devant le fait accompli. C'était la pire chose à faire. Montand n'aime pas qu'on lui force la main. Et que dire du *Soleil plein la tête* ? « C'est un livre qui remonte à 1953. Le monde était encore dans une forme idyllique, on venait de sortir du cauchemar de la guerre. Les bons étaient d'un côté, les méchants de l'autre. On était religieusement à gauche. Les hommes plus âgés nous avaient pourtant avertis sur les procès des années 30, les camps, mais nous n'écoutions pas. »

Et maintenant : « Maintenant je suis de gauche quand au nom de la gauche on se bat pour plus de liberté, de justice, de démocratie. J'arrête d'être à gauche quand au nom de principes de la gauche on tente d'escamoter des choses abominables comme le Goulag, moral et physique. Il n'y a pas de différence pour moi entre un tortionnaire de chez Pinochet et un de chez Castro. » Le ton vient de monter de plusieurs décibels. « Les gens de la gauche ont toujours mille excuses, prétextes, ils vous disent que Castro a abattu une dictature, qu'il a enrayé l'analphabétisme. Et moi je réponds à quoi ça sert d'enrayer l'analphabétisme, à quoi sert-il d'apprendre aux gens à écrire s'ils ne peuvent écrire ce qu'ils veulent. Je comprends très bien que dans l'action révolutionnaire il puisse y avoir des morts, les fameuses bavures, mais pas au bout de 10 ans, de 15 ans, presque de 30 ans. Ça non alors ! Et que dire de Valladares avec qui Castro a fait la guérilla ? Il vient de sortir un livre, *Les prisonniers de Castro,* personne ne veut le lire en France, ça les gêne. Moi, je n'accepte pas ça. »

Yves Montand est dans tous ses états, démonté, déchaîné.

Nous sommes là, devant lui, silencieux, stupides, sidérés. Nous avons perdu l'habitude des hommes passionnés, des excessifs qui se pompent le coeur pour leurs idéaux, des indignés qui refusent de ramper, des existentialistes qui questionnent toutes les intentions. Montand en profite. Il est en terre amicale, loin des préjugés cartésiens, il se défoule avec intensité et ardeur.

Monsieur Montand, qu'est-ce qui vous tient en vie ? « Mais la vie bon sang, j'existe, alors autant exister debout ! En fait il y a trois choses que je trouve essentielles. Le vieillissement, bon on n'y peut rien, la déchéance, la décomposition sur pied non plus, mais on peut préserver quand même la lucidité même si cette lucidité vous fait mal. Quand je vous parle de Cuba, ne croyez pas que ça me fait plaisir, c'est toute mon adolescence qui me reste au travers de la gorge. Il n'y a pas d'espoir, l'optimisme c'est de la blague, en même temps c'est en partant d'un concept désespéré qu'on arrive à construire quelque chose. La lucidité donc, le sens de l'humour, ne pas avoir peur de passer pour un imbécile. La troisième et dernière chose, c'est la tendresse qui n'a pas d'âge. Ce sont ces trois éléments que j'ai amalgamés dans mon spectacle. Après, je ne sais pas, je ne fais pas de projets, je ne fais que ce dont j'ai envie. J'ai eu des échecs dans ma vie, mais au moins j'ai été heureux de les faire. Ce qu'il ne faut pas faire dans la vie c'est des choses qui vous emmerdent. Quelle que soit sa condition sociale, on peut toujours, toujours, faire quelque chose pour soi. J'en reviens toujours à mon père qui était un émigré et qui, après ses 9 heures de travail quotidien, allait apprendre le français pour s'en sortir, par lui-même. L'individu doit décider par lui-même et s'en sortir par lui-même, voilà, c'est tout. »

Il se lève brusquement, un sourire de soulagement, de satisfaction, éclaire son visage. C'était le monde selon Yves Montand. Maintenant passons à autre chose...

Le Devoir, *le 2 octobre 1982*

Yves Montand

Yves Montand avait insisté pour que les journalistes aillent voir son spectacle avant de le rencontrer. Yves Montand avait insisté pour qu'il y ait une conférence de presse plutôt qu'une constellation d'entretiens privés. Nous étions tous au rendez-vous, curieux et appréhensifs. Avait-il vieilli, était-il plus grand ou plus petit qu'au cinéma ?

Au moment où les massacres de Sabra et Shatila scandalisaient le monde entier, Yves Montand affichait ouvertement sa partisanerie israélienne et américaine dans Le Nouvel Observateur. *Même si le matin même je délirais dans le journal sur son spectacle, je me disais qu'il fallait à tout prix le relancer sur ses positions politiques. C'était jeter de l'huile bouillante sur le feu, mais ça faisait partie du show. Quand un chanteur de variétés-vedette de cinéma se mêle de politique, il cherche un peu la provocation et doit s'attendre à ce qu'on le talonne. La question sur les récents massacres à peine posée, j'ai vu Yves Montand bondir, s'enflammer, perdre le contrôle ou du moins feindre de le perdre. Le ton menaçant et proche de la colère, il nous servit une magistrale leçon de sciences politiques, profitant de l'occasion pour me traiter d'ignare parce que j'avais osé mettre en doute le bien-fondé de son raisonnement. Sa passion soudaine, doublée d'indignation, prit les journalistes au dépourvu. Il y eut un silence dans la salle, un moment d'hésitation. On me reprocha plus tard d'avoir encore cherché la confrontation et semé la pagaille. Quelqu'un voulut détendre l'atmosphère en l'interrogeant sur le bonheur. Montand ne sut trop quoi répondre. Manifestement il avait envie de continuer à parler politique et de se défouler en zone libre. Il revint à la charge, passa en revue Castro, les colonels, les goulags avant de finalement tirer sa révérence au grand soulagement de son producteur. Celui-ci vint me trouver après pour me dire que Montand voulait me parler. Il m'attendait dans une pièce voisine pour me remercier de ma gentille critique et pour s'excuser de s'être emporté. Des excuses d'Yves Montand ? Rougissante, bafouillante, je succombai au charme grisonnant et lui pardonnai ses offenses sur le champ. Je me dis en sortant que ça aussi ça devait faire partie du show.*

Lise Payette, la femme

Il pleuvait à torrents. Le ciel était gris et Lise Payette portait du noir. Calmement assise dans un petit coin du restaurant, à l'abri des regards indiscrets, elle lisait encore un autre article sur la condition féminine. Absorbée par sa lecture, elle ne me vit pas approcher. J'hésitai un instant. Je ne savais trop qui, de la ministre, de la femme ou de la vedette de la télé, j'allais rencontrer. Elle leva brusquement la tête, me tendit une main amicale tout en chuchotant « bonjour ». Elle avait sa voix des grandes persuasions. Une voix douce, feutrée, capable de cajoler, et de convaincre n'importe qui. Une voix qui lui était poussée pendant sa courte et rapide ascension politique dans le salon bleu des hautes instances gouvernementales et qui n'avait plus l'insouciance ni l'arrogance de l'animatrice de télé. Une voix qui, aujourd'hui encore, commandait le respect et l'autorité.

Même un an après sa discrète sortie par la porte arrière du salon bleu, Lise Payette, pas tout à fait revenue de l'intoxication politique, continuait à parler avec la gravité d'un ministre et à fonctionner, en société du moins, avec les réflexes d'une politicienne agrégée en diplomatie. Pesant ses mots avec prudence, elle me livra pendant trois heures les grandes lignes de son livre *Le Pouvoir, connais pas*, sorte de témoignage intimiste sur la condition féminine dans les coulisses du pouvoir mâle et péquiste qu'elle publie à Québec-Amérique. L'entrevue fut chaleureuse, animée. Pourtant, en réécoutant la bande magnétique à la maison, je compris trop tard à quel point madame l'ex-ministre était une habile manipulatrice, à quel point elle avait admirablement bien réussi à contourner le sens des questions et à se dérober à certains sujets délicats. Dans le jeu piégé de la dialectique, Lise Payette est une professionnelle, une championne. Elle maîtrise le métier depuis 20 ans et connaît toutes les ruses, toutes les tactiques pour gagner du terrain sur l'adversaire, résister à l'indiscrétion et éviter de livrer le fond de sa pensée quand celle-ci est trop compromettante.

En même temps, pendant que la ministre me tenait un discours plein de sagesse, la femme, fumant cigarette sur cigarette, semblait un peu désemparée, abattue même, contrôlant mal cette rancoeur sourde que l'éthique politique lui avait appris à refouler. J'eus souvent l'impression, pendant la conversation, de voir deux femmes devant moi se livrer une étrange bataille ; la femme rationnelle et pondérée de 50 ans, bien assise sur ses lauriers et sa grande estime d'elle-même, tentant en vain de rappeler à l'ordre la femme d'action, la réfractaire, celle qui ruait dans les brancards et qui acceptait mal l'autorité des autres, même au profit d'une grande et noble cause.

Nous parlons d'abord de ce qu'elle nomme sa « cure de désintoxication. » Elle n'est pas retournée à Québec depuis un an, se sent complètement incapable de reprendre la route 20. « C'est une route que j'ai faite trois ou quatre fois par semaine, pendant 4 ans et demi. C'est le symbole pour moi de la perte de temps, de l'impuissance. Je me sentais comme un hamster qui tourne en rond dans sa petite cage et qui n'avance à rien. La route 20, c'est l'absurdité complète, c'est le côté irréel de la politique. On ne voit plus ses amis, on oublie comment se faire à manger, comment conduire une voiture, on n'est plus de ce monde, on vit une grande illusion. »

Elle raconte qu'elle est entrée en politique par culpabilité, pour « faire sa part », parce qu'elle sentait qu'elle pouvait donner un coup de main et aider l'équipe péquiste. Elle dira plus tard : « J'avais l'avantage d'être connue et en temps d'élection c'est toujours intéressant pour les partis politiques de récupérer des gens connus. » Elle dit aussi qu'elle s'était jurée de ne pas être un homme politique mais plutôt une vraie femme politique. Elle dit que les hommes n'ont pas voulu d'une femme politique, qu'elle les dérangeait. Sa voix est pleine de ressentiment, comme si on lui avait fermé la porte du club privé des hommes. « Je n'ai pas eu droit à l'égalité. Je ne dirais pas qu'on m'a mise dans un état d'infériorité, mais on m'a mise dans un état d'inégalité. Le statut de mes collègues n'a jamais été le mien. Attention, dans mes relations personnelles, j'ai eu à certains moments avec certains collègues, pris un à un, un sentiment d'égalité. Collectivement, je ne l'ai jamais connu. »

Il y a dans ses déclarations une zone grise et contradictoire. Elle dénonce le pouvoir étanche des hommes et en même temps se plaint de n'y avoir pas accès, comme si les mots cherchaient en vain à bousculer les idées reçues. Lorsque je lui demande les origines de sa prise de conscience féministe, elle me raconte une curieuse histoire. « Je pense que j'ai vécu comme toutes les Québécoises, l'éducation du Québec, le mariage à 20 ans, les maternités successives. C'est à partir de 26 ans que j'ai commencé à me demander si la vie c'était seulement ça. Je suis de la génération qui a vécu la situation des hommes au salon pour les conversations sérieuses et des femmes dans la cuisine à discuter de leurs enfants. À un moment donné, je me suis dit que ça n'avait pas de sens. Ce dont ils parlaient dans le salon, moi aussi j'avais envie d'en parler. Cette mise à l'écart me dérangeait. J'avais très envie de faire reconnaître que je pouvais penser, que j'avais des idées à émettre, que j'avais le goût de discuter et d'être traitée comme une égale. »

À l'écouter parler, on a nettement l'impression que ce premier et traumatisant sentiment d'exclusion l'a poursuivie et hantée tout au long de sa spectaculaire carrière. Certains en auront profité pour mettre en doute l'intégrité de son féminisme, pour l'accuser d'opportunisme. Je me risque à lui poser la question. N'êtes-vous pas le genre de femme qui disait : « je l'ai fait, que les autres le fassent elles aussi ». Elle répond très promptement.

« C'est faux. Je ne l'ai jamais dit mais je l'ai entendu dire. Oui, j'ai eu des problèmes. Non, je n'ai pas fait mon chemin aussi facilement que cela. Tout a été difficile, j'ai toujours été obligée de prouver doublement que j'étais capable de le faire. Dans le monde des communications, je n'ai jamais eu accès au domaine de l'information et des affaires publiques. Judith Jasmin y a eu droit mais ça reste tellement une exception qu'il n'y a qu'elle qu'on puisse nommer. Denise Bombardier en parle à chaque fois. Moi, je n'y ai tout simplement pas eu accès, mon cas a été réglé très vite, j'ai été cantonnée aux variétés. On ne s'est jamais posé la question de savoir si je pouvais faire autre chose. Quand je faisais *Appelez-moi Lise*, j'ai souvent déclaré que si Radio-Canada pouvait trouver un homme qui puisse faire cette émission, je ne serais pas là. Je n'ai peut-être pas été une féministe radicale, je ne le suis toujours pas maintenant. Je pense cependant qu'il en faut, des féministes radicales, j'ai de l'admiration pour elles. Très souvent, elles m'ont ouvert des voies. Je reste une féministe de 50 ans, avec tout un autre bagage dont je n'ai peut-être pas réussi à me défaire complètement. Je suis devenue féministe dans mon quotidien, à vivre mon mariage, l'éducation de mes enfants, mon désir de travailler, je le suis devenue "sur le tas". Les féministes radicales sont issues des universités où elles ont développé des idéologies, des théories que moi je n'ai pas. Le féminisme pour moi ce n'est pas une idéologie, c'est une façon de vivre. »

Cette approche concrète, pragmatique, anti-intellectuelle et pas toujours orthodoxe, vient en sorte justifier la facture personnelle et quasi confessionnelle du *Pouvoir, connais pas*. Ceux qui lui reprocheront de ne pas avoir fait une analyse en profondeur de la situation, n'auront pas compris. « Je pense que c'est la première fois de ma vie que j'affirme avoir été égoïste, j'avais besoin de mettre par écrit ce que j'avais vécu. Je n'ai pas la prétention d'avoir écrit un grand livre ou un traité politique, c'est un livre d'images, d'impressions, de sentiments, c'est la façon la plus simple de récupérer mon droit de parole que j'avais perdu. Je n'y ai mis aucune vengeance, j'ai au contraire été très attentive. Si j'avais voulu me venger, je l'aurais écrit dans le mois qui a suivi ma sortie, et il aurait été rempli d'amertume et de déception. J'ai voulu que ça soit un témoignage d'une expérience vécue, parce que je crois que la somme des témoignages des femmes va finir par donner quelque chose. Quant à l'analyse, j'en suis incapable. D'abord, je n'ai pas cette formation-là et même que ça m'ennuierait de le faire. Je n'ai pas essayé de comprendre le phénomène des Yvettes par exemple. La seule chose que je peux faire, c'est vous dire comment je l'ai vécu, comment je l'ai ressenti. Je n'ai tout simplement pas la rigueur intellectuelle pour ce genre de travail. »

Mais encore. Le phénomène des Yvettes est décrit dans son livre comme le point tournant de sa carrière politique. « Le constat que j'ai fait, au lendemain des Yvettes, c'est qu'on m'avait enlevé ce qui me restait de légitimité auprès de mes collègues. Là où j'avais pu jusqu'à ce moment-là négocier avec eux des dossiers en disant : "Moi, je connais les femmes", je ne pouvais tout simplement plus utiliser ces arguments-là. »

Êtes-vous prête à dire que les péquistes ont fait le même jeu que les libéraux, qu'ils ont récupéré le phénomène et s'en sont servi contre vous. « Absolument. Au colloque de l'information un journaliste a posé la question à M. Lévesque. Il a dit que c'était complètement faux. Moi j'affirme qu'ils ont changé d'attitude à partir de ce moment-là, et j'affirme que la campagne électorale de l'année dernière a été essentiellement axée sur la récupération de ces femmes-là. Elles avaient dit ouvertement ce qu'elles voulaient, et le gouvernement était tout à coup prêt à le leur donner. Moi, à partir de cela, je n'avais plus de possibilité d'intervention. Le problème c'est que ça n'a jamais été aussi clair que ça. L'abcès n'a jamais crevé, j'en ai à peine parlé avec mes collègues, mais j'ai senti un virage qui me plaçait dans une situation d'illégitimité. »

Je lui fais alors remarquer que ce n'est pas une raison suffisante pour se retirer de la course. « Il y a deux solutions au problème. J'aurais pu faire comme Monique Bégin, continuer, me battre, être patiente, mais Monique Bégin est une politicienne, moi je n'en suis pas une. Je n'avais pas de plan de carrière, la politique, c'est une période de ma vie, ce n'est pas toute ma vie, je n'étais tout simplement pas prête à faire les compromis et les concessions pour garder cette forme de pouvoir. Je ne vois pas pourquoi je vais raconter des salades aux femmes sous prétexte que je veux rester ministre. »

Mais pourquoi, au départ, non seulement accepter le pouvoir, mais aller au-devant en proposant ses services. « Pour faire ma part, parce que j'espérais qu'on ferait un assez grand pas en avant pour éviter les énergies perdues et les talents gaspillés, parce que je souhaitais que mes enfants n'aient plus à se soucier de la question constitutionnelle. Est-ce qu'on peut me reprocher d'avoir pensé qu'avec l'équipe à laquelle j'appartenais, les choses pouvaient être différentes. Il faut tenir compte du contexte. Nous étions en 1976, on avait vécu l'effondrement du gouvernement Bourassa, le pouvoir était d'autant plus tentant pour des gens qui se sentaient informés et qui avaient vécu octobre 70. Il y avait de la naïveté de ma part, sympathique par ailleurs. Il me semble que si les politiciens en général avaient cette même naïveté, peut-être que ça ferait d'autres gouvernements que ceux que le Québec a connus. Je suis prête à reconnaître que j'avais idéalisé certaines choses. Je suis arrivée avec trop d'illusions mais on ne peut me le reprocher dans la mesure où je ne connaissais pas le milieu et où j'y venais pleine de bonne volonté. C'est possible que j'aie entretenu des illusions, ceci dit, on me les a fait perdre et moi ça me dérange de perdre mes illusions. »

Est-ce la perte d'illusions ou la perte de pouvoir qui la dérange vraiment. « Le pouvoir je ne le connais pas, parce que je n'y ai pas participé, je n'y ai pas eu accès, je l'ai vu de près cependant. Pour avoir accès au pouvoir, il faut être un homme politique, il faut aller prendre une bière avec les gars, rire à leurs plaisanteries. Il aurait fallu d'une part que j'accepte, moi, de passer la clôture et d'être un homme politique, de faire partie de l'équipe des gars politiques, ce que je refusais par définition. Il aurait fallu, de plus, qu'ils m'acceptent comme homme politique, ils étaient déjà incapables de m'accepter comme femme politique, c'est trop dérangeant une femme au pouvoir, c'est contre nature presque. Je reste convaincue que mes collègues étaient inquiets de voir la seule femme, j'étais la seule à ce moment-là, ramasser le plus gros dossier en partant (celui de l'assurance-automobile). Autant ce n'était pas évident au début, autant ça l'est devenu, ils ont même envisagé d'abandonner la réforme tellement ils avaient peur. Ce que je déplore le plus c'est l'isolement, le fait d'avoir été une étrangère, une extra-terrestre, un joueur du Nordique égaré chez le Canadien. Souvent, il m'est arrivé de leur dire que j'avais le sentiment de leur parler en anglais parce qu'ils ne me comprenaient pas quand je leur parlais comme une femme. Je me suis imposé un tas de choses. Une femme politique ne peut être fatiguée, ne peut pas s'absenter. On nous a fait le cadeau de nous accepter là, c'est pas un droit, c'est un privilège, il faut le mériter. Et puis il y a la solidarité naturelle des gars. Ils se pardonnent beaucoup de choses entre eux. Avec les femmes, les règles du jeu ne sont pas les mêmes. »

Quatre heures de l'après-midi déjà. Il pleut toujours dehors. La voix de Lise Payette est encore plus douce qu'avant mais l'amertume et la désillusion forment un nuage opaque de fumée autour de sa tête. Le paquet de cigarettes est vide. Le magnétophone refuse de continuer. Lise Payette ne dit plus rien. J'ai tout à coup l'étrange sensation d'être devant une parfaite inconnue. A-t-elle été sincère, a-t-elle voulu se justifier, se venger, affirmer son individualité retrouvée ? Pourquoi tant de contradictions ? Trois heures de conversation n'ont rien pu y faire. Lise Payette reste pour moi un mystère.

Le Devoir*, le 24 avril 1982*

Lise Payette

Je voulais à tout prix rencontrer Lise Payette. J'étais même prête à faire des pieds et des mains pour la dérober aux autres. Je la voulais avec la rapacité propre au journaliste qui cherche à briller par ses conquêtes. J'ai rencontré une femme fatiguée et défaite. Malgré son départ de la vie publique, elle n'avait pas encore, lors de notre rencontre, renoncé à son personnage politique. La pudeur et la retenue diplomatique l'empêchaient de livrer le fond de sa pensée. Je la sentais par moments prête à s'abandonner à ses vraies émotions, puis je la voyais subitement se ressaisir, rebrousser chemin et retrouver sa dignité et sa raison. De toute façon, son regard éteint, sa bouche amère et ses gestes nerveux en disaient davantage sur sa vie politique passée et sur le vide qu'elle avait creusé autour d'elle que les plus éloquents discours.

Lise Payette me répéta de vive voix ce qu'elle avait bien voulu révéler dans Le Pouvoir, connais pas. *Pas un mot de plus ou de moins. Elle hésita à déborder de ce cadre tracé d'avance et voulut avant tout me persuader à la fois de son héroïsme et de sa victimisation par le système. Malgré sa force de persuasion, malgré son grand pouvoir de séduction, je ne fus jamais entièrement convaincue de sa bonne foi et je suis restée sur mes gardes sans même savoir pourquoi. Aujourd'hui encore, je me demande si j'ai agi par instinct ou par pure obstination. Je n'ai toujours pas trouvé la réponse.*

Claude Dubois sans anesthésie

Sa photo floue et baignant dans la vaseline nous attendait devant la porte du restaurant. La mise au jeu. Plus loin, une autre photo du Dubois « new look » retenait l'attention des invités. La photo plus contrastée, le présentant en veste de cuir noir, foulard rouge noué autour du cou, oeil vif et direct, mèche rebelle soigneusement décoiffée par Alvaro, annonçait son passage au Forum de Montréal le 4 juin prochain. Après une année particulièrement traumatisante qui l'a mené du stationnement du Holiday Inn jusqu'aux sessions d'exorcisme et de lavage de cerveau du Portage, Claude Dubois sortait enfin du tunnel noir de la honte nationale. Le curriculum vitae de son cahier de presse évitait cependant le sujet. À la rubrique 1981, on avait habilement écrit : « enregistre Manitou puis s'éclipse... Une année de réflexion ». Comme le showbizz sait bien arranger les choses...

Entre la moquette terne et le bois mort du mobilier de cafétéria, l'éclairage diffusait une lumière blafarde qui donnait à tout le monde un air hagard et un teint vert. Malgré le décor peu inspirant, personne, impliqué de près ou de loin dans les méandres du spectacle montréalais, n'avait osé manquer à l'appel de Guy Latraverse mais aussi de Kebec Disc à peine remis de la mort de son président Gilles Talbot et profitant du retour de Dubois pour montrer que la vie et les affaires continuent malgré tout. *Business as usual*...

Les voix chuchotantes du début, enterrées par les nouvelles chansons de Dubois, crient maintenant à tue-tête. Surgi de nulle part, le nouveau Dubois, pantalon blanc, chemise propre à petits carreaux, oeil presque trop clair, se met à circuler parmi la foule, serrant une main ici, donnant une accolade là, un petit sourire, un grand éclat de rire. Un candidat politique n'aurait pas mieux fait.

Je pense tout à coup à cette fameuse scène dans *The Wild One*. L'interlocuteur demande au jeune Marlon Brando, « *What are you rebelling against ?* » Celui-ci lui répond avec nonchalance :« *What have you got ?* » Je feuillette le communiqué gris à l'écriture fine. Je lis : « Dubois s'est toujours battu pour des idées auxquelles il croit. Il continue. C'est un rebelle qui n'a jamais rien pris pour acquis. Sa vie se fait dans le combat. Il ne lâchera pas, c'est pour cela qu'il est devenu grand. » J'avale les paroles de travers.

Aujourd'hui, mercredi 28 avril 1982, le rebelle a trouvé sa cause en même temps qu'il a obtenu sa libération conditionnelle. Il peut parler librement même s'il ne sera vraiment libre qu'en 1986 et s'il restera fiché sur tous les ordinateurs de la terre à perpétuité. Claude Dubois a toujours eu le don de se faire remarquer *anyway*...

« Je ne sais pas si t'as bien compris mais aujourd'hui j'ai le droit de dire des choses qui m'étaient encore interdites hier. » Ses yeux sont ronds comme des billes et grands ouverts. Est-ce la liberté enfin retrouvée, l'endoctrinement du Portage ou une nouvelle espèce de renouveau charismatique qui le rend si aimable, si rayonnant ? Personne ne répond à la question.

Nous escaladons lentement les sièges rouges et vides du Forum. L'éclairage incandescent baigne l'immense salle dans une atmosphère feutrée et surréaliste. La patinoire a fondu depuis l'affrontement final et étale maintenant une grande flaque de sable beige. Au centre du Forum déserté, foulant le tapis rouge de circonstance, Dubois pose docilement pour les photographes. Une patte en l'air, l'autre sur une chaise, tenant la pochette de son nouveau disque, *Sortie Dubois*, ou encore regardant au loin cet horizon de 18 000 places qu'il faudra bientôt vendre, il semble pensif. Se faire poser par les photographes de la presse ou par ceux de Parthenais, quelle différence finalement ?

Les journalistes l'attendent avec impatience. Le lieu de l'entrevue est plutôt ironique : le banc des punitions. Dubois s'y rend lentement, serrant la main à ceux qui viennent encore le saluer. Il s'assoit finalement. A-t-il vraiment changé ? Il affiche en tous les cas une complète disponibilité encore jamais vue. « Avant » Dubois tournait au moins autour du pot pendant 20 minutes avant de se résigner à répondre aux questions. Il ingurgitait, en passant, quelques verres ou autre chose pour supporter le supplice. Cette fois-ci il lui a fallu moins de cinq minutes, pas l'ombre d'un verre et à peine une cigarette pour partir la cassette. Le voilà donc assis, parlant sur le ton de la franchise, avec cet air calme et pondéré qu'on lui a découvert il n'y a pas très longtemps aux *Beaux dimanches* de Radio-Canada. On sent qu'il a besoin de parler à tout prix, à tout le monde, qu'il est presqu'intoxiqué par le son de sa propre voix et par les dogmes de sa nouvelle personnalité.

Parlons donc du défi du Forum. Pourquoi le Forum, pourquoi si tôt, pourquoi 18 000 billets alors qu'il aurait très bien pu se contenter du « concert bowl » et de ses quelque 12 000 places. « C'est un projet que j'avais en tête depuis longtemps, dit-il. J'aime l'aventure et je ne me sens pas perdu ici. » Mais pourquoi avoir attendu si longtemps ? « Parce qu'il y avait toujours autre chose, je signais toujours avec plein de monde et puis, quand j'avais quelque chose en tête, je n'arrivais jamais à l'accoucher ; je n'arrivais pas à rester ici et à tenir l'idée assez longtemps pour la réaliser. D'ailleurs, si on regarde les derniers shows que j'ai faits, c'étaient toujours des affaires de dernière minute. »

N'a-t-il pas peur du risque, celui de ne pas remplir la salle, celui de se casser la gueule? « J'aime le risque, je n'ai pas changé à ce niveau-là. Je ne vois pas pourquoi je ne serais pas capable de relever un aussi beau défi. Ça va être dur à travailler dans la mesure où la scène est ronde, on y travaille à 360 degrés, ça demande plus d'efforts, plus de travail mais je suis prêt à cela. Ça fait à peu près un an que je ne suis pas monté sur une scène, il me semble qu'il vaut mieux sauter à l'eau tout de suite. J'ai envie d'action, j'ai pas envie de faire ce métier-là pour m'emmerder, pour prophétiser des conneries, sans cela je suis aussi bien d'écrire pour les autres et de rester tranquille chez moi avec mes moutons. Le risque de toute façon c'est plutôt celui de Latraverse, moi je ne panique pas vraiment là-dessus. »

Et que dire des racontars qui prétendent que Claude Dubois capitalise sur la publicité entourant son arrestation pour vendre des disques et des billets au Forum. « C'est possible, il y a un peu de ça, mais l'entreprise n'est pas uniquement basée là-dessus. Moi je viens ici faire un show, je ne viens pas remplir le Forum avec la publicité entourant mon emprisonnement parce qu'il ne faut pas oublier que cette publicité-là n'est pas toujours favorable. Cette publicité a failli me coûter dix ans de ma vie. Je ne fais pas le Forum parce que j'ai fait la une des journaux avec mon arrestation, je le fais parce que je le voulais, je l'ai demandé et on m'a dit que c'était possible. Si l'aventure avait été impossible, j'aurais trouvé autre chose. De toute façon, je ne vois pas ce que je pourrais bien faire d'autre, j'ai fait toutes les salles de Montréal, sauf celle-ci. »

Quelqu'un lui demande avec candeur s'il s'agit d'un « nouveau début ». « C'est certain, dit-il. C'était rare par le passé que je fasse les choses straight, à froid. C'est comme un nouveau monde, on ne voit plus les choses de la même manière. Avant j'étais gelé comme une balle et je ne savais pas trop ce qui m'arrivait. Ceci dit ce n'est pas un métier pour être rentier et à l'abri des émotions. Si on a peur des émotions, il ne faut pas faire ce métier-là. Autrement, il faut s'éclater la gueule 100 mille fois plus si on veut faire ressentir quelque chose aux autres, il faut projeter de façon gigantesque. »

Les profits du spectacle iront-ils au Portage ? Non, ils iront surtout au ministère du Revenu, dit-il d'un air sarcastique comme pour montrer que l'humour railleur et terre-à-terre a su résister au matraquage émotif et au lavage idéologique de la dernière année. Comment va-t-il arriver à faire un compromis entre sa nouvelle image et le fait que la musique rock du Forum va souvent de pair avec la drogue ?

« C'est sûr que la dope et le rock'n roll sont liés, mais je garde des doutes quant au systématique du rapport. C'est pas parce qu'on aime le rock'n roll qu'on prend forcément de la dope. Peu importe finalement. Moi, je ne suis pas un apôtre, je n'ai pas l'intention de faire des discours au monde. Moi, j'ai vécu la dope, j'ai eu ma claque, maintenant j'ai envie de vivre autre chose. J'ai pas l'impression qu'on va se retrouver dans un Forum de gens capotés, je pense que l'atmosphère va plutôt être sportive, familiale. Quant aux messages, je vais laisser ça au facteur comme disait Brel. »

Je lui fais remarquer que dans les entrevues récentes, il semble parti dans l'autoflagellation publique, nous prenant tous à témoin de son acte de contrition. « Il ne faut pas mélanger Dubois l'artiste et Dubois l'homme qui a vécu une arrestation et une thérapie, dit-il. Aujourd'hui, je tourne la page. Je refuse d'aller faire des conférences sur la drogue et les artistes. Pourquoi ne pas parler de la drogue et des plombiers, ça ne veut rien dire pour moi cette salade-là, même si elle est souvent rentable. J'ai simplement voulu raconter ce que j'avais vécu en tant qu'homme, j'avais besoin d'en parler et puis ça faisait partie d'une réinsertion sociale. Je ne sais pas jusqu'à quel point je pouvais subitement réapparaître et faire comme si de rien n'était. Les gens auraient dit, Dubois s'en est bien tiré, il n'a même pas fait de prison. Ils n'auraient pas perçu l'effort réel que j'ai fait. J'estime maintenant que j'ai payé ma dette à la société, j'ai fait mon année complète de 365 jours de travaux forcés. Je suis loin de renier ce que j'ai écrit quand j'étais gelé. C'est pas la dope qui crée, c'est l'artiste, même quand il est gelé. »

Quand on n'est pas artiste, qu'on n'a pas le Forum qui nous attend à la sortie du Portage, que se passe-t-il ? On n'a pas besoin de faire des entrevues à Radio-Canada et de raconter sa vie, on n'a pas besoin de monter sur une scène, personne ne te pointe du doigt parce que personne ne te connaît. On reprend sa « place sans bruit ».

L'entrevue tire déjà à sa fin. L'attachée de presse presse Dubois de revenir en haut parler aux radios, mais Dubois veut continuer à s'expliquer. Je lui demande s'il ne se sent pas un peu récupéré par le Portage, s'il n'est pas devenu un beau symbole de désintoxication que le Portage peut parader devant tous les médias. « Tant mieux si ça leur a servi parce qu'il est vrai que le Portage était en difficulté, il devait choisir entre devenir indépendant ou rester sous l'emprise du gouvernement et courir le risque d'être fermé. Ceci dit, je reste pris avec de puissantes responsabilités. Je ne peux pas me permettre de retomber dans la dope et ça, ça pèse lourd, aussi lourd que quand j'ai entendu le juge dire à mon avocat que son client était passible de perpétuité ; c'est long ça, la perpétuité. Mais je n'ai quand même pas l'intention de devenir une tête carrée. En fait, je suis bien plus capoté qu'avant. Quand j'étais gelé, j'étais assis sur mon cul, maintenant au moins je grouille, je saute et la folie m'intéresse toujours... »

Il ne reste plus grand invités parmi le mobilier de cafétéria. Dubois lui-même doit s'en aller enregistrer l'émission de Michel Jasmin. Entouré de sa cour, il quitte en grand seigneur. J'ai la drôle d'impression de voir partir un homme en liberté surveillée.

Le Devoir, *le 1er mai 1982*

Claude Dubois

Je suis allée à la rencontre de Claude Dubois munie d'une lourde provision de préjugés. Son histoire m'apparaissait comme un roman-savon de mauvais goût récupéré de toutes pièces par les médias. J'avais l'impression qu'il était devenu la marionnette du Portage et que le centre se servait impunément de lui pour mousser sa propre image.

Je regardais avec dérision s'épanouir sa campagne de réinsertion sociale : une entrevue-choc à la télé, un disque, un show et pourquoi pas un livre intitulé Comment Claude Dubois vit sa désintoxication. *Je me disais qu'il ne s'en tirerait pas aussi facilement, qu'il faudrait qu'il rende des comptes sur cette publicité tapageuse qui faisait bien son affaire dans le fond, et sur ce nouveau personnage clean-cut qu'il paradait partout avec une doucereuse docilité.*

Claude Dubois avait prévu le coup. Il parla franchement, sans coulisser, sans prendre de détours ratoureux, en évitant d'être sentimental ou moralisateur. Il joua straight. C'était la meilleur stratégie. Il n'avait ni le choix, ni les moyens de faire autrement. Arrêté, condamné, puni, confessé puis rédempté, Dubois devint le Saint Martyr de l'année. S'il avait su plus tôt que le métier de martyr était payant, peut-être serait-il allé lui-même se rendre aux autorités.

REPORTAGES

Reportages

Je n'ai pas appris mon métier sur les bancs de l'école. Je l'ai appris sur le tas, dans la pratique quotidienne, dans le fouillis de la salle de rédaction et la panique de l'heure de tombée, en composant avec les impondérables, en improvisant. J'ai d'abord braqué mon regard sur le sujet solitaire de la scène. L'opération était simple et ne demandait que deux yeux, deux oreilles et un stylo. J'ai fait mes classes dans les salles de spectacle survoltées. J'ai aussi vite fait le tour du jardin et épuisé la réserve des sujets.

Devant les paysages trop familiers, j'ai compris que pour ne pas perdre intérêt et continuer à avancer dans le métier, il fallait que je braque mon regard ailleurs, que je sorte un peu parmi le vrai monde et que je me frotte à la vraie vie. J'ai quitté un terrain labouré, apprivoisé, contrôlé, pour l'inconnu, pour la rue. J'ai constaté que les gens de la rue, le monde ordinaire, avaient parfois plus de choses à dire que les gens en position d'influence et de pouvoir. Aux prises avec des problèmes et des crises quotidiennes, ils avaient une vision plus concrète des choses. Moins habitués aux micros, aux caméras et aux questions insidieuses des journalistes, moins soucieux de leur image et de leur carrière, ils pouvaient se permettre de dire les choses sans peser et calculer chaque mot.

J'ai découvert le merveilleux monde des regroupements, des associations, des groupes de pression, des militants saupoudrés à travers les strates de la société en autant de petits univers parallèles. J'ai parlé aux freaks de la rue Duluth avant le déluge grec, aux étudiants de cegep, aux maniaques de nouvelle musique, aux amateurs de course automobile, aux féministes, aux écologistes et aux enfants boxeurs. J'ai voyagé de

New York à Los Angeles, en passant par les centres mystiques du Colorado. J'ai senti un vent de terrorisme souffler sur l'Italie. À Gdansk j'ai attendu un entretien avec Lech Walesa qui, pendant ce temps-là, me filait entre les doigts. À Moscou, je me suis promenée comme dans un film d'espionnage avec le mot étrangère presque étampé sur le front.

Plus j'avançais dans le reportage, plus mon regard, bombardé par une multitude de réalités, ne savait plus comment y voir clair à travers la confusion. Les retours répétés sur les terrains minés m'aidaient cependant à faire évoluer mon point de vue et marquaient un progressif détachement de ma part.

Après avoir été, par exemple, farouchement féministe, après avoir dénoncé la pornographie, je me suis graduellement retirée du débat. On ne peut être militante et journaliste à la fois. Il y a trop de causes à défendre et les idéologies évoluent trop vite pour que l'on signe un contrat d'exclusivité avec l'une d'entre elles.

J'ai dénoncé la pornographie quand la cause était encore noble et n'avait pas été récupérée à titre de symbole national d'oppression. Lorsque j'ai vu le mouvement se structurer et prendre un curieux virage conservateur, je n'ai plus voulu y adhérer. La féministe a laissé l'objectivité ou plutôt la subjectivité honnête, comme dirait Pierre Bourgault, l'envahir.

Cela ne m'a pas empêchée de prendre position lorsque certaines circonstances l'exigeaient. Je suis allée moi aussi voir de plus près le phénomène des go-go boys. Les longues files de femmes gloussantes piquaient ma curiosité. Une fois rendue à l'intérieur, je fus profondément troublée par le spectacle qui s'offrait à mes yeux. Je rageais à l'idée que mon trouble émanait de ma condition de femme maintenue en servage sexuel et privée d'un spectacle auquel les hommes avaient accès depuis des années. En parlant aux go-go boys, je constatai avec stupéfaction qu'ils n'abordaient pas leur métier avec la passivité résignée de leurs consoeurs go-go girls. Du haut de leur podium, ils triomphaient une fois de plus sur les femmes.

J'étais sidérée par l'imposture. En rentrant au journal, j'optai pour un texte descriptif dans lequel les go-go boys se caleraient eux-mêmes sans que j'aie besoin d'intervenir. Certaines autorités du journal n'ont pas apprécié la démarche. Le texte était selon eux trop descriptif et ne prenait pas suffisamment position. Je dus le refaire en adoptant un ton plus revendicateur et plus moral. Prévu pour la première page du Cahier culture et société, le texte fut retiré à la dernière minute et casé dans une page intérieure moins voyante. La photo fut réduite au format d'un innocent timbre-poste. Dès lundi matin, une lettre de protestation m'attendait dans le coin du lecteur pour me rappeler que Le Devoir n'avait pas besoin de traiter de sujets aussi vulgaires et scabreux.

À mesure que le temps passait et que j'explorais des cultures et des univers différents, je commençais à me poser de sérieuses questions sur la légitimité de mes jugements lapidaires et de mes condamnations en bloc. De quel droit pouvais-je ainsi m'élever au-dessus des gens et prétendre me distinguer du groupe ? N'étais-je pas, comme tout le monde, limitée moi aussi par une éducation, une culture, un milieu social qui dictaient mes choix et mes convictions. Ceux-ci n'étaient-ils pas aussi aléatoires que chez les autres ?

En lisant Entretiens avec l'histoire de la journaliste italienne Oriana Fallaci, j'endossai d'emblée sa partisanerie fougueuse et sa détermination à attaquer toute forme de pouvoir sans faire le moindre compromis. J'étais convaincue que ce journalisme polémique à l'européenne menait à la vérité. C'est ainsi que je voulais pratiquer mon métier. Un seul problème à l'horizon : mon passé ne concordait pas tout à fait avec celui d'Oriana Fallaci. Elle avait connu la guerre, l'occupation, l'engagement, la résistance. C'est précisément ces événements qui avaient forgé sa grille de valeurs et qui l'avaient motivée à maintenir une position inflexible. Moi, qu'est-ce que j'avais connu au juste sinon Woodstock, le cegep, la montée du nationalisme québécois et une adolescence nord-américaine de tout *confort. Le passé me poussait vers un journalisme à l'américaine, non partisan, cool et descriptif. Parfois, j'avais l'impression que les deux écoles se tiraillaient en moi sans que je sache comment les réconcilier.*

À force de retourner sur les mêmes lieux, dans les mêmes endroits, je me rendais bien compte qu'il fallait que je me renouvelle, que je dépasse le désespoir esthétique que je cultivais avec complaisance pour faire ressortir les différents prismes d'une même situation. Je ne pouvais décemment retourner au Festival du film de Cannes en le descendant à chaque fois de façon quasi systématique. En même temps je ne voulais pas me conformer et rapporter comme tout le monde. Je voulais maintenir un point de vue personnel et indépendant. Je ne voulais surtout pas me faire récupérer par le système.

Que de doutes et d'angoisses. On change malgré soi finalement, à cause de circonstances atténuantes, selon des courbes et des courants plus forts que les plus nobles principes. Avec la compression d'espace, par exemple, mes longs reportages ont rétréci au lavage. J'ai dû apprendre à dire en trois paragraphes ce que je disais avant en trois pages. Mes prétentions stylistiques s'en ressentent. L'écran cathodique a développé chez moi une écriture automatique, moins physique et plus monolithique. Je sens que mes anciennes structures ont été démaillées. Le langage journalistique change, il faut s'ajuster tant bien que mal. Je cherche encore une formule idéale de reportage. À ce jour, je ne l'ai pas encore trouvée. Je crois que c'est bon signe.

Naropa : une maison de repos pour civilisation en péril

BOULDER – Je suis arrivée à Boulder, petite municipalité à 30 milles de Denver au Colorado, en pleine nuit, par un highway sinistre et désert. *Je ne sais trop où je m'en vais.* J'avais entendu parler de Naropa, une institution bouddhiste, fondée par un gourou notoire du nom de Chogyam Trungpa Rinpoche, institution qui se vantait d'offrir à ses étudiants une éducation complète (« a complete education ») ainsi qu'un voyage à la découverte de soi. Je m'interrogeais sur le prix du voyage et s'il fallait pour y accéder se transformer en bonze au crâne rasé et aller méditer dans les montagnes sur les affres de la société de consommation. Mon intérêt pour l'endroit tenait avant tout à une longue et prestigieuse liste de professeurs et d'artistes, bouddhistes et non bouddhistes, qui avaient accepté de lier leur destinée à celle de Naropa : Allen Ginsberg, William Burroughs, Ken Kesey, Peter Orlovsky, Anne Waldam, les musiciens du groupe Oregon, Don Cherry et évidemment le fameux Rinpoche aussi bien connu des milieux bouddhistes que des milieux psychiatriques. Avec une telle équipe, Naropa promettait d'être intéressant.

Je ne fus pas déçue. Légèrement confondue seulement, Naropa est une micro-société à l'image de la société américaine. Son gourou est un homme moderne qui affiche sa vulnérabilité, cultive ses excès et offre la vision rassurante et déculpabilisante d'un pays confus mais non perdu. L'espoir est un bonbon que l'on rachète à force de peines, d'efforts et de discipline à Naropa ; l'espoir de vaincre un jour les névroses collectives du vingtième siècle au sein d'une société accélérée, superficielle et hyper-matérialiste. À Naropa on vient apprendre, mais on vient surtout se soigner.

À dix heures du matin, dans l'air vif et cristallin de Boulder, je découvris le siège social de l'Institut, non pas en pleine nature comme je l'imaginais mais au coeur consommé du « downtown » Boulder, sur une rue commerciale et piétonnière du nom de Pearl. Premier choc culturel : les gourous de Naropa ne renient pas la civilisation moderne et semblent au contraire vouloir s'y installer. Rinpoche (qui signifie tout simplement maître) n'était pas là pour me recevoir. Son administrateur et plus fidèle disciple, un homme fort civilisé en cravate et complet du nom de McKeever, était cependant au rendez-vous pour me dresser un bref historique de Naropa et me parler avec dévotion de son maître. J'appris que Rinpoche, né au Tibet, docteur en philosophie bouddhiste tibétaine, avait quitté son pays lors de l'invasion chinoise. Après quelques années d'enseignement aux Indes, il s'inscrivit à Oxford pour y faire l'étude comparée de la religion, de la psychologie et de l'art et fonda un premier centre de méditation bouddhiste en Écosse. Il émigra aux États-Unis en 1970 et créa le Vajradhatu, un regroupement d'églises bouddhistes à travers le pays. Il fonda Naropa au cours de l'été 74 dans le but de réconcilier l'Orient et l'Occident à travers la découverte de soi et la spiritualité d'un enseignement éclairé. Il regroupa professeurs, professionnels et artistes afin qu'ils partagent leur expérience et leur vécu avec ceux qui voulaient s'engager dans la même direction qu'eux. C'était au lendemain du choc des années 60, les cours étaient encore informes et improvisés. Peu à peu cependant, Naropa se trouva une ligne de conduite : la discipline et la non-agression, le développement de l'intellect à travers l'étude de l'intuition et à travers la méditation, offrant même à ses élèves, l'équivalent d'un bac ès arts. Aujourd'hui, avec ses cours de bouddhisme, de psychologie, de théâtre, de danse, de poésie, de musique, de sciences et de mathématiques, Naropa est en instance d'être officiellement reconnu par une commission d'accréditation. « L'accréditation est importante, dit McKeever, parce qu'elle nous permet de faire légitimement partie du monde de l'éducation et d'être pris au sérieux. » Un facteur essentiel puisqu'aujourd'hui encore, le seul nom de Naropa fait sourire toute la riche communauté athlétique de Boulder pour qui l'institution ressemble davantage à un cirque qu'à un lieu de méditation.

Fréquenté par de jeunes collégiens de 19 ans, vaguement mystiques, et par des étudiants professionnels qui approchent la trentaine avec appréhension, Naropa reste une expérience de communication plutôt fascinante. Il suffit d'assister à une conférence de Rinpoche pour saisir les paradoxes de son enseignement. Tous les lundis soirs, entre les murs aménagés d'un ancien garage adjacent à un centre de patin à roulettes, la communauté de Naropa (environ 500 membres l'été) se rassemble pour écouter les propos du maître. Le tout doit officiellement commencer à 20 heures mais le maître aime se faire attendre et arrive généralement avec une ou deux heures de retard. En attendant, les disciples assis sur des petits coussins rouges, jaunes et bleus, méditent en silence. Même les bébés de 8 mois méditent ou alors se tiennent très tranquilles comme s'ils étaient tous venus au monde sous les mains amicales de Frédéric Leboyer. Ce soir, en plus d'une conférence sur Shambhala, le gentil guerrier, il sera également question d'une campagne de souscription. L'institut doit ramasser 78 000 $ en moins de trois semaines afin de recevoir une accréditation et d'être admissible par la suite à différentes subventions. Rinpoche arrive à 21h30. Il boîte d'une jambe et porte le costume d'un gérant de banque. Il n'est pas très grand, ni très séduisant, mais ses petits yeux noirs et bridés laissent deviner un fin sens de l'humour. Il se dirige lentement vers un modeste trône et une petite table où reposent l'encens et le saké. Sitôt assis, Rinpoche prend une gorgée de saké. Il répétera le geste à toutes les 30 secondes jusqu'à ce que le litre soit vide. Rinpoche n'est pas un maître spirituel ordinaire. Il boit à outrance, fume et a la mauvaise réputation de coucher avec ses étudiantes. Il roule également en Mercedes. Sa conférence dure exactement 35 minutes au cours desquelles il débite d'une petite voix nasillarde et pincée ce que tous savent déjà. Sa montre en or brille sous le feu des réflecteurs tandis que le saké réchauffe le ton de sa conversation. « La terre est bonne », dit-il.

Son langage est simple et familier, ponctué ici et là de mots un peu plus corsés. « La terre est prête à accommoder tout le monde, elle ne menace personne, on peut faire ce qu'on veut sur la terre, marcher, pisser, chier, la terre est hospitalière. Aucune raison d'avoir peur donc, il faut être conscient et éveillé, avoir une bonne tête, des épaules et savoir être à l'écoute de son coeur et à l'écoute de soi. Trop de gens ont peur de s'arrêter et de se regarder, ils ont peur de découvrir un monstre, ils ont peur de trouver un coeur vide, ils fuient par tous les moyens, passent leurs soirées à regarder la télévision.Il ne faut surtout pas avoir peur et savoir se laisser chatouiller par le monde autour de soi. Il faut savoir être gentil et triste, avoir le coeur tendre et saignant comme un steak. Pour arriver à cette tendresse, il faut de la discipline, il faut travailler continuellement pour éviter la paresse et l'égocentrisme. À force d'être centré sur soi, on finit par avoir peur, par être préfabriqué, on manque le bateau de l'authenticité. » Deux questions peu intéressantes terminent l'exposé, puis Rinpoche passe avec ravissement au chapitre des finances. Sa logique est simple. Étudiants et professeurs sont mariés ensemble. Au cours des dernières années, ils ont mis au monde, à Naropa, un gigantesque bébé qui s'appelle la connaissance. Aujourd'hui, ils ont le choix, ou bien de laisser le bébé mourir ou bien de ramasser suffisamment d'argent pour le nourrir et lui permettre de grandir. « La terre est bonne, dit-il, mais elle n'est pas gratuite. L'argent ne doit pas être une source de gêne et de mortification. Il n'y a pas de mal à parler d'argent, l'argent fait partie de nos vies, il faut savoir faire le bien aussi bien avec l'aspect spirituel qu'avec l'aspect économique de nos vies. On ne peut pas éviter l'argent tout comme on ne peut pas éviter la mort. La solution c'est d'en rire. »

Le lendemain, je demande à un élève si le fait que Rinpoche mélange aussi facilement mysticisme et dollars le dérange. Il me répond que non. « Rinpoche a la bonne attitude, dit-il, c'est cela qui compte. » Je lui demande s'il va contribuer à la campagne de financement — Oui. Qui va payer ? — « Mon père, mais j'ai bien l'intention de le rembourser. »

La morale de Rinpoche est séduisante et sert d'antidote à l'égocentrisme chronique de la « me decade ». « À Naropa, on veut à tout prix éviter le supermarché spirituel des années 70, explique McKeever, c'est ce que Rinpoche appelle le matérialisme spirituel. Pendant les années 70, les gens qui cherchaient à combler un vide allaient voir leur gourou tout comme ils mangeaient naturiste et faisaient régulièrement leur jogging en quête d'une gratification instantanée. C'est pour remédier à cela qu'on insiste tant sur la discipline, on veut que les élèves travaillent sur eux-mêmes. »

Le lendemain après-midi, près des chutes, Peter Orlovsky, personnage central d'un roman de Jack Kerouac, intitulé *Desolation Angels* et membre actif de la « Beat generation », donne un atelier de poésie. Le département de poésie avec ses écrivains célèbres, scandaleux et controversés, est un département flamboyant. Les vedettes de la contre-culture s'y succèdent à chaque session et attirent jeunes et aspirants poètes, cherchant l'attention et l'amitié de leurs idoles. Orlovsky est assis dans l'herbe, ses longs cheveux gris attachés en queue de cheval. Il porte des shorts rouges et rit comme une hyène lorsque les poèmes de ses élèves sont trop mauvais. Sa méthode d'enseignement n'est pas très sophistiquée. Pendant deux heures, les élèves inscrits par ordre alphabétique lisent leurs poèmes à haute voix et les soumettent à la critique du professeur et des autres étudiants. Orlovsky parle peu mais demande à chaque élève où et quand le poème a été écrit. S'il ne comprend pas, il prend un ton menaçant mais jamais dangereux. Il communique ouvertement son ennui tout comme son intérêt. Lorsqu'il s'agit de poèmes d'amour, son instinct de commère lui fait à chaque fois demander le sexe du partenaire, agrémentant le tout de remarques scabreuses sur ses expériences amoureuses avec Ginsberg. Le cours n'est pas rigoureux mais il est vivant.

Le cours de Ginsberg au contraire est long, laborieux, analytique et porte sur les écrits de William Blake, poète ignoré du tournant du siècle. Ginsberg commence sa classe dans les locaux du Casey Junior High School en prenant les présences. Orlovsky est assis dans un coin et laisse échapper de temps en temps quelques grognements. Deux dames dans la soixantaine avancée font leur entrée tardive. « Come on in, dolls » dit Ginsberg, souriant à la dame au chapeau rose et à la grosse bague en verre. Avant de commencer la lecture ardue de Blake, il donne un devoir à ses élèves. « Écrire l'introduction d'un livre prophétique portant sur n'importe quoi : Naropa, l'école idéale, vos problèmes sexuels, la mort. À vous de choisir. Deux pages ou mille. »

Pendant les deux heures qui vont suivre, Ginsberg explique les différentes façons de découper un poème en fonction des accents toniques, des syllabes et en fonction du poète qui l'a écrit. Est-ce que je vous ennuie ? demande-t-il. Non, répond la classe en coeur. Les disciples de Bouddha à qui l'on conseille fortement de faire travailler leur esprit même pendant les plus pénibles corvées, ont intérêt à ne pas s'ennuyer. Un étudiant plus âgé, professeur de profession, conteste la façon dont Ginsberg découpe le poème de Blake et bientôt le débat monopolise toute la conversation. Ginsberg ne perd pas patience et pourtant on le sent subtilement à bout de nerfs. Tandis que l'élève éclairé s'arrache les cheveux, Ginsberg soutient que sa méthode respecte davantage le caractère inventif de l'écriture de Blake. Le cours se termine en queue de poisson. « Quel combat héroïque ! », dit Ginsberg. « Au fait demande un élève, à quoi ça sert tout ça ?... »

Dans le cours de psycho P511, Edward Podvoll, ancien membre du Washington Psychoanalytic Institute et aujourd'hui psychiatre à l'Université du Colorado, traite de la psychose et surtout des recherches effectuées dans le domaine par le français Jacques Lacan, qui semble être son maître à penser. Le cours est super-spécialisé. Plusieurs élèves dorment dans le fond de la classe. D'autres participent tellement activement que le professeur a souvent de la difficulté à faire valoir son point de vue. Le cours se termine sur une réflexion désobligeante d'un élève qui trouve la vision de Lacan paranoïaque et biaisée. À Naropa, la liberté d'expression est de mise. Les rapports de force entre le professeur et son élève disparaissent dans l'échange et la confrontation. Les contestataires sont cependant peu nombreux. Tous les disciples de Naropa ont à ce point la conscience de participer à une expérience unique qu'ils oublient souvent de renverser les systèmes établis par l'éducation conventionnelle.

« Naropa a changé ma vie », me confie un élève dans un réfectoire transformé en café. Tout autour, des élèves discutent entre eux. On se croirait en pleine récréation. Sur la scène, une jeune fille qui se prend pour Joan Baez chante une chanson contre l'énergie nucléaire. Une école parmi tant d'autres. Rinpoche a beau vanter les mérites de la confusion et les joies de la discipline, ses sujets sont pour la plupart des diplômés du ballon crevé de la révolution culturelle. Leur quête n'est pas toujours aventureuse et s'arrête volontiers aux frontières de la méditation et du granola.

« Ils sont ici pour changer, explique McKeever, et on ne change pas du jour au lendemain. » À quoi leur servira cet enseignement éclairé ? Tout simplement à mieux affronter leur vie. À Naropa, la spécialisation atteint son paroxysme puisqu'on y apprend non seulement à penser mais à vivre. Ceux qui affirment que Naropa est le triste produit d'une société malade incapable de fonctionner sans manuel d'instruction, ont partiellement raison. L'exemple de Naropa est inquiétant mais témoigne aussi des premiers sursauts d'un patient fragile, sur la voie malgré tout d'un éventuel rétablissement.

Le Devoir, *le 18 août 1979*

Naropa : maison de repos pour civilisation en péril

Le journalisme m'a permis de beaucoup voyager, en touriste la plupart du temps, comme la plupart de mes collègues d'ailleurs. Aucune entreprise de presse n'a aujourd'hui les moyens de payer à un journaliste un séjour d'un an ou de dix ans dans un pays étranger afin qu'il en rapporte un récit juste, fidèle et nuancé.

Je suis arrivée à Naropa avec à peine quelques miettes d'information. J'éprouvais toutefois un intérêt personnel pour le sujet. J'étais intriguée par ce qui pouvait s'y tramer. Je partais intuitivement à la découverte de quelque chose d'inusité. Ma curiosité et une certaine méfiance étaient mes seuls carburants. Ma position comme toujours était celle de l'outsider, de la voyeuse qui maintient un pouce de distance entre elle et le monde tout en se fiant à son instinct pour saisir les courants et les lois silencieuses qui régissent sa situation. J'ai rapporté de Naropa un regard, l'esprit d'un moment,un Polaroîd. Si j'y retournais, je verrais sans doute les choses sous un angle différent et je prendrais une photo plus grande et plus contrastée. Les voyages finalement forment les journalistes...

Le festival de Cannes : peur et paranoïa sous les palmiers, cris et chuchotements sur la Croisette

Tout le monde a entendu parler du Festival de Cannes. À chaque année, l'industrie mondiale du cinéma y « descend » pour une quinzaine de jours. Nathalie Petrowski a été « couvrir » l'événement et elle nous livre ici ses commentaires.

Cannes : le gars qui me reluque du coin de l'oeil à l'aéroport de Nice et qui m'offre avec un sourire mielleux un lift dans sa Fiesta louée s'appelle Nathan. Il s'en va à Cannes comme moi mais pas pour les mêmes raisons. Lui n'a pas de véritable raison sinon le goût de se planter sur les trottoirs et de regarder le monde passer. Moi, mes raisons sont plus nobles de par le fait que le boss de mon journal m'envoie en mission couvrir un événement qui se nomme le Festival du film de Cannes, un événement qui à coup de pushing et de PR a réussi à se glisser dans les records mondiaux et à devenir le deuxième événement le plus couru après les Olympiques. Pendant deux semaines avec ma sacro-sainte carte de presse et la bénédiction de mon chef de mission, j'aurai le droit et le devoir de me planter sur le trottoir et de regarder le monde passer. Ma carte de presse me rendra également propriétaire d'un petit casier qui ressemble à un tiroir de la morgue dans lequel le tout-Cannes viendra déverser son trop-plein de dossiers de presse, de communiqués et d'invitations. J'aurai de plus la permission d'aller aux vues, d'assister aux conférences de presse, de regarder, de réfléchir. Fais ce que dois et ferme-la, telle est la consigne à Cannes.

Mai 80, le soleil délavé de la Croisette, que les Québécois de passage ont rebaptisée « la crossette », lèche les trottoirs déjà infestés de cette population étrange qui regroupe pêle-mêle les stars et les starlettes, les producteurs et leurs produits, les journalistes névrosés, les photographes psychotiques, les badauds catatoniques, qui pendant deux semaines vont faire de Cannes le centre de l'univers. Les Québécois et leur référendum, les Biafrais et leur faim, les Cambodgiens et leurs décombres, les volcans et leurs tumeurs écologiques peuvent tous aller se coucher, c'est à Cannes que ça se passe. Tenez-vous le pour dit et n'allez surtout pas répandre la rumeur contraire, vous risquez, sinon la peine de mort, au moins une bonne dépression nerveuse injectée par intraveineuse par une attachée de presse à l'air morose.

Dans la voiture en carton de Nathan qui conduit sans rien regarder, je me cramponne en pensant avec inquiétude à la chambre d'hôtel que je n'ai pas réservée. Je m'imagine déjà couchée sur la « crossette » avec ma carte de presse comme taie d'oreiller, les pieds chatouillés par un des douze mille caniches qui peuplent la place. À la réception de l'hôtel Century, le trente-troisième hôtel auquel je viens mendier et qui ressemble étrangement à un bunker de béton bleu poudre, le gars me regarde de travers, l'air de dire : J'espère que t'as du cash, sans cela, tu peux toujours courir ! Je ne suis pas très riche mais je sais bien courir. C'est d'ailleurs un sport que j'apprendrai à bien maîtriser à force de le pratiquer sans arrêt dans le rodeo de Cannes. Sitôt la chambre à soixante-quinze dollars par jour réservée et le Coke à cinq dollars ingurgité, je me précipite au Carlton, centre névralgique du festival, chercher mon invitation spéciale pour la réception de la soirée. On me fait comprendre en passant que je devrais m'estimer privilégiée de recevoir une invitation aussi prestigieuse. Si on m'honore de la sorte ce n'est pas pour mes beaux yeux ni les beaux yeux des

40 000 lecteurs du *Devoir*, c'est tout simplement parce que le film d'ouverture, *Fantastica* de Gilles Carle, est un film canadien. C'est l'argent des contribuables, mon argent, qui paiera la note à la fin de la soirée.

L'après-midi après la projection publique de *Fantastica*, j'ai aperçu Carole Laure et sa cour, Furey, Carle et compagnie, courir à la conférence de presse sous un parapluie. Un instant, j'ai cru qu'on tournait un remake de *Juliette des esprits* tant Carole, tout de blanc vêtue, l'air préoccupée, ressemblait à la Juliette de Fellini. Mais quelques heures plus tard, l'heure des rêves et du remake est terminée. Carole, tout en noir, est redevenue une star. Les photographes se ruent sur elle comme la pauvreté sur le monde tandis que la star esquisse un faible sourire et s'accroche au bras mou de son partenaire. En arrière, Gilles Carle et Anne Létourneau qui se fait passer pour l'affiche du film, suivent docilement. Pour un soir et un soir seulement, Cannes leur appartient. Plantée sur le trottoir, je les regarde passer. Je me sens tout à coup envahie par un immense sentiment de fierté et je me dis qu'avec tant de publicité, c'est sûr que le référendum va passer. Pauvre naïve...

À onze heures du soir, je me retrouve à la porte de la salle de réception dans le hall d'entrée du Carlton, piétinée par les dix-mille passe-droits qui veulent tous aller manger aux frais de la princesse. Serrant ma précieuse carte d'invitation contre mon coeur, j'ai envie de tous les envoyer revoler, mais je me dis qu'il vaut mieux jouer « low profile » et faire preuve d'un peu plus de classe que la moitié des animaux qui m'entourent. Tassée, poussée de toutes parts, je me fais marcher sur les pieds par Kirk Douglas, puis bousculer par Jeanne Moreau qui vient de recevoir la Légion d'honneur et que se croit tout permis. Carole Laure a les yeux dans le beurre tandis que Lewis Furey fait le beau et sourit à tous ceux qui viennent le féliciter pour une belle musique et un mauvais film. Ah le showbizz, la belle affaire...

De peine et de misère, en jouant du coude et des jarrets,

je réussis à me faufiler et à rentrer. Dans la salle de ball rococo, je recommence à respirer mais pas pour longtemps. Il n'y a déjà plus de places et les goinfres ont presque tout mangé. Un waiter à l'air baveux m'installe moi et mon confrère du *Journal de Montréal* dans un coin sombre et nous interdit de bouger. Mangez et fermez-la, voilà la consigne. J'avale sans trop de conviction le loup de mer à la sauce madère en me demandant s'il s'agit d'un mammifère ou d'un poisson mais je me rattrape avec les deux bouteilles de rosé en buvant à la santé des contribuables. J'apprends entre les branches que cette petite réception coûte la modique somme de vingt-cinq mille dollars. J'apprends également que c'est parce que les producteurs du film ont bien voulu faire les frais de la réception, que *Fantastica* a été choisi pour ouvrir le festival. Je commande deux autres bouteilles à la santé des contribuables. Après tout, il vaut parfois mieux boire que déprimer. Lorsqu'à la fin du repas, l'orchestre de danse de salle paroissiale entame les premiers accords et que tout le monde se précipite vers la sortie, je constate que même la boisson n'est parfois d'aucun recours.

Deux jours plus tard, *Fantastica* est déjà oublié. Carole des Esprits s'est envolée, seule son affiche racole encore sur les trottoirs. Le décalage horaire étant enfin passé, je commence à m'installer dans ma petite routine. Café à deux piasses sur la Croisette, cinéma à toutes les heures, conférences de presse ennuyantes comme la pluie, journalistes séniles qui posent des questions intelligentes, genre : le troisième gros plan dans la deuxième scène, est-ce un accident ? Les potins vont bon train. Louise Marleau se fait prendre pour Margaret Trudeau. Micheline Lanctôt fait une face d'enterrement parce qu'Andrée Pelletier, la vedette de son film, ne pogne pas autant que Carole Laure. Andrée Pelletier promet d'aller brailler à son père (Gérard, l'ambassadeur) parce qu'on a oublié de faire une affiche de sa photo. D'une terrasse à l'autre les producteurs de films se tapent sur le dos les uns des autres. Cinéma Canada dit du mal de la SDIC qui dit du mal de Cinéma Canada tandis que les waiters, une race des plus exécrables, freakent à tour de bras à chaque fois qu'on leur conseille d'être un peu plus aimables. Sous le soleil de pacotille qui commence déjà à pâlir, l'argent transpire de partout. Mercedes, Bentley, Rolls, Jaguar, Corvettes et caniches, starlettes aux seins un peu trop évidents, producteurs aux portefeuilles un peu trop voyants. Il n'a pas fallu deux jours pour que je comprenne que Cannes est un immense cirque ambulant où paradent et pavanent les hommes et femmes sandwiches, un marché de viande pas toujours très fraîche. Le contraste entre les films qui parlent tous d'angoisse, de mort, de vide spirituel, de culpabilité est d'autant plus grand qu'il se heurte aux rayons jaunes de la glorieuse Croisette où tout ce qui est dit en dedans n'a plus de rapport avec tout ce qui se passe au dehors. Voilà que je moralise encore. L'air hautain de Louisette Fargette, la reine mère des attachées de presse, me rappelle à l'ordre : « Vous êtes à Cannes, le deuxième événement mondial le plus couvert et donc le plus important, ne l'oubliez pas ! »

Je ne l'oublie pas. Quand bien même, je le voudrais, j'en serais parfaitement incapable. la garnison de photographes en mission qui à chaque occasion s'érigent en véritable muraille devant les pauvres scribes et leur cachent systématiquement le feu de l'action, me le rappelle constamment. À cause d'eux, j'ai tout manqué à Cannes. J'ai manqué Roman Polanski qui rasait les murs, j'ai manqué Francis « Apocalypse » Coppola qui se baladait incognito sur la Croisette en criant très fort : « Surtout faites comme si j'étais pas là ! » J'ai manqué les sosies de Bo Derek, les cheveux tressés et repassés par un fer électrique qui avait perdu le contrôle. J'ai manqué « The man with the Bogart face », mais je me suis rattrapée en le croisant dans les escaliers et en lui demandant : « Connaissez-vous le chemin pour Casablanca ? »

Une semaine de passée. Mon bill d'hôtel monte déjà à cinq cent piasses, je suis ruinée. J'ai dû voir un bon total de deux mille films. Je m'amuse dans les vapeurs humides du petit Carlton, le seul bar qui a du bon sens à Cannes, avec mes confrères Québécois à faire des études comparatives et à battre des records d'assistance. J'ai vu deux mille films mais ne me demandez pas de vous en parler, je ne m'en rappelle plus, c'est ce qu'on appelle de la consommation industrielle ou encore du « fast-food » culturel. Autour de moi, tout le monde commence à souffrir d'indigestion cinématographique chronique. Les premières de film continuent à être achalandées, mais les smokings obligatoires commencent à marcher par eux-mêmes. Visages de cire tendus par les chirurgies plastiques, les producteurs se forcent maintenant pour sourire dans l'espoir de vendre des films qui ne se vendent plus. Les films dépriment de plus en plus dans la frénésie accélérée des réceptions et des parties. J'ai voulu rencontrer des vedettes, Scola, Fellini, Kurosawa, Bob Frosse, Peter Sellers. On m'a dit, impossible, interdit. À moins d'être CBS, NBC, le *New York Times* ou *Le Monde*, on n'est rien à Cannes, moins que rien. On a juste le droit de rester à la porte des parties et de regarder de loin les vedettes s'empiffrer. Pour me consoler, la SDIC m'a invitée en croisière. Le bateau tanguait tellement que j'ai cru que Micheline Lanctôt, qui manifeste une belle haine à l'endroit des journalistes, allait en profiter pour nous jeter par-dessus bord. Michel Bouchard, le fils de Butch, le frère de Pierre et le réalisateur d'un court métrage sélectionné par Cannes en a profité pour déblatérer sur le compte du gouvernement canadien et pour accuser les Français de faire de la prétention anale. Croisière sur le Nil dans une Méditerranée des plus poisseuses ; tandis que les fonctionnaires du fédéral patinent et tentent de nous convaincre que les films canadiens sont des oeuvres de génie, le rosé de Provence est mon seul réconfort. Les fonctionnaires en oublient de manger leur loup de mer à la sauce madère. Encore du loup de mer, décidément les chefs de Cannes manquent d'imagination.

La croisière vient à peine de se terminer qu'il faut se garrocher à l'hôtel Mont-Fleury, aller entendre radoter Paul

McCartney et son épouse, Miss Linda Kodak, qui présente un dessin animé en compétition. Tandis que Paul cabotine sur la réunion des Beatles, Linda sourit avec délectation et cligne des cils dans le bal des flashs. Ils n'ont rien à dire et nous, rien à leur demander, mais ils sont des media junkies, il leur faut à tout prix l'attention de la presse même s'ils font semblant de s'ennuyer royalement. J'en viens à la conclusion que les vedettes sont des drogués désespérés qui vendraient leur mère pour faire la une du *Nice-Matin*. Dieu que je perds mes illusions, je les perds tellement que je suis tranquillement en train de devenir spirituellement chauve. Quelques heures plus tard, une jeune Phyllis Diller du nom de Hazel O'Connor, la chevelure hirsute et le regard boueux vient présenter un film new wave (*Breaking Glass*). C'est la soirée des punks de service de Cannes. Ils ont tous sorti leur épingle à couche et leurs vieux tee-shirts déchirés qu'ils ont payés entre deux cent et trois cent dollars dans la chic boutique punk de Cannes. Une petite blonde au chignon retroussé qui aimerait bien voler la vedette à Hazel arrive par la grande porte, ouvre son parapluie et penche un peu son décolleté. C'est encore la meilleure façon d'attirer l'attention à Cannes. Les photographes qui commençaient à bailler, se réveillent aussitôt, l'encerclent et la font poser dans l'escalier. La fille est accompagnée de deux « serins » qui minaudent devant les kodaks. J'ai beau avoir des sympathies féministes, j'ai jamais vu une fille aussi épaisse de toute ma vie. Je me mets à désespérer de la condition féminine et prie Simone de Beauvoir de venir à mon secours. Que les féministes me pardonnent mais les filles de Cannes, celles des premières, celles qui se prélassent les fesses et les seins à l'air sur la plage, ne sont pas des lumières. On dit qu'elles sont à la recherche d'un rôle ou d'un riche chum. Peu importe ce qu'elles cherchent, elles prennent tous les moyens pour le trouver. Remarquez que les gars à moitié asexués qui font les trottoirs dans l'espoir que quelqu'un remarquera leur « tan » carbonisé, ne sont pas tellement plus brillants. Sauf que leurs attributs étant moins facilement exposables, ils n'intéressent pas tellement les photographes et passent complètement inaperçus. Pour une fois que le sexisme marche à l'envers. De toute façon, à Cannes tout marche à l'envers. Les waiters qui se prennent pour des vedettes, les vedettes qui putassent avec les médias, les media qui se marchent dessus à la recherche de l'entrevue exclusive qui n'existe pas. À Cannes, seule la loi de la jungle, la loi du tasse-toi j'arrive, la loi du plus fort, du plus gros, du plus riche, du plus baveux, triomphe. Ah le showbizz, la belle affaire...

Une semaine et demie plus tard, il pleut à Cannes et la pluie, la mauvaise et sournoise pluie, est en train de gâcher le beau party. Louisette Fargette a trouvé le prétexte idéal pour écoeurer tout le monde avec sa mauvaise humeur. Wim Wenders, l'espoir du cinéma allemand (*L'ami américain*), m'a fait poiroter pendant deux heures et n'est jamais venu au rendez-vous soi-disant parce qu'il s'était battu avec sa nouvelle femme (Ronee Blakley) toute la nuit. Werner Fassbinder, le deuxième espoir du cinéma allemand (*Le Mariage de Maria Braun, Lola, Cocaïne*) m'a carrément envoyée promener en se grattant distraitement la poche qu'il se gratte d'ailleurs fort souvent. En désespoir de cause, je me suis rabattue sur Dennis Hopper, un vieux hippie de 45 ans qui après avoir réalisé *Easy Rider* à la fin des années 60 est passé de l'acide à l'alcool. Avec son chapeau de cowboy, son regard complètement noyé dans le gin, Hopper est sans doute l'image la plus chaleureuse et la plus humaine de Cannes. *Out of the Blue and Into the Black, Its Better to Burn Out Than to Fade Away.* Il répète la phrase comme une prière. OK Dennis, on a compris. Son film intitulé *Out of the Blue* (tiens tiens) est mal accueilli. La gauche française, repue et bourgeoise, ne peut pas comprendre la culpabilité des Américains, elle n'aime pas voir les enfants punk tuer leurs vieux hippies de parents. Mais la gauche française, repue et bourgeoise, est dépassée de toute façon. *Subvert Normality, Long Live Punk!* À force de traîner sur la Croisette, de patauger dans la crotte des caniches, à force de sentir que la jeunesse, celle de la France repue, celle du référendum perdu, s'endort sur les terrasses en faisant des farces plates, je commence tranquillement à sentir un vieux relent de punk monter en moi. À force de voir les Français boire leur vin et manger leur camembert en toute quiétude pendant que les désastres écologiques éclatent de partout, à force de voir les filles suivre la mode comme des esclaves lobotomisées, à force de me faire passer des vieux joints aux herbes de Provencc, jc scns l'orage gronder. Bientôt le doux rosé ne suffira plus, bientôt il va me falloir un peu d'amyle nitrate, un peu de phenciclydine pour remettre de l'ordre dans ma tête. Bientôt il va falloir qu'il se passe quelque chose.

Il pleut, il pleure à froides larmes à Cannes. *The Party Is Over*. Les meilleurs films, *Sauve qui peut la vie* de Godard, *Mon Oncle d'Amérique* de Resnais, *Le Saut dans le vide* de Bellocchio, *Being There* de Hal Ashby sont venus au dessert. Les affiches délavées, défraîchies regardent béatement la Croisette abandonnée. Le cirque tire à sa fin. Les vieux cowboys australiens essayent une dernière fois de racoler les agents américains et de leur vendre leur peau rouge et coriace. L'argent est parti, on respire mieux. Les bateaux trinquent entre eux. *Out of the Blue and Into the Black*. Mon bill d'hôtel n'en finit plus de multiplier les zéros. Un dernier party, celui du groupe Téléphone, une dernière chance pour se bourrer la face sans débourser. Un dernier effort pour la cérémonie de clôture qui devient vite une farce monumentale, un show de variétés de très mauvais goût. Serge Losique rit dans sa barbe, les Français sont encore plus quétaines que les Montréalais. Le verdict final est un pétard mouillé, quatre prix au lieu d'un seul. Les jurés ont eu peur et ont voulu contenter tout le monde. Ah la politique, la belle affaire...

Faut que j'me pousse, au plus vite, au plus sacrant. Je fais ma valise en écoutant Charles Aznavour à la radio. La France me désespère. Sur l'autoroute du sud dans ma Fiesta louée, je ramasse un gars qui s'en va nulle part comme moi. Pas pour les mêmes raisons...

Cannes : peur et paranoïa sous les palmiers, cris et chuchotements sur la Croisette

Un premier séjour à Cannes, une première impression. Vision hallucinée, ton teinté d'ironie amère devant le cirque ambulant, devant l'événement créé de toutes pièces par les médias et entretenu grassement par la horde militaire des attachés de presse. Éclairage cru et néo-réaliste pour crier ma déception et dénoncer ce que tous idéalisent par snobisme ou par ignorance. C'est la première fois que je couvre un événement international. Je me sens seule, déroutée, bousculée par la meute affamée de journalistes qui manquent totalement de civisme et de savoir-vivre. Est-ce bien cela être journaliste à l'échelle internationale ? Je n'ose trop dire ce que je pense dans Le Devoir *et me contente de poser quelques questions en douceur. De retour à Montréal, j'en profite pour me défouler dans* Québec-Rock. *Je le fais en hommage à mon idole de jeunesse* Hunter S. Thompson, *maître du « gonzo journalism ». Je sais que je ne serai pas censurée, que tout sera publié textuellement. Je m'en donne à coeur joie. Je n'ai rien à perdre sinon une invitation pour Cannes l'année prochaine. Je finirai par l'obtenir quand même.* Québec-Rock, *connais pas, disent les autorités.*

Sauve qui peut la Californie

L'aéroport international de Los Angeles est comme un couloir d'hôpital. Des voyageurs solitaires à l'oeil glauque et comateux descendent de l'avion et posent immédiatement le pied sur un long tapis roulant. Leurs profils en mouvement sur les murs pâles dessinent des jeux d'ombres aux formes inquiétantes. Ce tapis roulant est à l'image de la ville à laquelle il mène : on y perd le contrôle facilement et on s'y laisse entraîner par un aimant imaginaire qui annonce la terre promise et qui, en fait, ne livre que les valises. Vides, les valises. À qui sait lire entre les lignes, ce tapis roulant qui roule éternellement ne signifie qu'une seule chose : quitter Los Angeles au plus sacrant. J'ai malheureusement compris cela tard, beaucoup trop tard.

C'était au mois de juillet 80. J'avais dit au revoir à Montréal pour un mois dans l'espoir de mieux connaître ce pays fascinant, cette civilisation dorée qui se nomme la Californie. Je voulais louer l'indispensable voiture et remonter la côte californienne. Le projet était idéal et me permettait d'aller à la recherche du rêve perdu, de trouver le fameux chaînon manquant entre l'Orient et l'Occident, entre Québec Love et la presqu'Amérique. Voir la Californie et mourir. La mer, les montagnes. Malibu, la musique, les grosses voitures, la vie rêvée sur le pilote automatique, les nuits électriques de la ville des anges, les lumières tièdes des soirs torrides...

Mais la machine à vues est partie avant moi. Sur le trottoir, à l'entrée de l'aéroport, les taxis et les autobus laissent des traînées de fumée rose derrière eux. Il est six heures du soir. Je suis perdue. Personne ne m'attend. L'air est frais, les palmiers sont accueillants et pourtant les lueurs étranges qui percent à l'horizon me font frissonner. De loin, la ville a l'air de brûler. Si Paris est la ville-lumière, alors Los Angeles est la ville-feu. En 1957, l'incendie dura 14 jours, il ravagea des milliers d'acres de terre rouge entourant la ville. La ville, mais quelle ville? Los Angeles n'est pas une ville, c'est un labyrinthe, un vaste dédale d'autoroutes ficelées, entremêlées, inséparables, une ville où le centre ressemble au trou noir du triangle des Bermudes. On s'y sent petit, perdu, tellement trou de cul.

Le chauffeur de taxi est un vieil hippie usé, désabusé, sur le retour d'âge. Il ne pose pas de questions, ne s'inquiète pas de mon accent ou de ma date de naissance. Ce qui l'intéresse c'est ma destination, ce qui l'intéresse c'est le compteur qui digère les milles à une vitesse effrayante. Il fait soleil encore, mais j'oublie qu'il fait soleil tout le temps. Le freeway est plus délabré que je ne l'avais imaginé, des milles et des milles de freeway tapissé de béton, flanqué de palmiers desséchés, de buissons ardents. La route ressemble au tapis roulant de l'aéroport. Lorsqu'on s'y engouffre, on a l'impression que c'est pour la vie, qu'il n'y aura pas d'issue, pas de sortie de service. Si Albert Camus était venu à Los Angeles, il aurait sans doute installé Sisyphe sur le Hollywood freeway et l'aurait condamné à rouler éternellement, à faire du sur place à 200 milles à l'heure, sans but, sans destination. Je me demande tout à coup ce que je suis venue faire ici. L.A. Woman, never saw a woman so alone. La chanson de Jim Morrison me revient en tête. Si je suis ici aujourd'hui, c'est un peu à cause de lui. Il a su mieux que personne chanter la folie incendiaire de la ville, chanter sa démence et sa démesure, chanter et vivre ses extrêmes. C'est à cause de lui que je suis ici, à cause de Tom Waits aussi et de ce vieux satyre de Charles Bukowski, à cause de la culture clandestine qui a vu le jour ici et qui a grossi au point d'en devenir monstrueuse. À cause du gros cliché américain qui me fascine et qui fascine le monde entier depuis vingt ans. Je suis ici parce que je cherche encore à savoir pourquoi la Californie a servi de soupape à tous nos désirs imaginaires et inassouvis. Pourquoi avons-nous cru que c'est sur cette terre de feu que le nouveau monde allait se refaire au drive-in de l'Arche de Noé ?

Downtown L.A., un samedi soir. Je viens à peine d'arriver et déjà une frénésie mêlée d'angoisse s'est emparée de moi. J'ai le sentiment de participer au minutage paniqué d'une bombe à retardement. Mon hôtel a 45 étages. Au moins 43 de ces étages sont occupés par une délégation anonyme d'Asiatiques en convention ou en voyage de noces. S'il y a un tremblement de terre, si *Earthquake* arrive pour de vrai dans nos chambres, il va y avoir beaucoup de monde sur le pavé. Les murs de l'hôtel sont d'un vert malade, les tapis aussi. La fenêtre de ma chambre donne sur le freeway. Avec des tendances suicidaires, je pourrais facilement mourir en beauté. Mais l'air conditionné m'a conditionnée à garder mon sang-froid. Ma chambre d'hôtel est sinistre. La nuit qui recouvre la ville comme une marmite est sinistre. J'ai peur et je ne sais même pas pourquoi. J'ouvre le journal et je lis en première page que les deux tueurs du freeway ont été arrêtés. À cause d'eux, une trentaine de jeunes hommes entre 18 et 25 ans dorment paisiblement dans leurs petits cercueils privés. Quelque part entre la contestation et la communication collective, entre la fête et le sabbat, les tueurs ont laissé leurs gages. C'est la faute à Charles Manson, c'est la faute à tout le monde. Les tueurs de Los Angeles ne sont ni discrets, ni humbles ; lorsqu'ils frappent, ils frappent fort, ils tuent longtemps. À Los Angeles, chaque inconnu rencontré au coin d'une rue ou au bord d'un bar porte en lui les fruits amers d'une violence inconsciente et collective, une violence culturelle qui rôde dans l'air et qui se happe à la descente de l'avion.

Une violence silencieuse, tacite, sournoisement imbriquée dans la mécanique détraquée des choses. À Los Angeles, il ne faut faire confiance à personne.

De la musique, il me faut entendre de la musique pour faire taire ces mauvaises rumeurs dans ma tête. La radio de ma chambre ne marche pas. J'enfile une veste et je me précipite dans la nuit toute en néons.

Le taxi me dépose au coin de La Cienega et de Sunset. Jim Morrison habitait l'hôtel Alta Cienega juste au pied de la côte près du Palais des patins à roulettes. Les lumières folles des marquises dansent autour de moi. Depuis le déclin du disque, les panneaux-réclame sur les toits ont changé d'allégeance et annoncent maintenant les grosses vedettes de cinéma, Travolta et Redford, les cow-boys urbains d'une culture en déconfiture. Deux petites punks aux cheveux roses et verts me tirent la langue de leur vieux char scrappé et manquent de m'écraser. Je trouve refuge dans un de ces magasins de disques qui restent ouverts toute la nuit. Je fais les cent pas le long des allées, passe du classique au country, et cherche désespérément le dernier disque de Tom Waits que je ne trouve pas. Au Whisky à Go Go, l'on présente le groupe X, la nouvelle sensation de la ville ; dignes héritiers de la tradition rimbaldienne, petits-fils des Doors, petits frères des Pistols, ils prônent le dérèglement des sens et la guérilla poétique contre les forces menaçantes de la droite. Ils ont déjà un disque et des ventes de 25 000 dans la ville même. Leur plus belle chanson s'intitule *Johnny hit and run Paulene*, et raconte une histoire d'amour et d'overdose d'héroïne. Seront-ils oui ou non récupérés, seul leur gérant le sait. Pour un groupe qui en vaut la peine, il faut s'en taper cent, mille, dix mille qui n'ont rien à dire, rien dans le coeur et le ventre plein, petits bébés joufflus, bourrés de vitamines, de bière pisseuse et californienne, délavés, dilués par le bonbon fondant de l'American way. Au Starwood, les groupes semblent avoir été conçus en série dans les bungalows de leurs parents-éprouvettes. J'arrive juste à temps pour entendre les borborygmes d'un groupe de punks de plage. Les cheveux rasés plus ras que le crâne, ils laissent voir une légère cavité au niveau du cerveau ; on comprend vite que leur matière grise a été remplacée par une mélasse visqueuse. Chez les punks de plage, les valeurs de la droite réactionnaire triomphent. Tout se passe en bas de la ceinture. Une dizaine de filles ont sauté sur la scène en dansant et elles se font traiter comme des poubelles. Tout le monde trouve cela très drôle, sauf moi. Je ne comprends plus rien à la nouvelle Californie, à celle qui engraisse les punks de plage, à celle qui pousse les acteurs à devenir présidents. Why not an actor ? We've had a clown for 4 years, dit l'affiche. Longue vie à Ronald Reagan. Je reprends la rue. Il est minuit, les grandes tartines d'asphalte sont désertes. J'ai envie d'aller marcher sur Hollywood Boulevard, de poser mes pieds sur les empreintes froides de Humphrey Bogart, de mesurer mes mains à celles de Marilyn Monroe, de marcher sur les étoiles dorées de Mary Pickford, Mae West et Jack Nicholson. Je ne suis pas la seule, nous sommes une bonne cinquantaine à marcher à tâtons dans le noir sous les pagodes du théâtre chinois. Un instant je me réconcilie avec le pays du rêve éveillé, un instant seulement.

Deux heures du matin. Les « single bars » de Santa Monica déversent un flot excité de jeunes propriétaires de yachts de Marina del Rey. Dans le lexique des nouveaux riches, Marina del rey vient juste après Beverly Hills et Malibu. Bo Derek y tient maison avec son grand-père. Tous les beaux brummels bronzés du voisinage ne vivent que pour la rencontrer. En attendant, ils vont danser à Santa Monica et demandent distraitement à leur partenaire si elles aiment « californiquer ». À deux heures du matin, tout est fini au pays de la débilité heureuse. Les rescapés de la soirée, ceux qui n'ont pas de yacht, ceux qui n'ont nulle part où aller, se retrouvent sur la plage. Le sable est froid, la mer est mystérieuse. On peut compter les étoiles et chasser les cauchemars, on peut faire semblant que rien n'existe pour de vrai dans cette ville sans bon sens et cette culture qui a perdu le nord. On peut boire le fond de la bouteille de scotch ou fumer un joint, on peut se jeter à l'eau, on peut faire n'importe quoi. On peut faire ce que l'on veut, mais pas trop longtemps. On peut le faire jusqu'à ce que les deux phares aveuglants de la machine à ratisser le sable nous invite à faire de l'air. On peut refuser et se faire paisiblement écrabouiller par la machine. Mais à deux heures et demie du matin tout est bel et bien fini. Les insomniaques, les dépressifs, les suicidaires et les psychopathes n'ont qu'à se taire. Qui dort ne tue pas.

Trois semaines se sont écoulées. Olivia Newton John chante Magic à tous les quarts d'heure à la radio. Je connais les paroles par coeur et ça me donne le goût de renvoyer. En trois semaines, j'ai cru comprendre que la Californie a beaucoup changé. Après les éclats et les écarts de la révolution, après les thérapies, les contre-thérapies, les be-in et les freak-out, après le Vietnam, nous voilà revenus au point de départ. Les freaks des années 60-70 ont des drôles de petits frères. On fait du jogging, du patin à roulettes, on mange des graines de tournesol et on boit de la grenadine, on appartient à EST, on fait du yoga et on dort avec le betakmax et la machine à cassettes. Les plages sont pleines à craquer d'une belle jeunesse bronzée et en santé, une belle jeunesse qui contrôle sa contraception mais ne modère jamais ses excès. Les convictions sont dépassées, les préjugés aussi. Toujours la même adresse à la cité des limbes*. Entre Ronald Reagan et Jimmy Carter, on n'a même plus la force de croire à Kennedy. La grosse baloune a explosé comme un pétard mouillé, la grande aventure est terminée. Qui aurait cru qu'elle nous laisserait si vides et désabusés ?

Le tapis roulant de l'aéroport est brusquement tombé en panne. C'est la mêlée générale, les valises empilées en désordre forment un édifice instable, les voyageurs se marchent sur les pieds, les gardes de sécurité ne savent plus où donner de la tête et partent dans de longues conversations avec leur walkie-talkie. Que se passe-t-il, où allons-nous, me demande une vieille dame. Je n'ai pas répondu, mais j'ai sauté par dessus le garde-fou. Je ne sais pas où vous vous en allez, mais moi je sais que je rentre chez nous.

---

* Tiré de *Clandestin*, chanson écrite par Pierre Flynn.

Québec-Rock, *septembre 1980*

Sauve qui peut la Californie

Deuxième reportage pour Québec-Rock. Le média déteint ici sur le message. J'ai carte blanche pour écrire ce que je veux. Littéralement. Je n'ai aucun fait scientifique à rapporter, aucun sujet à cerner, aucune grande conclusion à tirer. La liberté totale. J'entre dans ma période bleue. Je cultive avec délectation le désespoir esthétique. Je jette sur le monde un regard inquiet, angoissé, paniqué. Déprimant disent les vendeurs d'annonces. Négatif disent les irréductibles optimistes. Je m'abandonne complètement à mon instinct. Je ne retiens que les atmosphères, les climats psychologiques, les mouvements de foule, les titres des journaux locaux, la vie des autres volée dans un bar ou au coin d'une rue. Je me suis trompée de métier. J'aurais dû être photographe.

Crime et châtiment dans l'arène

C'était mon baptême. Je n'avais jamais de ma vie assisté à un combat de boxe. Je n'avais jamais vu de si près la culture mâle dans sa plus éclatante expression. J'avais de la boxe une image de régression infantile inculquée par Rocky et ses ancêtres dans les films en noir et blanc des années 40. Je me retrouvais donc un peu perdue vendredi soir, pataugeant dans la boue du Stade olympique, trempé et transformé en zone de combat, un peu sceptique à l'idée de voir deux hommes adultes se taper dessus comme des abrutis sous les cris et vociférations d'une meute d'hommes frustrés qu'une bonne vieille peur empêchait d'en faire autant. Je m'expliquais mal qu'on puisse dépenser sans remords 500 $, sortir sa Cadillac, ses fourrures et son smoking pour une sordide bataille de rue, un combat de coqs en dehors du poulailler, une boucherie entre deux apprentis bouchers. J'avais assisté quelquefois au même genre d'exercice à la fermeture de bars, mais j'en avais toujours conclu que les gars qui cherchent la bataille auraient intérêt à chercher conseil aux soins intensifs de la psychiatrie. Quant aux gars qui font cela professionnellement, je reconnaissais à l'occasion qu'ils savaient pratiquer le masochisme avec un certain art.

Assise sur une chaise bancale à quelques pieds seulement de l'arène sous l'oeil fanatique des riches dont la fortune s'avérait pour une fois vaine devant la suprématie des médias, je ne savais trop à quoi m'attendre. Les premiers combats m'avaient passablement ennuyée. La chair molle du poids-lourd Tate m'avait fait saisir la cruelle horreur d'un « gros jambon » qui s'en va à l'abattoir. Je me préparais à piquer un somme lorsque tout à coup la cloche du dernier combat me rappela à l'ordre. Le stade éclairé vira au noir et la foule vira au rouge. Je compris que quelque chose de spécial allait se passer. L'excitation devint tout à coup aussi drue qu'une pluie de balles, aussi puissante qu'une charge de 2 000 volts ; l'excitation franchement malsaine était d'autant plus impressionnante qu'on la sentait venue de loin, enfouie sous des siècles de culpabilité urbaine et pourtant prête à bondir comme un fauve à la première occasion. Lorsque la voix grave du haut-parleur annonça Roberto Duran, qu'un son de tam tam infernal résonna dans le stade et que Duran plongea dans l'arène comme Tarzan dans la jungle, je me mis à doucement paniquer.

La boxe n'était plus le sport débile de machos en mal d'affirmation, mais une cérémonie rituelle et secrète qui appartenait au mystère du théâtre, du vaudou et du coma. L'apocalypse me parut tout à coup très proche. Les 45 000 spectateurs, debout, firent savoir à Duran qu'ils étaient derrière lui. Un journaliste américain me demanda pourquoi les Québécois prenaient pour lui. Les raisons me semblaient évidentes. Les Québécois, c'est bien connu, ont un faible pour les « underdog », pour les petits « bums » de rue qui savent frapper fort pour arriver à leurs fins. Il y a dans leurs gestes désespérés la force vive du peuple qui se venge de sa petite misère, l'absurdité des Don Quichotte qui se battent contre les moulins à vent. Les Québécois n'ont jamais oublié Maurice Richard. Pas surprenant qu'ils huent Sugar Ray Leonard qui fit son entrée sur un rythme disco dilué. Le calme et le cool trop visibles sur ses traits racés ne surent rallier la ferveur du public. La finesse d'esprit, la raison et le pouvoir de séduction font malheureusement piètre figure quand il s'agit de faire lever des foules.

D'instinct, je me ralliai à Duran à cause de son côté batailleur et suicidaire. J'étais perduadée qu'il allait se faire écraser par le Big Business de Sugar Ray, par son jab impérialiste et ses calculs capitalistes. J'avais mal évalué la rage folle de Duran, son désir incendiaire de gagner, son besoin impitoyable d'écraser l'adversaire. Dans la chorégraphie de la destruction sur la piste de danse de la virilité, Duran allait prouver que la technique est impuissante contre la guérilla subversive, impuissante contre l'irrationnalité de la haine.

Debout sur ma chaise, énervée, excitée à mesure que les coups de Duran tuméfient le beau visage de Sugar Ray, à mesure que celui-ci perd son sourire, je me surprends moi-même. Même la pièce de théâtre la plus troublante, le show rock le plus puissant, le film d'horreur le plus frissonnant n'ont pas réussi à me mettre dans des états pareils... Que se passe-t-il, je ne me reconnais plus ! Quelle est cette folie contagieuse, cette hystérie collective qui transforme le public en monstre fumant, en masse menaçante et mercenaire ? Voilà nos plus bas instincts étalés comme des tripes sanglantes sur le comptoir pendant que sur scène deux hommes ouvrent pour nous le tiroir le plus sombre et le plus inquiétant de notre inconscient. Si Shakespeare vivait, il serait probablement commentateur de boxe. La cruauté, le drame, la simplicité foudroyante de cette vie qui se joue là, tout de suite, dans l'arène lui auraient vite fait saisir l'innocence du théâtre. Il aurait compris dans la catharsis que c'est ici qu'elle se joue pour de vrai.

Quatorzième round, un dernier effort. Les coups pleuvent, la foule est une masse suante et hurlante, les hommes ont les yeux rouges et exorbités, les femmes sont décoiffées, les shorts de Sugar Ray ont complètement déteint, la fumée des cigares dessine un halo dangereux autour de l'arène. « L'assassin de Panama » commence à me faire peur, ses gants de boxe qui martèlent la peau luisante de Sugar Ray ont un bruit sourd et mou. Le journaliste à côté de moi jubile à l'idée de ne pas être dans l'arène. Voilà donc que les machos sont devenus voyeurs. Une odeur de mort vient à roder. La boxe me fait penser à une taverne, elle est le vestige croupissant d'une virilité culturelle de plus en plus périmée. Les hommes viennent voir ce qu'ils étaient et ne sont plus, les femmes nostalgiques viennent soupirer avec eux.

La cloche stridente du quinzième round a sonné, les nerfs sont tellement tendus qu'on pourrait en faire des cordes à linge. La confusion la plus complète règne maintenant dans l'arène . Cent personnes s'y agitent comme dans un poulailler. Duran a l'oeil vitreux et agressif du vainqueur. Sugar Ray adopte déjà la mollesse courbée du vaincu. La haine est exorcisée, la guerre est terminée. À minuit, le « combat de la décennie » repose déjà sur l'étagère du passé. Dans les couloirs du stade, les hommes un peu ivres sortent les billets verts et règlent les paris. Le stade, jonché de sacs en plastique verts et éventrés, de chaises renversées, de papiers gras et déchirés, ressemble au dépotoir municipal. Les dieux du stade sont des souillons. Un Américain titubant s'approche de moi. Where's the party ? demande-t-il. Je ne lui réponds pas. Quelque part entre le premier et le dernier round, quand j'ai compris que pour gagner il faut vouloir tuer, j'ai perdu le goût de fêter.

Le Devoir, *le 23 juin 1980*

Crime et châtiment dans l'arène

Ce texte est presque construit comme une pièce de théâtre. Les premières remarques plutôt narquoises portent à croire que le spectacle ne m'intéresse pas et que je suis seulement venue pour vérifier la teneur de mes préjugés. En cours de route toutefois, je change de direction et je me laisse complètement aspirer par l'événement. Je perds tout sens critique, je plonge dans l'action, je participe, je suis fascinée par le drame, par la théâtralité qui se déroulent devant moi. Au troisième acte, je désenchante doucement, mon enthousiasme s'effrite, je retrouve mes esprits, je reviens à la raison. La conclusion n'est pas une condamnation en bloc mais une sorte de mise en garde. La boxe a failli m'avoir, mais c'est peut-être moi au bout du compte qui l'ai eue.

Les bébés de la boxe

Il est près de trois heures, dans la nuit de dimanche à lundi. Le dernier film de la soirée vient de prendre fin et le sommeil ne vient toujours pas. Vous tournez les postes du convertisseur machinalement. L'image neigeuse de l'écran de télévision vous regarde abstraitement sans sourciller. Un dernier petit tour de cadran, juste au cas. Le câble vient vous sauver la vie. Chaque dimanche soir aux environs de trois heures du matin, le canal 9 présente des combats de boxe amateur.

Vous regardez d'abord d'un oeil distrait, heureux de retrouver une image en guise d'antidote à l'insomnie. Au bout de deux minutes, vous vous rendez compte que le combat est bizarre, vous clignez des yeux pour dissiper le malaise mais en vain. Quelque chose ne va pas. Les proportions des personnages ne sont pas normales, les boxeurs sont trop petits, leurs mouvements un peu mous semblent dépourvus de coordination. Vous regardez de plus près. Les boxeurs ne sont pas des nains, ce ne sont pas des adultes qui ont rétréci au lavage, non, les boxeurs sont des enfants. Ils ont entre 8 et 11 ans...

« Martin a découvert la boxe en regardant la télévision. Il a vu que les boxeurs avaient son âge. Il est venu me trouver et m'a demandé de lui acheter des gants de boxe comme à la télévision. J'ai trouvé que c'était une bonne idée », raconte la mère de Martin. Cela fait maintenant près d'un an qu'elle accompagne son fils trois fois par semaine chez l'entraîneur et qu'elle suit avec intérêt ses progrès dans le parc d'amusement de la boxe amateur.

La mère de Martin ne connaît pas les symptômes de la peur et n'est pas le moindrement nerveuse quand elle voit son fils de dix ans bondir dans l'arène prêt à tomber sous les coups de son adversaire. « Il n'y a aucun danger, soutient-elle, les enfants portent des casques et des protecteurs bucaux. Lorsque le combat devient trop violent, l'arbitre est là pour empêcher les enfants de se blesser. » Non seulement reste-t-elle incroyablement calme, mais elle avoue même aimer voir son fils se débattre comme un déchaîné. « Je le trouve bon, agressif, il sait se défendre, il a du caractère. En un an, il n'a connu que deux défaites. Ça s'est passé une première fois au Parc Belmont, le combat n'était pas égal, l'adversaire était trop fort. Ce jour-là, Martin s'est mis à pleurer. Je lui ai dit qu'un boxeur ça ne pleurait pas. Si tu veux boxer, retiens-toi ! Il n'a jamais plus pleuré depuis », raconte-t-elle fièrement.

Du temps de Shirley Temple, toutes les mamans du monde, celles du Québec y compris, voulaient des petites filles blondes et bouclées qui danseraient la claquette et deviendraient les vedettes de cinéma qu'elles n'étaient jamais devenues. Plus tard, les papas se mirent de la partie. Au Québec, leur coeur ambitieux eut l'embarras du choix et puisa à même un vaste réservoir de modèles allant de Maurice Richard à Jean Béliveau, de Guy Lafleur à Joselito, sans oublier l'enfant du bonheur, René Simard. Le hockey et le showbizz se classèrent exaequo au premier rang dans le panier à probabilités de la succession. Mais les Olympiques et la belle performance du jeune Sugar Ray, les déboires d'Eddie Melo et le combat Leonard-Duran au stade vinrent modifier certains classements dans le coeur des parents. La boxe, amateur et professionnelle, pour les petits comme pour les grands, changea tout à coup de camp...

Aujourd'hui sur les 800 membres qui composent la Fédération québécoise de boxe amateur, 40 % sont des boxeurs juniors entre 11 et 18 ans. Même si les « bébés » de la boxe ne peuvent pas officiellement boxer avant 11 ans, ils peuvent néanmoins dès 7 ans commencer à faire des combats d'exhibition dans le ring. Le combat d'exhibition est un exercice où les deux adversaires ne cherchent pas à gagner ou à s'écraser mutuellement mais à évaluer leur technique. De loin cependant, un combat d'exhibition ressemble à un combat normal. Les petits boxeurs qui croulent sous le poids de leurs gants ouatés se donnent de temps à autre des coups solides qui les ébranlent quelques secondes et entraînent souvent un traumatisme léger, plus communément appelé saignement de nez. Selon différentes autorités, ces saignements de nez sont innocents et ne lèsent en rien la respiration ou encore l'odorat des enfants. Selon certains entraîneurs, il serait d'ailleurs préférable que l'enfant se casse le nez une fois pour toutes afin d'éviter ces saignements déplaisants et fort salissants.

Dans le gymnase humide au troisième étage du club de boxe Champion, le club de la célèbre famille Hilton, Éric Huard saute à la corde avec acharnement, une petite grimace de douleur dessinée sur son visage. Il est vêtu d'un short blanc en simili-satin qui laisse dépasser deux petites cuisses de grenouille. Son chandail rouge porte l'inscription « futur Melo ». Éric Huard a huit ans. Il est en troisième année à l'École Saint-Gabriel-l'Allemand à Villeray. Il vient s'entraîner dans le nord de la ville trois ou quatre fois par semaine et a déjà participé à quatre combats d'exhibition. « Je fais de la boxe à cause d'Eddie Melo, ma mère trouve que je lui ressemble. J'ai été le voir un soir avec mes parents au Centre Paul Sauvé. C'est lui qui a gagné. C'est là que j'ai décidé que je voulais boxer et devenir une vedette. Melo c'est mon préféré, je veux être un boxeur professionnel comme lui. Si la boxe ne marche pas, je deviendrai garagiste comme mon père. »

À cinq heures, dans l'atmosphère torride du gymnase, au

club de boxe Champion, les activités battent leur plein. Les apprentis boxeurs, surveillés par des entraîneurs qui ressemblent tous à Flagosse Berrichon, s'entraînent avec ardeur dans le vacarme des poings qui cognent et des pieds qui trépignent. Une vingtaine de jeunes boxeurs à l'air concentré sautent sur place, se battent avec le vide ou encore s'exténuent aux appareils devant une rangée de soeurs, de blondes et d'épouses qui les regardent suer avec admiration. Le culte du mâle sanctifié reprend ici sa place et sa raison d'être.

Madame Hilton, épouse du célèbre entraîneur et mère de cinq boxeurs, est assise en silence au milieu de ses consoeurs. Elle trône comme la reine-mère avec le sourire averti d'une femme d'expérience. Elle regarde Jimmy, 9 ans, essayer de perdre les livres qu'il a accumulées au cours des fêtes. Madame Hilton vient tous les jours au club de boxe suivre l'entraînement de ses fils. « La boxe, je crois qu'ils ont ça dans le sang, dit-elle. Ils ont essayé d'autres sports, le hockey, le football, mais ce n'était pas la même chose. Moi, j'aime ça aussi, ça me rapproche de ma famille. Au moins je sais où est mon monde, j'ai pas besoin de courir la ville pour les trouver. La boxe, ça finit par leur calmer les nerfs. »

Elle raconte aussi qu'à force de rester assise dans le club et de regarder ses fils brûler leurs calories, elle a eu le goût elle aussi de faire de l'exercice. « Un été, ils sont tous partis à un combat en Irlande. J'ai profité de leur absence pour m'inscrire chez Silhouette. J'ai perdu 20 livres. À leur retour, ils n'en revenaient pas. Pour fêter ça, je leur ai préparé leurs plats préférés, du spaghetti et de la lasagne. J'ai évidemment très vite repris mes 20 livres. »

Jimmy Hilton, le plus jeune des cinq frères, a le visage criblé de taches de rousseur et une passion dévorante pour la boxe. Son regard pétillant s'illumine dès qu'il est question de boxe. Rien d'autre ne l'intéresse. Malgré ses problèmes de poids, il veut boxer comme Roberto Duran. « J'ai vu mon père boxer, mes frères boxer, ça m'a donné le goût. Je viens ici tous les jours après l'école. Je n'ai pas le temps d'aller jouer avec mes amis, de toute façon j'ai des choses plus importantes à faire. Quand je ne m'entraîne pas, je regarde la télévision ou des fois j'aide ma mère dans la cuisine, j'aime la regarder cuisiner, j'aime l'aider, pas parce que je suis efféminé mais surtout parce que j'aime manger. Si je ne deviens pas boxeur, j'aimerais être docteur ou police. »

Tous les vendredis soirs, à l'aréna Pierre Charbonneau dans le nord de la ville près des bâtiments olympiques, 200 spectateurs se retrouvent sous la lumière blafarde d'un gymnase autour d'un ring. Le docteur Meunier, un barbu en manteau de lynx, arrive une heure avant les combats pour peser les jeunes boxeurs et s'assurer qu'ils sont en bonne santé. Dans l'attente, les membres du jury prennent leur place à droite du ring tandis que les caméras d'Intervision ajustent leur foyer. « La boxe c'est moins violent que le football ou le hockey, raconte le directeur d'Intervision, responsable des sports au canal 9. Les gants de boxe pèsent dix onces et les petits gars ne peuvent pas vraiment se faire mal. Ça leur permet juste de sortir leur agressivité naturelle. Vaut mieux la passer là que de la passer dans la rue en faisant des mauvais coups. »

C'est pour ces raisons-là que de plus en plus de parents encouragent leurs enfants à pratiquer le sport, parce que la boxe développe le caractère et forme les vrais hommes sans peur et sans reproches. Au canal 9, les combats de boxe amateur sont les émissions sportives qui vont chercher la plus haute cote d'écoute. De plus, la boxe amateur attire sur place un public grandissant. « Deux cents personnes un vendredi soir pour du sport amateur, c'est quelque chose, explique le directeur d'Intervision. C'est pas le monde le plus riche en ville, c'est pas ça non plus qui va relever le niveau intellectuel de la population, mais ça répond à un besoin. »

Dans le ring rouge et bleu du centre Pierre Charbonneau, deux petits boxeurs de 11 ans pesant chacun à peine 70 livres se regardent méchamment tandis que le thème de *Star Wars* sort des haut-parleurs. Carol Picard, un beau petit blond aux yeux en amande, vient de Hull, son adversaire Ronald Lessard vient de Laval. Les trois rondes ne durent qu'une minute et demie. Il est clair au départ que Picard, qui a déjà dans le corps près de six combats, a plus de force de frappe que son adversaire. « Encouragez-le ! » crie l'entraîneur à ses apprentis-champions. Ceux-ci obéissent immédiatement. « Allez Pic, t'es capable, crèves-y un oeil, montre-lui que t'es un homme ! » L'ami de Pic, qui a gardé sa robe de chambre cramoisie même s'il ne se bat pas aujourd'hui, s'approche du ring et prend une photo de son copain en pleine action. Deux minutes plus tard, tout est fini. Pic descend du ring avec le sourire béat du vainqueur, un petit trophée de plastique au creux de sa main.

« Dans la boxe, plus on commence jeune et plus on a la chance de devenir un bon boxeur, explique Yvon Michel de la Fédération québécoise de boxe amateur. À cet âge-là, c'est pas vraiment de la boxe, c'est de l'entraînement. Monter dans le ring à 11 ans ça prend du courage, il faut savoir surmonter un certain stress. C'est bon pour le développement de la motricité et de la coordination, c'est bon pour le défoulement aussi. » Il n'est évidemment pas question dans notre conversation des valeurs douteuses et sexistes inculquées aux petits garçons qui se prennent déjà pour des petits machos, pas plus qu'il n'est question de la violence et de l'agressivité qu'un enfant doit puiser en lui pour monter dans le ring et se battre. Au dire de tous, la violence fait partie du quotidien des enfants.

« Moi, j'aime mieux me battre dans le ring que dans la rue, explique Pic. Dans la rue, il n'y a pas de règlements. J'aurais pu pratiquer d'autres sports, le hockey, par exemple, mais il n'y a pas assez d'action. Je suis peut-être sadique mais au moins je me fais du fun. »

Ce soir, Pic ira manger des hots dogs avec le gars de son club avant de faire trois heures de route pour rentrer chez lui. Les voyages dans la camionnette du club font partie de l'aventure. Un été, Pic a fait le tour de la province puis est allé se battre à l'Île-du-Prince-Édouard. Pic n'a pas encore perdu un seul combat et il n'a pas hâte que ça lui arrive. Ce soir, sur la route entre Montréal et Hull, il rêvera à son prochain combat et répétera machinalement les coups qu'il a portés et ceux qu'il a reçus, fier d'avoir su se battre comme un homme et d'avoir gagné. Demain, quand il se réveillera, le nez bouché, la tête un peu enflée et les muscles lourds, il comprendra qu'il faut parfois payer pour appartenir au club privilégié des vainqueurs...

Le Devoir*, le 7 février 1981*

Les bébés de la boxe

Retour au demi-monde de la boxe. Les bébés boxeurs sont un prétexte idéal, quoique vaguement malhonnête, pour questionner les vestiges de la virilité culturelle que la société perpétue d'une génération à l'autre. La boxe est le spectacle d'un sexisme qui ne s'attrape pas juste au club de boxe Champion. Je m'en sers comme symbole pour illustrer un point de vue. En m'attardant aux enfants, je souligne l'absurdité de ce théâtre de la cruauté. J'aurais pu m'intéresser aux enfants qui jouent au hockey, mais voilà, la boxe exerce une drôle de fascination sur moi.

La dernière danse des phallocrates

Coin Sanguinet et Sainte-Catherine, une file d'une cinquantaine de personnes attend en grelottant à 20 degrés sous zéro. La nuit est noire, bordée de frimas. Seuls les néons ont encore la force de se prendre pour des étoiles. C'est mardi soir, un soir comme un autre dans l'est de la ville. La file où l'on remarque une curieuse majorité de femmes n'étonne pas les passants. Elle est devenue un spectacle courant sept soirs par semaine, coin Sanguinet et Sainte-Catherine. Depuis le 14 avril dernier, la file n'a pas diminué, au contraire. De soir en soir, la file va en augmentant...

Le centre d'attraction s'appelle le Club 281, anciennement le Café Abitibi, un célèbre café dont il fut amplement question pendant les audiences de la CECO. Depuis les multiples résurrections de la CECO et l'éclipse miraculeuse des frères Dubois, le Café Abitibi a fait peau neuve grâce aux astuces de son propriétaire, Franz Delisle, un Abitibien de 48 ans dont le seul vice avoué est d'aller à la pêche en pilotant son propre Cesna. Au rythme où vont les affaires, M. Delisle risque bientôt de piloter son propre 747 ! Son club de 192 places est rempli à craquer chaque soir jusqu'à 3 heures du matin. La fin de semaine, il est obligé de refuser du monde.

Au Club 281, un maître d'hôtel en tuxedo accueille les clientes et les fait asseoir parmi les tentures rouges et les éclairages tamisés qui donnent à l'endroit un air de salle à manger. Les femmes sont ici chez elles. Les hommes ne peuvent franchir le seuil du sanctuaire que s'ils sont accompagnés d'une femme, autrement on leur ferme la porte au nez. Les femmes ne viennent donc pas ici pour rencontrer l'homme de leur vie, mais plutôt pour reluquer le « go-go boy » de leur vie qui chaque soir danse flambant nu pour elles. Le club compte 25 danseurs employés à la semaine. Cette banque de danseurs assure le roulement d'une douzaine de danseurs par soir. Pour tous les voir danser, il faut compter trois heures à siroter un gin gimlet sucré à 3,50 $. Les danseurs sont jeunes, beaux, bien faits et bien équipés. Le principal prérequis selon le patron c'est évidemment qu'ils soient « bien équipés », sans cela les clientes se moquent de leur petite envergure et rentrent chez elles déçues.

Moyennant un clin d'oeil et un beau 5 $, frais et croustillant, le danseur vient à la table de la cliente, place son tabouret à quelques pouces de son nez et entame son numéro qui consiste principalement à faire aller son pénis comme un lasso en lui chuchotant des petits mots doux et rassurants. Tandis que la cliente, qui à ce stade-ci est sur le point d'avoir une apoplexie, éprouve une certaine difficulté à respirer, le danseur gigote devant elle avec les raffinements d'un tortionnaire professionnel. Déposant sa petite culotte sur l'épaule frémissante de la cliente, il commence sa lente et froide descente aux enfers en ayant soin de rester toujours très près du visage de la sacrifiée. La torture dure un maximum de deux minutes. Après la fin de la chanson, le danseur remet sa culotte comme s'il venait de se brosser les dents, collecte le 5 $, ramasse les verres qui sont tous étrangement vides et prend une nouvelle commande. À ce stade-ci, les clientes sont toutes très silencieuses et très recueillies. Elles viennent après tout d'assister à une drôle de cérémonie. Après 2 000 ans d'asservissement aux désirs du maître, voilà enfin le maître détrôné au service de son esclave. Mais « détrôné » est peut-être un bien grand mot...

« Depuis le début des temps, les femmes ont toujours dansé

nues pour les hommes, il était grand temps qu'on commence à danser nus pour elles », explique Richard, 25 ans, go-go boy depuis un an malgré son petit corps tatoué et son sympathique sourire édenté. Comme tous les go-go boys, Richard danse pour l'argent. Trois soirs par semaine, il danse au Olympic Bar sur Saint-Laurent. Les quatre autres soirs, il danse pour les hommes au Hawaïan Lounge rue Stanley, en plein coeur du quartier gai. « C'est un métier comme un autre, dit-il, un métier très payant. » Malgré ses grandes idées d'égalité féministe, Richard avoue qu'il connaît mieux son métier que ses consoeurs topless. « Je ne fais pas rien que danser comme les filles, je donne des shows, moi. Un homme doit toujours en mettre deux fois plus qu'une femme. Moi, je calcule que je suis bien meilleur qu'une danseuse. Au moins j'ai l'air de croire à mon affaire, moi », dit-il.

Ces déclarations pourraient aussi bien faire partie de la convention collective des go-go boys en mal de reconnaissance qui veulent bien se déshabiller à condition d'être considérés comme des « artistes ». Je ne suis pas un objet, dit Luc, 27 ans, du haut de ses muscles rutilants et de sa lourde quincaillerie de chaînes en or. « Je suis un homme avec un beau corps. Les femmes rêvent d'un gars comme moi et moi je les aide à mieux rêver. Je leur donne 3 minutes de mon temps, 3 minutes où je m'intéresse juste à elles », dit-il sur un ton indigné. Inutile de préciser que 3 minutes d'attention dans la vie d'un go-go boy c'est énorme, surtout pour 5 $.

Dans la vaste salle parfumée où percent parfois des éclats de rires gênés, les femmes viennent rarement seules. Elles arrivent en groupes, en autobus même, après le bureau, après les cours du soir, les ateliers de macramé et les séances de tupperware. Elles viennent de toutes les classes sociales, de toutes les professions et de toutes les générations. Elles viennent prendre deux verres, rire, regarder, comparer, puis rentrent chez elles, le plus souvent seules. Les plus intrépides essayent d'accrocher un danseur à la fin de la soirée. Mais la politique du club est formelle à ce sujet-là. « Les gars n'ont pas le droit de fraterniser avec les clientes, ils doivent circuler tout le temps. Quant à ce qu'ils font après les heures de travail, ça c'est leur affaire », dit le propriétaire.

Les mauvaises langues parlent de prostitution très lucrative, mais les go-go boys préfèrent ne pas trop élaborer sur le sujet. « Les premiers mois où j'ai commencé à travailler ici, je ne refusais pas les offres. On faisait des concours avec les gars, c'était à qui en accrocherait le plus. Au bout de trois mois, on s'est écoeurés. C'était toujours la même chose, on était épuisés. Maintenant j'aime bien mieux rentrer dormir tranquille chez moi avec ma blonde. » Ce même go-go boy a néanmoins la perspicacité de ne souffler mot de sa blonde aux clientes. « Si je dis que je sors avec une fille, je vais perdre la moitié de mes clientes et je vais faire trois fois moins d'argent. J'aime autant qu'elles s'imaginent que je suis disponible et qu'elles vont peut-être m'accrocher à la fin de la soirée. »

La clef du secret c'est finalement de faire semblant et de vendre du vent sous les plus séditieuses apparences. Au Club 281, comme à la dizaine de clubs du genre qui commencent aujourd'hui à proliférer avec un certain succès (Chez Mado, le Bar Olympic, le Hawaian Lounge), les go-go boys sont les symboles éloquents de la société phallocrate. Petits machos déguisés en divertisseurs, ils offrent un érotisme clinique, complètement désincarné. Érigeant leur sexualité en véritable monument, ils attendent respect et vénération. Ils ont l'attitude contraire de leurs consoeurs topless qui, elles, acceptent avec passivité et en baillant d'être les objets sexuels publics. Les go-go boys continuent, eux, à travers le marchandage de leur corps, à s'accrocher aux derniers vestiges de la fierté virile. Ils refusent d'être au service de leurs clientes. C'est pour cela qu'ils s'acharnent tous à répéter qu'ils ne sont pas juste des danseurs mais qu'ils « donnent des shows ». C'est pour cela aussi qu'ils servent aux tables sans conviction, comme si la tâche était indigne de leur talent. Même au fond de leur nudité, au milieu de leurs mouvements soi-disant lascifs et invitants, ils restent en contrôle complet de la situation. Refusant d'être des hommes-objets, ils continuent à perpétuer leur domination sexuelle sur les femmes autour. Ils ont en fait repris leur place de maître et seigneur sur le petit tabouret en forme de trône.

« Ce qui est bien, c'est que les gars font preuve d'imagination. En fait, ils se prennent tous pour des vedettes », raconte le propriétaire. Il suffit d'imaginer une go-go girl dansant avec la « même imagination » que ses confrères. On ne dirait pas d'elle qu'elle donne une belle performance, on dirait plutôt qu'elle incite au viol. Les go-go boys ont cet avantage capital sur leurs consoeurs. Ils savent qu'ils seront toujours plus forts que le désir de leurs clientes. Ils savent qu'ils ne se feront jamais violer.

Au Club 281, les femmes n'ont pas le droit de prendre des photos des danseurs, même si les photographes qui travaillent dans les journaux le peuvent. Interdiction également de prendre des photos des clients au cas où ceux-ci seraient accompagnés de partenaires qui ne sont pas leurs épouses attitrées. Le règlement n'est pas valable pour les clientes qui, aux dires des patrons, ne sont sans doute pas assez émancipées pour être en compagnie compromettante. On comprend très vite que dans ce paradis de la libido libérée, le mépris de la femme continue à pousser de façon débridée. Une fois de plus, les femmes sont condamnées à la passivité béate et admirative. Elles peuvent regarder avec des yeux grands ouverts, elles peuvent avaler leur cerise, s'étouffer dans leur verre, tomber dans les pommes, délirer sur l'objet secret de leur désir, elles peuvent tout faire, mais interdiction de toucher. Lorsque les fins de semaine, les mains déliées deviennent baladeuses, les danseurs rappellent les clientes à l'ordre. Poliment mais fermement.

Qui du danseur ou de la cliente domine l'autre ? Nul ne sait. Si le jeu se joue à deux, ce sont cette fois les femmes qui y passent leur paie dans un marchandage mis au point par les hommes. Car ce sont eux qui ont institué l'érotisme en tant que produit de consommation. Ces spéculateurs du sexe viennent simplement de découvrir un nouveau marché qu'ils alimentent de leurs propres fantasmes. Ceux qui croient qu'il s'agit de libération sexuelle ou de révélation esthétique se font de belles illusions. La glorification du corps masculin au 281 ne couvre finalement qu'un seul attribut, la belle pièce du boucher dans la vitrine prospère du marché de viande.

Les gars qui, il y a un an, sont venus frapper à la porte du 281 Sainte-Catherine avec 2 $ en poche et des jeans troués, roulent aujourd'hui en Corvette et se font des salaires entre 600 $ et 1 500 $ par semaine sur le dos des clientes. Certains d'entre eux flambent leur argent l'après-midi, d'autres le mettent de côté pour les jours plus creux où leurs corps d'Apollon ne feront plus frémir ces dames. En attendant, les go-go boys sont aujourd'hui la sensation de l'heure. Les femmes font la file pendant des heures juste pour leurs charmes. Avec leur panache et leur grande dévotion anti-érotique, ils font rouler la machine du plaisir industriel, éclipsent leurs consoeurs maintenant démodées et rient très fort en se rendant chaque jour à la banque...

Le Devoir, *le 14 février 1981*

La dernière danse des phallocrates

Le phénomène des go-go boys a piqué ma curiosité. les longues files de femmes gloussantes m'intriguaient. Qu'allaient-elles donc chercher ? Il fallait que j'aille voir de plus près.

Je fus d'abord profondément troublée. Mon trouble émanait d'un dépaysement culturel. Malgré toutes les belles révolutions sexuelles, ma condition de femme m'avait maintenue en servage et privée d'un spectacle auquel les hommes avaient accès depuis des décennies. En rencontrant les go-go boys, je fus doublement ulcérée de constater qu'ils n'abordaient pas leur métier avec la passivité résignée de leurs consoeurs go-go girls mais avec une sorte de virilité triomphante. Il fallait à tout prix dénoncer l'imposture.

En rentrant au journal, j'opte pour un texte descriptif dans lequel les go-go boys se calent eux-mêmes par la prétention de leurs propos. Le texte est passé au peigne fin à cause de la nature un peu « spéciale » du sujet et jugé trop descriptif et pas assez virulent. Je récidive avec un deuxième en adoptant cette fois une position nettement plus morale.

Prévu pour la une du cahier Culture et Société, il est retiré à la dernière minute et placé dans une page secondaire avec une photo format timbre-poste. Le lundi suivant, une lettre de protestation m'attend dans le coin des lecteurs pour me rappeler que le journal de l'élite n'a pas d'affaire à se salir les mains avec des sujets aussi scabreux...

Le retour de Jean-Baptiste

Les temps changent mais l'histoire se répète. On a déterré Duplessis, on a sorti les Plouffe du placard, il ne restait plus qu'à réhabiliter Jean-Baptiste, douze ans après son immolation sur la place publique, rue Sherbrooke. Mais Jean-Baptiste n'est plus un enfant et ne se laisse plus faire aussi facilement qu'avant. Sa barbe a fleuri, ses jambes ont poussé comme des autoroutes. Il nous regarde maintenant du haut de ses neuf pieds et demi, tout seul sur son piédestal, sans ses précieux moutons, sa main gauche levée vers le ciel en un geste mélodramatique pour annoncer la vengeance des dieux, une figure de carton qui, avec le temps, a perdu sa correspondance avec le Québec d'aujourd'hui. Il nous regarde de ses yeux figés d'icône nationale, l'air de dire « C'est pas de ma faute, the show must go on... »

Les jours se suivent mais ne se ressemblent pas. Les fêtes aussi. 24 juin 1924. Dans ce tout premier défilé de la Saint-Jean, le Québec fête « ce que l'Amérique doit à la race française ». Jean-Baptiste est petit mais ses moutons sont imposants. 24 juin 1968, on fête le Québec de 68, la révolution culturelle, l'expansion industrielle, le Québec en pleine modernité cherchant à s'affirmer à travers la confrontation. Trudeau, debout devant les projectiles, comme David dans la fosse aux lions. Montréal voit rouge, la police aussi. 24 juin 1975. Jean-

Baptiste et ses moutons sont morts, les défilés sont chose du passé, les Canadiens sont victorieux, le PQ s'apprête à prendre le pouvoir. Montréal pavane devant le pays, patauge dans la bière et piétine son agora principale. Cinq grands font face à 350 000 petits. 24 juin 1980. C'est la fête au pays, tout le monde est important. Le référendum est à l'eau, il pleut à boire debout. Le moral est au plus bas. On parle déjà d'une dernière pour la fête nationale. Mais mine de rien, Jean-Baptiste veille au pain béni.

Juin 1981. Les conférences de presse se suivent et se ressemblent toutes. Elles annoncent le grand bal des revenants, le retour du défilé et de Jean-Baptiste, le retour des gros shows à gros déploiement, le retour des gros cachets, la mégalomanie exacerbée des organisateurs qui veulent à tout prix en mettre plein la vue à tout le monde, à n'importe quel prix.

D'abord le défilé : quinze chars allégoriques portant sur le thème des « forces vives du Québec », conçus et dessinés par l'évangéliste du papier, Claude Lafortune. Sa barbe grise ressemble à celle de Lanza del Vasto. Ses propos sont pacifiants et ses poupées de papier ont la candeur des enfants de maternelle. Devant les couleurs harmonieuses, les formes rondes et accueillantes, les Québécois seront contraints de retomber en enfance dimanche sur la rue Sherbrooke, alors que pour la première fois dans l'histoire du défilé de la Saint-Jean, les chars voyageront d'ouest en est. Les enfants seront les rois de la fête. Ils nous feront oublier les matraques des années précédentes. Ils lanceront des cerfs-volants en hommage au Québec de demain. « C'est la fête de tout le monde, dit Lafortune, et la fête, ça n'a rien à voir avec l'âge, la race ou l'option politique. Nous avons systématiquement refusé de jouer une option politique plus qu'une autre. Nous voulons un défilé simple parce que la vie est simple et que les Québécois sont beaux. Après tout, il n'y a pas de mal à se trouver beaux. C'est mieux que de chercher à se détruire. »

L'évangéliste, qui n'est ni prêtre ni prophète, est un élément clé dans l'organisation de la fête nationale. Il fait partie avec Jean Bissonnette et Jean Fournier du triumvirat de la réforme en douce. Sa vision pure et chrétienne du Québec, reflétée à travers l'innocence et la naïveté de ses personnages, saura calmer les esprits rebelles. Ceux-ci n'auront qu'à allumer un lampion et à faire leur acte de contrition si jamais il leur vient l'envie d'envoyer Jean-Baptiste et ses acolytes promener. Les révoltes culturelles et les grands soulèvements populaires ne seront pas à la mode cette année. La police spirituelle de l'État et de l'Église sera là pour les contrôler. Les Québécois n'auront qu'à se taire et à regarder les beaux chars passer...

Dans le Vieux port, le 23 au soir, ils recevront un autre cadeau pour les apaiser, Diane Dufresne en panorama dans un gâteau de 350 000 $. Si les chars en aluminium s'entendent bien ensemble, on ne peut en dire autant de la fraternité des artistes et producteurs montréalais. Dans le milieu, les chicanes intestines vont bon train depuis un mois. On parle de patronage bien entendu, de jeux de coulisses. On en veut à Diane Dufresne de faire sa prima donna, de se prendre pour une grande vedette internationale et de récupérer l'esprit de la fête pour mousser sa propre publicité.

« Ce show-là va lui apporter la plus grande consécration de sa carrière, c'est un cadeau que lui font les Québécois », déclare un producteur en colère. Celui-ci se plaint également du fait que les producteurs impliqués dans le dossier de la fête en profitent pour faire passer leurs intérêts personnels avant ceux de la collectivité. Jean-Claude L'Espérance, le producteur délégué du spectacle du Vieux Port affirme que la situation est inévitable. « Le milieu est petit, compétitif, beaucoup d'intérêts sont en jeu. »

Les trois autres artistes, qui feront en quelque sorte la première partie du spectacle de Diane Dufresne, n'ont ainsi pas été choisis pour leurs beaux yeux. Les trois appartiennent au catalogue de Gilles Talbot, président de Kebec Disc et producteur du spectacle. Si Dufresne et Garolou rejoignent un public considérable, on ne peut en dire autant de Fabienne Thibeault et de Michel Rivard, les heureux gagnants de la relève éternelle. Gilles Talbot étant le gérant personnel de Fabienne, il est naturel qu'il cherche à la protéger et à lui fournir le meilleur tremplin possible pour sa carrière. Quant à Michel Rivard, il remplace au pied levé Paul Piché qui s'est désisté à la dernière minute. Piché, qui est presque aussi populaire que Dufresne chez la jeune génération, était prêt à faire la première partie de Dufresne, mais il voulait que tout le monde soit traité sur le même pied d'égalité au niveau des cachets et que Dufresne accepte de se joindre au groupe pour la grande finale collective. Dufresne, qui selon certaines remeurs touchera des honoraires de l'ordre de 25 000 $, refusa. Piché se retira du programme. Le 23 au soir, il chantera à Dorval.

Pendant que les répétitions vont bon train dans trois salles de la ville, les questions demeurent. Les coûts faramineux du spectacle, instrument principal de la propagande nationale, en laissent certains songeurs. Pourquoi n'y a-t-il pas eu de soumissions ? « Il y a eu des présentations, répond le président de la Corporation nationale, Claude Himbeault. Cette année, nous avons préféré faire affaire avec des individus plutôt qu'avec des compagnies. Nous avons choisi le projet qui semblait coûter le moins cher. » Le moins cher ?

En 1979, *Sur le gazon, sous les étoiles,* une superproduction au Parc Jarry mettant en vedette 9 artistes et groupes québécois, coûta à ses producteurs 187 000 $. « À ce prix-là, on roulait en cadillac avec le meilleur système de son en ville, des techniciens de l'Union et une scène qu'on avait fait venir spécialement de Los Angeles », raconte un des producteurs.

Cette année, le gros spectacle du Festival d'été de Québec sur les Plaines d'Abraham, mettant en vedette Diane Dufresne, Yvon Deschamps, Gaston Mandeville accompagnés de 10 musiciens, coûtera au festival 52 000 $. « Nous autres on est morts de rire, déclare une permanente de l'organisation du festival. La fête nationale c'est la vache à lait annuelle de bien des fournisseurs. Tout se fait à la dernière minute, l'infrastructure est très compliquée. Nous, nous réduisons les coûts en faisant affaire avec les soumissionnaires, nous-mêmes, sans passer par les intermédiaires, c'est plus simple et ça coûte moins cher. Notre organisation assure de plus une permanence annuelle, ce qui nous évite de tout recommencer à chaque fois. »

Dans le Vieux port, cette année, il faudra repartir à zéro, construire une nouvelle scène parce que celle qui a été construite il y a à peine deux ans pour les fêtes avortées du Canada, a été démolie sans jamais avoir servi, clôturer le terrain, faire entrer une flotte complète de générateurs. Les compagnies d'éclairage et de son en profiteront pour majorer leurs prix parce que l'équipement, ces jours-ci, se fait rare et que les organisateurs sont désespérés. Le spectacle dans le Vieux port sera gratuit, mais les Québécois l'auront payé d'autant plus cher qu'il sera à la mesure d'hommes orchestres qui prennent leurs rêves de grandeur pour des réalités.

Jean-Baptiste, lui, pourra toujours rire dans sa barbe du haut de son promontoire à l'Oratoire. L'histoire ne nous apprend rien, sinon que nous ne faisons que répéter les erreurs du passé. Les Québécois qui, en 1969, ont piétiné Jean-Baptiste pour signifier aux autorités qu'il était temps de faire le grand ménage dans les symboles grandiloquents et les clichés, ont eu tort d'espérer. Douze ans plus tard, le ménage n'a toujours pas été fait.

Le Devoir, *le 20 juin 1981*

Le retour de Jean-Baptiste

Ce texte à mi-chemin entre le reportage et le commentaire est presqu'un éditorial en soi. Je l'ai sélectionné parce qu'il préfigure le scandale de la fête nationale. Je procède ici par pure intuition. Je ne détiens aucun fait incriminant, je n'ai aucune preuve à l'appui, je n'ai ni le temps, ni les moyens, de faire enquête mais j'ai le sentiment que quelque chose est louche.

Ce genre de texte n'a évidemment aucun impact, aucune incidence sur les pouvoirs en place, comme devait en avoir plus tard l'enquête de Michel Girard à La Presse. *Ce n'est peut-être pas son but de toute façon. Ce texte apporte une note discordante au concert, quelques minutes avant que l'on découvre que tout l'orchestre joue faux.*

Journées grises de Gdansk Les temps sont durs, vous savez...

À l'occasion d'un festival du cinéma dont elle a déjà rendu compte dans nos pages culturelles, Nathalie Petrowski a fait récemment un séjour à Gdansk, grande ville portuaire de Pologne que l'action de Solidarité a rendue familière. Elle rend compte de ses impressions.

Le traversier qui prend 25 heures pour aller de Helsinki à Gdansk est vide. Trente-cinq pasagers au plus s'y retrouvent perdus et dispersés à travers un désert de moquette rouge et de murs bleus capitonnés. Début septembre 81, un an après les désormais légendaires grèves du chantier naval Lénine qui ont éprouvé l'empire soviétique et profondément ébranlé la société polonaise. Par le hublot embué, le traversier avance lentement, sous le ciel à perpétuité triste de l'est, dans les remous à peine perceptibles de la Baltique blafarde. Hier, 100 000 soldats soviétiques se sont entraînés sur cette même mer dans le plus spectaculaire déploiement de manoeuvres militaires soviétiques depuis la Deuxième Guerre mondiale.

Une atmosphère funéraire règne à bord du traversier Silésie. La discothèque est fermée pour la journée. Dans la salle à manger, cinq musiciens polonais s'évertuent à faire marcher leur quincaillerie électrique qui n'en finit plus de siffler. Ils ne jouent pas longtemps et préfèrent se retirer pour manger. Au menu, un steak minute mince comme une feuille et un petit canard coriace couvert d'une montagne de pommes de terre. Le serveur s'excuse de ne pouvoir offrir les trois quarts des plats inscrits au menu. « Vous savez, dit-il comme si l'affirmation était un secret d'État, la Pologne est en crise et il est difficile de bien s'approvisionner. »

Au bureau de réception du Silésie, là où les passeports des passagers sont détenus pour la nuit, vérifiés et estampillés, on peut échanger ses dollars contre des zlotys. Pour beaucoup de Polonais, les zlotys sont devenus le symbole de la faillite nationale et de l'échec communiste : « c'est pas de l'argent, disent-ils avec ironie, c'est du papier. » Au bureau de réception du Silésie, un dollar US vaut 34,22 zlotys. Sur le marché noir, il en vaut trois sinon dix fois plus. Socialistes de coeur et de vocation, affichant volontiers leur mépris du capitalisme, les Polonais sont paradoxalement les premiers à reconnaître l'impérialisme tout-puissant du dollar américain et à en faire la seule monnaie digne d'échange. Élu monnaie suprême de l'Occident, le dollar est surtout la seule monnaie acceptée dans les Pewex, les magasins libres et dédouanés mis à la disposition des touristes exilés des conforts du capitalisme.

Le Silésie entre au port de Gdansk à 20 h. Dans la nuit sans étoiles, les grues du port s'allongent dans le ciel comme de grandes griffes métalliques prêtes à déchirer l'horizon. Une milice vient à bord du traversier et exige avec autorité que chaque passager remette la déclaration écrite de l'argent qu'il a en poche. Le passager franchit ensuite le contrôle des passeports. Les visas sont examinés à la loupe, les étampes officielles données presque à contrecoeur sous un oeil communiste immanquablement méfiant.

À l'extérieur du bâtiment, les taxis attendent en file les premiers passagers qui émergent de la brume. Je me retrouve sur la banquette poussiéreuse d'un taxi qui longe les grilles fermées des chantiers navals avant de se perdre dans la nuit fantomatique de Gdansk. Près du compteur, le chauffeur a installé un petit radar fait aux USA qui lui permet de conduire de façon cavalière, comme la plupart des Polonais, sans récolter de contraventions. Il me demande d'où je viens. Lorsque je lui réponds de Montréal, il me dit sur un ton rêveur : « Ah l'Amérique !... J'y suis allé l'année dernière voir mon frère à Chicago. L'Amérique est un bon pays. La Pologne aussi, mais en ce moment c'est la crise. » Il me demande alors si je veux du change pour mes dollars. Il peut facilement m'en procurer.

La nuit est humide, les rues mal éclairées et crevassées. Au loin sur les berges de la Vistule, la vieille ville reconstruite sous Staline dessine un profil graphique et dresse avec fierté ses murs fortifiés. Nous arrivons enfin à l'hôtel, un bunker de béton, construit en plein champ près des rails usés des tramways. Le hall est animé. Tous les tabourets du bar sont occupés par de jeunes femmes aux cheveux teints et aux visages trop maquillés. Ce sont toutes pour la plupart des prostituées. Le marché noir et la prostitution sont aujourd'hui les industries les plus florissantes de la Pologne, malgré les avertissements lancés par la direction de Solidarité qui accepte mal ces commerces louches et anti-communautaires. Mon voisin de gauche, un monsieur dans la cinquantaine qui contrôle probablement le marché noir de l'hôtel, me conseille un whisky. Je remarque que tous les gens au bar, sauf lui, sirotent un liquide verdâtre qui nage piteusement dans une bouteille de Pepsi. « C'est ce qu'on appelle le Pepsi polonais, m'explique-t-il. La Pologne n'a plus d'argent pour acheter du Pepsi. On a donc décidé de recycler les bouteilles et de les remplir de soda et de colorants. Nous buvons ça depuis environ trois mois. Une fois, le Pepsi est revenu sans raison sur le marché pendant une semaine. Les temps sont durs vous savez, mais si vous avez des dollars américains, je peux vous montrer des restaurants privés où l'on mange bien et où on ne manque de rien. »

Au déjeuner le lendemain, on sert un café couleur eau de vaisselle dans les courants d'air du matin. À la radio, le rock'n roll américain joue à tout casser. Ce matin, il y a de tout sauf du sucre et du jus. Par la fenêtre, un paysage terne et immobile s'étale dans la grisaille. Les trams défraîchis et jamais repeints commencent à sillonner la ville. Ils déversent un flot continu de travailleurs pâles et hagards qui ne pourront probablement jamais se payer une voiture, qui attendront 10 ans avant d'avoir enfin leur propre logement. Sur les artères commerciales, les files s'allongent. Les gens s'installent devant les kiosques à journaux, aux portes des magasins, comme des acteurs jouant avec docilité le rôle qu'on leur a assigné. Cette semaine, il y a des pommes dans tous les magasins mais la viande, le sucre et le beurre sont rares. « On ne va plus magasiner, me dit un jeune Polonais, on va à la chasse. » Dès que les magasins ouvrent leurs portes, les gens se précipitent, se bousculent, se lancent des insultes. Les femmes accompagnées de leurs enfants ont la priorité, mais la situation a atteint un tel point d'exaspération qu'elles n'osent plus en profiter. L'hiver va être d'autant plus long que le gouvernement a annoncé qu'il couperait l'électricité pendant certaines heures de la journée pour économiser l'énergie. Tout est rationné, ne cesse-t-on de répéter, même les médicaments et les couches de bébés. On ne sait jamais ce qu'on va trouver, parfois on ne trouve tout simplement plus rien », raconte Anna, professeur à l'université. Une autre avouera que la crise d'approvisionnement est en partie provoquée par un sentiment de panique générale. « Les gens ont développé une psychose de guerre. Ils vivent comme en temps de guerre et accumulent des stocks de sucre, de sel, de pommes de terre, de tout ce qu'ils peuvent trouver sur le marché. »

Le décor environnant qui baigne dans la grisaille perpétuelle, la silhouette sombre des églises gothiques, les autobus cabossés vieux de dix ans, les boutiques de mode démodées, entretiennent tous une sorte d'anachronisme généralisé comme si la Pologne n'avait pas accédé au monde moderne et vivait encore dans l'après-guerre. « La guerre, ça fait partie de notre culture, avoue Bronislav, un jeune catholique militant, on y est habitué, plusieurs d'entre nous croient que c'est la seule façon d'amener un vrai changement. » Mais la plupart des autres Polonais rencontrés à Gdansk choisiront plutôt le fatalisme ou la résignation. Ils parleront des manoeuvres militaires de la Baltique avec un sourire méprisant et farouchement anticommuniste et concluront qu'une intervention militaire soviétique est peu probable parce que les enjeux sont trop grands. « De toute façon, nous devons nous occuper de choses plus importantes et apprendre à survivre quotidiennement. Nous n'avons pas de temps à perdre avec le chantage à la peur », dira un étudiant.

Indifférence, arrogance, ou peut-être simplement la lucidité douloureuse d'un peuple qui entend encore l'écho résonnant des alliés déclarant « nous ne mourrons pas pour Dantzig », un matin anonyme de 1938. Les Polonais ont déjà payé très cher le prix de leur idéalisme. Les monuments aux morts et aux martyrs qu'ils ont érigés dans leurs villes cimetières sont là pour leur rappeler qu'ils ne gagneraient rien à répéter les erreurs du passé.

Le Devoir, *le 26 septembre 1981*

Journées grises de Gdansk

En Pologne, j'ai mêlé l'impressionnisme au rattrapage historique. Je suis allée assister à un festival de films sans vraiment connaître l'histoire du pays et en étant à peine au courant de la situation politique du moment. J'avais vaguement lu des articles de journaux sur le sujet, mais l'information abstraite, désincarnée, me laissait plutôt indifférente. Une fois sur place toutefois, je ne pouvais plus décemment ignorer la situation politique qui, de toute façon, déteignait sur tout et sur le festival de Gdansk en particulier.

Je suis donc partie une fois de plus à l'aventure. La meilleure façon d'apprendre et de comprendre, c'est encore de plonger la tête la première. C'est à partir de l'expérience que tout s'organise, que tout devient clair, que l'information s'incarne. Certains diront que c'est apprendre aux dépens du lecteur. Je crois au contraire, et sans verser dans la démagogie, que le lecteur moyen n'en savait pas tellement plus que moi sur le sujet. Ce genre d'exercice laisse évidemment libre cours à l'improvisation et débouche parfois, comme dans le cas de Lech Walesa, sur des rencontres manquées. En même temps, je ne crois pas que Walesa m'aurait appris quoi que ce soit. J'aurais sans doute tiré de notre entretien plus de vaine gloriole que de déclarations fracassantes sur la situation politique polonaise.

Journées grises de Gdansk
Attendre Walesa dans son bureau

Au cours d'un récent séjour à Gdansk, la grande ville portuaire de Pologne, Nathalie Petrowski s'est rendue à la permanence de Solidarité.

Solidarnosc, Grunwaldzaka 116. L'adresse est écrite en lettres moulées sur une enveloppe blanche. Je la montre au chauffeur de taxi qui me lance un regard complice. Inutile de lui indiquer le chemin. À Gdansk, tout le monde connaît l'adresse des bureaux de Solidarité. L'enseigne rouge avec le mot Solidarité en caractères fébriles et noueux surmontés d'un petit drapeau polonais est collée sur toutes les vitrines et gravée à jamais dans le coeur des Polonais.

Installés sur le boulevard Grunwald là où Ladislas II, duc de Pologne, vainquit les chevaliers teutoniques, au coeur de la nouvelle ville, les locaux de Solidarité siègent aujourd'hui dans un ancien hôtel d'ouvriers. De l'extérieur, le bâtiment terne et géométrique ne paie pas de mine. À l'intérieur, il en paie encore moins. On entre par la petite porte du côté. Face aux murs sales et délabrés qui portent des affiches défraîchies comme de vieilles cicatrices, une cage d'escalier en béton mène jusqu'au petit café du quatrième. Le bureau de Lech Walesa est au troisième. Une petite pancarte rouge avec une flèche indique le chemin qui mène à sa secrétaire. Mais Walesa, l'homme providentiel du prolétariat, devenu le héros des médias de l'ouest, n'est pas souvent là et passe les trois quarts de son temps entre Varsovie, Gdansk et le confessionnal du nouveau primat de l'Église.

Pour obtenir une audience, il faut s'adresser au bureau au fond du couloir et demander à parler à Maria. Maria qui ? Maria tout court, répond-on. On ne frappe pas ici. On entre, on s'assoit parmi les cendriers trop pleins et les verres trop vides, et on attend.

L'atmosphère est amicale, communautaire et complètement désorganisée. Maria Komorowska, ancienne employée de bureau des chantiers navals de Gdansk, devenue dans le feu des grèves et l'affluence de la presse internationale l'attachée de presse officielle de Solidarité, offre des cigarettes américaines à tout le monde. Les cheveux rouges carotte et le regard bleu pétillant, elle doit bien avoir 50 ans. Elle parle un français impeccable comme tous les Polonais d'une certaine génération et porte de grosses bagues aux doigts ainsi qu'une montre quartz au poignet. Ses accoutrements flamboyants contrastent étrangement avec la misère des lieux. Le bureau humide avec son vieux tapis effiloché et ses rideaux orange troués est aussi grand qu'un cabinet de toilette. Maria a affiché à côté de sa table de travail boiteuse un blow-up de Walesa consacré homme de l'année sur la couverture de l'*Express*. Sur le mur voisin, des collants lancent de drôles de slogans comme « non au travail le dimanche », ou encore « Help your Neighbour, buy American ». Il y a même un petit drapeau canadien sur la porte de la garde-robe ainsi que l'affiche du premier congrès de Solidarité qui a eu lieu quelques jours auparavant. Maria m'assure que l'enfant sur l'affiche qui porte un tee-shirt de Solidarité est authentique. « Son père et sa mère sont tous les deux de vrais ouvriers ! »

Une entrevue avec « le chef » est évidemment impossible, mais Maria insiste cependant pour que je m'installe et que j'attende. « On ne sait jamais », dit-elle d'un air mystérieux. La veille au soir, « le chef » Walesa, celui qui passe volontiers pour un modéré, celui qui n'a pas peur des ministres et qui essaye autant que possible de communier tous les matins, est allé à Gniezno assister à une messe officielle avec le nouveau primat de l'Église, Mgr Josef Glemp. Depuis sa fondation, le syndicat libre a toujours entretenu des liens étroits avec l'Église catholique. « Il faut comprendre que l'Église occupe une position spéciale en Pologne, raconte Maria. Sous la tutelle communiste, la seule liberté fondamentale que la nation polonaise peut exercer c'est sa liberté de culte. Pendant longtemps l'Église a été persécutée par le pouvoir. De ce fait, elle n'a jamais été associée au pouvoir et donc elle n'a jamais été corrompue. Les Polonais y ont trouvé refuge et n'ont jamais perdu la foi. »

On comprend vite que la religion catholique est devenue le plus puissant ciment culturel de ce pays meurtri par l'histoire, conquis par l'envahisseur, sans cesse menacé de disparaître de la carte. La menace de l'extermination sous la tyrannie ne fit que renforcer les valeurs communautaires prêchées par l'Église. Le journaliste français Jean-Yves Potel résume encore mieux la situation dans un livre portant sur les grèves de 80. « L'Église ou à défaut la foi catholique, écrit-il, ont constamment pris la place d'alternatives sociales ou politiques qui se dérobaient tout au long de l'histoire tourmentée de la Pologne. Sous la domination stalinienne, on a tenté d'atomiser les classes ouvrières. Face à cette dispersion sociale, l'Église, elle-même repoussée dans le camp des opprimés, est devenue un facteur générateur et a reconstruit la trame sociale. Dans les moments de tension, l'Église prêche le compromis historique mais dans les périodes plus normales, elle mène une guérilla quotidienne avec le pouvoir. »

La Pologne reste d'ailleurs un des principaux bastions de l'Église catholique. Sa structure indépendante de l'État abrite 20 000 prêtres et 28 000 religieuses. Pas surprenant que l'élection d'un pape polonais à Rome soit considéré par plusieurs comme un véritable coup de maître contre l'athéisme communiste. Pour ceux-là, l'élection de Jean-Paul II eut une incidence directe sur les soulèvements de 80. Son triomphe ne fit qu'accentuer le sentiment de fierté nationale et sut convaincre les Polonais de la légitimité de leur lutte.

Maria s'est absentée pendant quelques minutes. Le défilé des visiteurs n'arrête pas pour autant. Trois étudiantes d'Angleterre veulent de la documentation sur le syndicat, deux journalistes finlandais veulent une photo de Walesa, quatre Allemands arrivent les bras chargés de cigarettes, de chocolat et de stylos pour Maria. Le garde du corps de Walesa, un énorme gorille passablement éméché, vient saluer la compagnie suivi d'un Américain du Texas venu offrir un beau billet vert de 100 $. On lui conseille de verser l'argent au journal de Solidarité qui attend le jour glorieux où il pourra ouvrir sa propre imprimerie. L'organisation d'un système parallèle d'informations avec une imprimerie et de l'équipement audio-visuel est devenue l'obsession du syndicat depuis la décision gouvernementale de ne pas couvrir le premier congrès national. Quelques jours avant le début du congrès, un cargo de caméras et de cassettes, provenant de Vienne et adressé à Solidarité afin que le syndicat puisse lui-même couvrir le congrès, fut retenu sans raison à l'aéroport de Varsovie et n'arriva évidemment pas à temps à Gdansk.

Maria est revenue pensive. « L'entrevue avec Lech est impossible, me dit-elle. Il est d'une humeur massacrante ces jours-ci. » Est-ce à cause des tensions grandissantes avec le gouvernement ? « Non, ça c'est pas nouveau. Non, je crois qu'il travaille trop, qu'il est nerveux, que les responsabilités lui pèsent. » Sera-t-il élu lors de la deuxième partie du congrès à la fin septembre ? « Oui, c'est certain. »

Anna, professeur de linguistique à l'université de Gdansk, est venue se joindre à nous. Nous parlons de la situation générale puis de la situation de la femme en Pologne. « C'est un désastre, dit-elle. Les femmes sont actuellement complètement débordées. Elles doivent faire la file pendant des heures, s'occuper des enfants parce qu'il n'y a pratiquement pas de garderies et travailler par dessus le marché. » Solidarité ne fait pas grand chose pour elles. Une seule femme siège au comité central. Sur les 900 délégués, seulement 6 % sont des femmes. « La question des femmes n'en est pas une, poursuit Anna. T'essayes de les convaincre que la lutte des femmes doit aller de pair avec la lutte collective mais ils ne sont pas d'accord. Ils disent qu'il y a des problèmes plus urgents à résoudre. Ils n'ont trouvé qu'une seule proposition pour améliorer le sort des femmes. Ils veulent augmenter le salaire des hommes pour que les femmes restent à la maison. La proposition est conservatrice et rétrograde mais, dans les circonstances actuelles, c'est peut-être la chose la plus raisonnable à faire. » Pense-t-elle que les choses vont un jour s'arranger ? « Quand je viens ici, je me dis que oui, mais quand je retourne dehors, quand je pense à l'hiver qui s'en vient, aux rationnements, aux interruptions de chauffage, j'avoue que je ne sais plus. »

Walesa est reparti en coup de vent à Varsovie. Les bureaux sont presque tous silencieux. Dehors une pluie fine et poisseuse traverse la peau et fait frissonner. Les visiteurs en transit, les journalistes romantiques en mission, ne savent voir que la Pologne de l'espoir. Ceux qui y vivent connaissent une autre Pologne : une Pologne qui a faim et qui résiste mal à la psychose de la peur, une Pologne humide et mal chauffée où seuls quelques privilégiés, plus débrouillards que les autres, affichent leur impérialisme matériel aux arrêts des taxis, une Pologne qui vit dans l'incertitude de son destin collectif et qui goûte à l'espoir tard le soir, quand elle n'a plus la force d'éteindre la petite lumière vacillante à son chevet.

Le Devoir, *le 8 octobre 1981*

Le besoin de fuir le quotidien

La ville est au point mort. Accrochée à la trajectoire sifflante d'une petite balle blanche, la ville attend. Les Expos vont-ils oui ou non gagner ? Voilà la vraie question. Chez l'épicier, les trois bouchers de service ont disparu derrière le comptoir, les yeux rivés à la petite télé portative qui diffuse le match en direct du stade olympique. À la société des alcools, les caissiers encaissent distraitement, l'oreille assiégée par les commentaires des annonceurs sportifs qui délirent à la radio. Dans les garages, dans les cafés, dans l'autobus et chez le cordonnier, on s'inquiète, on s'excite, on s'adonne avec une joie puérile à la fièvre du baseball.

Le destin des Expos est devenu, bien avant la constitution, notre obsession nationale, notre façon de retrouver un sens communautaire perdu dans l'éclatement planétaire. Dayan est mort, Sadate est déjà dépassé, Trudeau n'arrive pas à un compromis mais peu importe. Monsieur Expos peut d'un seul revers de bâton régler tous nos problèmes. Le goût de la victoire transgresse les frontières, les cultures, les religions et les contradictions. Le besoin de fuir le quotidien va encore plus loin.

Jouer contre les Expos, déclaré un joueur américain, c'est comme faire la guerre au Vietnam. Douce vengeance des nègres blancs d'Amérique qui se payent le luxe ultime de déjouer l'adversaire sur son propre terrain et avec ses propres soldats par-dessus le marché.

Impérialisme, colonialisme, conformisme, tyrannie de culture patriarcale, aberration culturelle, et quoi encore ? Le sport est un vieux pouvoir avec un nombre grandissant d'actionnaires. Là n'est plus le problème. Mais pourquoi consacrer tant d'énergie à suivre la trajectoire d'une petite balle qui traverse le champ en sifflant et s'écrase dans la main molle d'un joueur ? Tant qu'à avoir le regard braqué sur un objet volant, pourquoi ne pas choisir un objet qui vole et ne revient pas ? Les oiseaux, les avions, les mouches même, volent mieux que la petite balle blanche. Avec eux, au moins, l'illusion de la fuite et l'impression de faire du sur-place sont moins évidentes.

Le Devoir, *le 19 octobre 1981*

Nous, les féministes...

Rien ne va plus. La machine à écrire marche encore, mais l'écriture refuse désormais d'avancer. Déjà quatre heures de l'après-midi, quelques heures avant de succomber à la tyrannie de l'heure de tombée. Quelques heures seulement pour tenter péniblement de rassembler, de rapiécer, d'essayer d'y voir clair dans le cafouillis d'idées, de théories, de doctrines monolithiques et trop bien organisées. Comment aborder cette cause sacrée, la condition féminine, le mouvement féministe québécois des dernières années, né dans les coulisses du Comité de lutte pour l'avortement en 1975, sans trébucher, sans tout mêler et tomber dans le piège de la simplification trop expéditive.

Je n'ai aucun point de repère sinon mes observations et mes lectures des derniers temps, mes affinités et mes sympathies pour les féministes et pour les femmes. Ma seule carte de membre, c'est ma conscience d'être une femme. C'est cette même conscience qui me fait grincer des dents quand je vois à la télévision des femmes pilotes, membres des CWAC, déclarer qu'elles se sont battues durement pour devenir pilotes, qu'elles se sont heurtées à des murs de préjugés, qu'elles ont finalement obtenu gain de cause, mais qu'elles ne sont pas féministes pour autant. « Féministe, jamais de la vie », entonnent-elles fièrement.

Les anti-féministes me désespèrent et pourtant je comprends leur scepticisme face au mot féminisme galvaudé, face à l'étiquette, face au ghetto, face au vieux cliché d'une femme frigide, frustrée, laide, complexée, avec du poil aux jambes. Je comprends qu'elles soient rébarbatives à l'image déjà périmée de la femme victime, opprimée, battue, violée, impuissante, que les féministes nous ramènent à chaque nouvelle manifestation. C'est sans doute pour cela que je garde une distance, la distance de la journaliste, mais aussi celle de l'individualiste, la position intolérable de celle qui veut être solidaire et solitaire.

Pour cet article, je n'ai aucun plan d'action sinon celui d'aller rencontrer aux quatre coins de la ville, au détour d'un café plus que d'une cuisine, des femmes différentes et divergentes, militantes ou artistes, étudiantes ou recherchistes, qui pourront peut-être faire le point sur le féminisme québécois. Je ne veux pas de statistiques, pas de sondages, j'aimerais si possible éviter de parler de la crise économique qui accable les femmes doublement. Je ne sais pas au juste ce que je cherche, je ne sais dans quel style l'écrire. Je voudrais éviter les cris, les larmes, toutes les velléités du vécu de femmes, les tripes jetées en pâture sur la table et tant d'autres clichés. Mais encore.

« Nous autres les féministes, on dirait qu'on sait toujours ce qu'on ne veut pas, mais on a beaucoup de misère à imaginer ce qu'on est et ce qu'on veut pour de vrai », dit Johanne. Nous sommes assises dans un café, rue Prince-Arthur. Il est passé minuit. Nous nous posons quelques questions sur les piétinements actuels du mouvement féministe, sur sa perte de vitalité. Louise, 23 ans, féministe jadis enragée, nous explique que la revendication ne veut plus rien dire pour elle. « À un moment donné, j'ai décroché, dit-elle, j'ai décroché parce que je me suis rendue compte que pendant que je manifestais, j'évitais finalement de faire un retour sur moi et de régler mes propres problèmes. J'ai compris que j'avais un bout de chemin à faire toute seule en tant qu'individu. Je ne veux plus de rapports passionnels, je ne veux plus piquer une crise de nerfs à chaque fois que je vois un film sexiste, je ne veux plus que mon chum paie pour tous les violeurs de la terre. J'étais mal dans ma peau, j'ai changé. »

Johanne, 28 ans, étudiante en maîtrise à l'UQAM, poursuit la réflexion. « Il fallait à tout prix au début que les femmes soient solidaires, qu'elles identifient leurs problèmes communs, qu'elles sortent de leur isolement, qu'elles se défoulent ensemble. C'est pour cela que je me suis jointe à des groupes de femmes. En cours de route, j'ai découvert que les rapports de force et de domination n'étaient pas juste le privilège des hommes, que les femmes étaient toujours aussi compétitives entre elles. Un jour, j'en ai eu assez d'entendre parler de moi en tant qu'éternelle victime. J'en ai eu assez d'entendre parler de viol, d'avortement, de contraception. Il y a tant d'autres domaines, comme la sexualité par exemple, qui sont restés inexplorés. Le féminisme s'est d'abord nourri de dynamismes revendicateurs essentiellement négatifs, on est allées à fond dans l'oppression, l'oppresseur, la violence et la haine. Il faut absolument retrouver des forces positives, sans cela le mouvement va se dessécher et se détruire.»

Dans le temple sacré de la cause féminine, Louise et Johanne passent pour des ingrates, des inconscientes, des hérétiques. Les aînées, qui ont dû souvent se débattre seules, acceptent mal qu'après avoir déblayé le terrain on remette en cause leur autorité. Elles craignent en plus que l'impatience des plus jeunes ébranle l'équilibre déjà fragile du pouvoir féministe.

Dans une salle de conférence de l'Institut pour l'éducation des adultes, Nicole Lacelle, une sociologue, féministe et militante, explique que le mouvement féministe est en proie actuellement à des luttes de tendances. « Comme nous sommes un mouvement vital et non stratégique, que nous ne sommes pas forcément intéressées à bâtir un organisme pyramidal, discipliné et hiérarchisé, que nous sommes des anarchistes, nous courons certains risques. Celui entre autres de perdre des joueuses. Mais on n'a pas le choix. Notre problème actuellement c'est de ne pas avoir su mobiliser toute l'énergie des femmes pour en arriver à un consensus minimal. Nous devons miser sur nos affinités et non sur nos différences. Des questions comme celles de la sexualité ne passent pas la rampe parce que ce sont des sujets qui nous rendent toutes très vulnérables et en ce moment ça ne sert à rien. Car même si le mouvement a gagné de la crédibilité, il n'a pas accompli grand-chose dans le quotidien. Les femmes au pouvoir, les femmes économiquement autonomes, sont encore l'exception qui confirme la règle. »

Dans les locaux ensoleillés de *La Vie en rose*, un trimestriel féministe, les militantes de l'information, des filles entre 27 et 32 ans qui se disent « plutôt blanches, plutôt instruites et plutôt montréalaises », restent prudentes. « Nous aussi on rejette cette image de la femme victime, la femme ghettorisée, dit Ariane Emond. Ceci dit il faut être réaliste. Les jeunes se disent trop facilement féministes, elles croient que tout est fait, elles ne se rendent pas compte que les acquis sont fragiles, et que les choses n'ont pas tellement changé. »

« On travaille avant tout pour rétablir l'équilibre, dit Françoise Guénette, sa consoeur. Qu'on ne vienne pas nous parler de ghetto. On parle-tu du ghetto quand 12 bonshommes se retrouvent sur un conseil d'administration. Quant à la répétition de sujets soi-disant périmés, c'est absurde. Les débats sur l'avortement, le viol, la contraception, la pornographie sont loin d'être terminés. C'est le fameux syndrome. On ouvre une porte, ça grouille, ça sent mauvais, on s'empresse de refermer la porte parce que, dans le fond, ça nous fait peur. Pourquoi arrêter d'en parler quand on parle de la constitution, du nationalisme, à chaque jour de l'année ?

À l'autre bout de la ville, la comédienne Pol Pelletier, visiblement exaspérée par ce qu'elle nomme « la lâcheté des femmes », explique qu'en se répandant dans la culture officielle, le féminisme s'est dilué. « Rien n'a changé. La plupart des femmes sentent encore qu'elles font partie de leur mari, elles sont incapables de se situer en tant que femmes dans l'espace et dans le temps, elles ne savent même pas qu'elles ont leur propre histoire. Qu'on le veuille ou non, la conscience féministe est une conscience douloureuse, c'est la conscience de faire partie d'une collectivité opprimée. On devient féministe par dignité personnelle, par rage, par révolte. Si tu ne passes pas par la haine de ton oppresseur, tu ne réaliseras rien. Je n'arrive toujours pas à comprendre pourquoi pendant 2 000 ans les femmes n'ont rien dit, n'ont rien fait, pourquoi ? » Elle s'arrête un instant à bout de souffle, puis reprend. « Je suis profondément découragée de voir les propos féministes complètement dilués, récupérés ; découragée de voir que le modèle du couple est encore tout-puissant, découragée quand je vois tout le travail de rattrapage, de déconditionnement qu'il reste à faire. Autour de moi, je sens la prudence. La crise économique a réduit notre marge de manoeuvre, beaucoup de féministes commencent déjà à faire des concessions. Je comprends que, devant le gouffre, il y a peu de solutions : choisir de se battre à mort ou alors retourner en arrière. Je crois que les féministes en sont là. Moi, j'attends juste une grève générale des femmes d'un jour seulement. Si seulement les femmes pouvaient comprendre la force qu'elles représentent. »

J'ai envie d'interrompre Pol Pelletier et de lui faire remarquer que les femmes ne peuvent comprendre leur force tant et aussi longtemps qu'on leur rabâche qu'elles sont opprimées, victimes, dociles et impuissantes. Plus j'avance dans les méandres marécageux et contradictoires de l'analyse féministe, plus je m'enlise et plus je me perds. Par où commencer ? Sommes-nous condamnées à plonger le couteau dans nos plaies et à faire du révisionnisme historique jusqu'à la fin de nos jours ?

Se révolter contre l'oppresseur, c'est reconnaître son influence, c'est montrer à quel point il nous tient encore sous son emprise. En se limitant à la revendication collective, à la haine de l'oppresseur, au militantisme non créateur, en n'explorant que la cuisine des mères et ménagères soumises du passé, en délaissant les terrains troubles de leur imaginaire et de leur vie privée, les féministes sont peut-être en train de manquer le bateau et de précipiter leur mort. Pourquoi contempler les vieilles blessures du passé quand tant de choses dans le présent sont à faire et à imaginer, quand partout de nouvelles femmes, instruites et téméraires cherchent un autre monde à transformer, veulent regarder de l'avant, au-delà de la crise économique et des CLSC. Faut-il en conclure que la vieille rivalité ancestrale entre les femmes est encore active et que la toute petite illusion du pouvoir féministe n'est déjà plus à partager ? Les questions sont posées. Pour une fois, les jeux ne sont pas faits.

Le Devoir, *le 5 mars 1982*

Nous, les féministes...

Distance, détachement progressif à mesure que l'histoire s'épaissit et que les éléments perdent de leur transparence. Distance sans indifférence, mais avec l'inquiétude de quelqu'un qui renonce au confort d'une idéologie et qui accepte de perpétuellement questionner tout ce qui l'entoure.

Elvis Gratton : portrait d'un colonisé ordinaire

« Les abrutis ont la même tête partout. Ils s'appellent Elvis Gratton, de Brossard, mais peuvent aussi s'appeler Elvis Dupont ou Elvis Ducon ou même Elvis Ming, de la banlieue de Shangaï. » L'ironie grinçante et vaguement patibulaire de Pierre Falardeau vient dégonfler les croissants chauds et rancir le beurre du petit déjeuner. Le joli café décapé au dissolvant culturel de la rue Saint-Denis ressemble tout à coup à la taverne Papineau.

Nous sommes une bonne dizaine convoqués autour du petit déjeuner par l'Institut québécois du cinéma (I.Q.C.). Parmi les visages anonymes, celui de Francis Simard, parachuté de la cellule Chénier à la cellule tout court, le visage aujourd'hui émacié par la brise cinglante d'une liberté enfin retrouvée. Au centre de la table d'honneur, les cinéastes Pierre Falardeau et Julien Poulain, Jérolas de la contre-culture et grands lauréats du 11e Festival des courts métrages de Lille (anciennement de Grenoble), section fiction, avec *Elvis Gratton*. Le film primé et réalisé dans le cadre du concours de fiction lancé par l'I.Q.C. et Radio-Québec raconte l'histoire d'Elvis Gratton, bon Québécois de chez nous et bon banlieusard de Brossard qui se prend au jeu dangereux de la colonisation. Curieusement, le Québec devient universel quand il récupère les mythes du voisin et montre l'oeil conscient mais dilaté du colonisé.

« Copier Elvis c'est typiquement rue Panet, soutien Falardeau. On a fait le film justement pour montrer à quel point le Québec était pogné avec Elvis. On s'est rendus compte en cours de route que les autres pays sont tout aussi pognés que nous, sauf qu'ils s'en rendent moins compte. On croyait que le Québec n'avait plus rien à dire. On a compris à Lille que le malaise est général, voire universel. »

Falardeau, le verbo-réacteur, parle sous le regard conciliant de Julien Poulain, son partenaire de dix ans, le comédien, le comique, l'Elvis des deux. Celui-ci risque un furtif commentaire sur le fait qu'Elvis Gratton est un monstre, mais qu'il a aussi un côté victime de la consommation, qui a finalement touché les spectateurs européens.

Uniques lauréats canadiens parmi une dizaine de candidatures, dont celle de Jean-Claude Lauzon avec le célèbre *Piwi*, le dynamique duo ne nie pas que tous les festivals, y compris ceux des courts métrages, sont politiques. Ils disent avoir remporté le prix du prestigieux Festival de Lille à cause d'un Polonais et d'un Tchèque qui auraient insisté auprès des autres membres du jury pour récompenser leur sens de l'humour plutôt tordu.

Pour les jurés venus du froid et de l'Est, *Elvis Gratton* est avant tout une critique de l'impérialisme culturel américain et une dénonciation en douce du fascisme. Pour les Français, Elvis Gratton est un miroir à peine déformant de la droite. La droite, on le sait, est mal vue à Lille, bastion rouge et socialisant du ministre Pierre Maurois.

Mais autre pays, autres moeurs : pour le Québec, *Elvis Gratton*, et sa satire d'une société d'illettrés et de quétaines, frôle le mépris et la médisance. Si les salles québécoises rient fort, elles rient souvent jaune. « On a de la difficulté à se moquer de notre propre société, soutient Falardeau. Les Italiens, par exemple, n'y vont jamais de main morte et n'ont pas peur de se couvrir de ridicule. Ici nous sommes toujours sur la défensive. C'est sans doute le lot des peuples colonisés. »

Le cinéaste peut toujours parler. *Elvis Gratton* vient remonter le moral à dix ans de carrière dans le cinéma souffrant militant et engagé, depuis *Continuons le combat* (1971), en passant par *À mort* (1972), *Les Canadiens sont là (1973), Le Magra* (1975), *À force de courage* (1977), *Pea Soup* (1978), jusqu'au fameux *Speak White* (1980), refusé au Bureau des festivals parce que jugé « contraire aux politiques extérieures du Canada ». « Avec Elvis, on avait le goût de se payer une traite sur la banlieue, de rire un peu », dit Falardeau.

Le duo risque cependant de retrouver son sérieux puiqu'il entend réaliser une fiction documentée sur la crise d'octobre vue de l'intérieur. Francis Simard veillera évidemment à rétablir les faits et à nous dire tout ce que nous avons toujours voulu savoir sur la crise d'octobre mais n'avons jamais osé demander.

Entre Lille et la cellule Chénier, le duo retournera à Brossard pour un dernier tango. Après *Star Wars II* et *Superman III*, ne manquez pas prochainement sur vos écrans, *Elvis Gratton II*, l'histoire d'un banlieusard de Brossard qui lâche Elvis pour suivre Plume Latraverse ou Paul Piché...

Le Devoir, *le 14 avril 1982*

En passant par Moscou

Tassés comme des sardines, ou plutôt comme des petits oeufs de caviar, sous un éclairage blafard pendant neuf laborieuses heures de vol, les passagers occidentaux à destination de Moscou ne peuvent même pas chercher refuge dans l'alcool. Aucune boisson alcoolisée n'est vendue sur les grands Aéroflot crachoteux qui retournent chez eux. Aucune musique, aucun film, même de propagande.

Il faudra donc prendre son mal en patience, oublier les crampes dans les jambes et regarder le paysage glaciaire et les flancs de montagnes rabotés sous soi. Aucun mot du capitaine ne viendra interrompre le vrombissement des moteurs, seul le sourire sibérien des hôtesses costaudes en tabliers et manches de chemise vous rappellera que bientôt vous serez dans un autre monde et que le dépaysement sera total.

Neuf heures plus tard, entourée d'agents de voyages venus essayer la marchandise et se familiariser avec le continent,je me retrouve étourdie dans le nouvel aéroport de Moscou au luxe occidental et chromé. J'apprends que sa construction a été terminée en 1980 pour les Olympiques, question d'en mettre plein la vue aux étrangers et de les convaincre, dès leur descente de l'avion, des bienfaits du « Système ». L'aéroport de verre et de marbre sera le premier d'une longue liste de symboles exhibés fièrement et pavant la voie royale du touriste. Les

Russes, j'apprendrai très vite, aiment ce qui est grand, ce qui est imposant, et ne sont pas rompus à l'humilité et à la simplicité. Ils aiment les grosses architectures massives presque autant qu'ils aiment les plis soigneusement repassés de leurs uniformes. L'uniforme est sans doute l'icône culturel le plus populaire en URSS. Filant le long des couloirs vitrés de l'aéroport, j'en découvre un redoutable assortiment. Le classique, modèle Docteur Zhivago, c'est le garde civil aux yeux clairs et aux pommettes tranchées au couteau. Il fait au moins six pieds et son manteau gris qui descend jusqu'aux chevilles vient compléter une belle paire de bottes noires de cosaque. Viennent ensuite les civils en gris mais sans bottes puis les douaniers avec leurs uniformes et képis verts. Il y a aussi, bien entendu, les agents du KGB en imperméable marine, attaché-case et chapeau melon, que l'on dit lancés sur la piste d'une Mata Hari venue du froid. Mais ceux-là se pointent surtout dans les ruelles sombres tard le soir, et viennent hanter les rêves paranoïaques. À l'aéroport,ils sont tranquilles, pour ne pas dire invisibles.

Pour sortir de l'aéroport, il faudra franchir au moins trois contrôles, sous l'oeil froid et flegmatique du jeune douanier qui regarde le passeport avec tant de concentration qu'on dirait qu'il essaye de l'apprendre par coeur. Un deuxième pèse les bagages, un troisième les passe aux rayons X, ouvrant le sac à main des dames brusquement et reniflant tout livre suspect. Revues pornographiques, disques rock et manuels politiques sont formellement interdits. J'ai traîné avec moi *Les Russes*, écrit par le journaliste américain Hedrick Smith et décrivant la vie de tous les jours en Union soviétique. J'ai oublié qu'après la sortie du livre, Smith a été interdit de séjour en URSS. L'air mécontent du douanier me dit que je viens de commettre un impair. Il feuillette le livre avec dédain, fait venir son supérieur. Je crains déjà l'incident diplomatique. Mais voilà qu'après consultation, ils décident de me laisser passer. Je ne paie rien pour attendre...

S'il faut juger un peuple aux dimensions de son paysage et de ses villes, alors les Russes doivent être atteints de cette maladie qu'on nomme mégalomanie ou folie des grandeurs. Passé le pont de la Victoire construit après la guerre, on voit tout à coup surgir la silhouette presque néo-gothique de Moscou. Des rangées parfaites de gratte-ciel ternes griffent l'horizon en bordure de l'avenue Leningrad. Le trafic est dense et l'air irrespirable, pollué par ces milliers de vieux bazous au diesel que conduisent des Moscovites plutôt frénétiques.

À travers ses superficies immenses, Moscou étale sa démesure avec gloire, prête à faire rougir d'envie un New-Yorkais endurci. Huit millions d'habitants parcourent inlassablement les avenues à dix ou douze voies, flanquées d'affiches et de statues érigées au pouvoir rouge et semblables à d'immenses paquebots immobiles. « Les Russes adorent les structures imposantes, écrit Hedrick Smith, les larges avenues impressionnantes, les vastes panoramas, les images d'exploits symbolisant la puissance. Ils éprouvent un amour tout à fait texan pour l'énorme. »

Du haut de mon vingtième étage, à l'hôtel Kosmos, je n'ai pas de peine à le croire. Autour de moi, 3 500 chambres, pour ne pas dire compartiments à touristes, réussissent à me convaincre de la puissance du système communiste. À Radio-Moscou, l'annonceur nous apprend en primeur que l'État a décidé d'ériger une autre statue à Lénine...

Où aller, que faire ? Les annuaires téléphoniques n'existent pas, les annonces dans les journaux non plus. Quant aux marquises aux néons, on les a rangées dans les entrepôts des musées. Un touriste solitaire est souvent perdu à Moscou. Au conformisme politique, il devra vite répondre par le conformisme touristique et se mêler aux grappes de touristes, au troupeau. Acheminés par autobus, pilotés par un guide d'Intourist qui s'appelle Natacha, Lydia ou Petruchka, les touristes suivent des itinéraires très serrés qui les mènent inlassablement de leur hôtel au monument, et vice versa. Il arrive cependant qu'entre une visite au terrain d'exposition économique ouvert par Staline et un concert au Bolshoï, le touriste réfractaire échange la tournée du Musée de l'armée rouge pour une escapade dans la rue des titans.

C'est ainsi que je me retrouve sous la pluie moscovite, par un samedi gris de Lénine (un samedi de travail bénévole pour tous), bousculée par les vagues humaines puis précipitée dans le métro de Moscou, propre comme un sou neuf même si le sou commence à se faire vieux. Prendre le métro à Moscou est un périple. À peine franchie l'entrée principale, le visiteur, entouré de ses confrères de l'heure de pointe perpétuelle, effectue un spectaculaire plongeon à plusieurs lieues sous la terre. Il emprunte un escalier mobile, tellement long et tellement à pic qu'il semble le mener tout droit en enfer. Il est accueilli au bout du tunnel par une plateforme spacieuse et décorée de beaux vieux lustres, reliquat du faste tsariste.

Les wagons ne tardent pas à arriver, traînant dans leurs sillons une fierté ancestrale que la peinture en aérosol n'est pas parvenue à gâcher. Visages sombres et renfrognés font face au visiteur hébété. Une guide conciliante expliquera plus tard que les Russes ne sourient pas aux étrangers parce que ça les engagerait trop ! On saisit vite en fait que les Russes entretiennent à l'égard des étrangers, capitalistes, occidentaux ou martiens, une méfiance chronique. La barrière des langues n'aide pas les choses et perpétue l'isolement du touriste et de l'autochtone. Contrairement aux autres peuples de la planète, l'homme de la rue soviétique ne parle pas anglais. Lorsque je demande à un agent de la circulation où se trouve le Kremlin, il me regarde interloqué comme si je venais de parler de l'Oratoire Saint-Joseph ! Je réussis malgré tout à trouver mon chemin. Il suffit en fait de suivre les édifices pseudo-russes ornés d'un drapeau rouge et pavant la voie jusqu'à la Place Rouge qui, en général, penche vers le gris.

Il est 19 heures et il pleut. La Place Rouge est déserte, désolée. Devant le sinistre mausolée en granite de Lénine, deux soldats silencieux et au garde-à-vous se font face dans l'absurdité. Un troisième garde fait les cent pas devant les portes closes. Chaque jour, jusqu'à 9 000 personnes viennent défiler devant le corps trop bien conservé de Lénine. Certaines rumeurs veulent que Mme Tussaud ait prêté renfort au chef de la Révolution d'octobre, mais la cire de Lénine, comme la maladie de Brejnev, sont des sujets tabous. Derrière le mausolée reposent les cendres encastrées des héros de la Révolution. On nous assure que celles de John Reed, le seul Américain sanctifié, sont encore là. Plus loin, les créneaux fortifiés et taillés dans la pierre ocre du Kremlin découpent l'horizon militaire, adouci par les coupoles en or des églises baroques. Le Kremlin est à la fois spectaculaire et décevant. Son caractère guerrier, son gigantisme, enflamment l'imagination. En même temps, on a envie de dire : c'est tout? C'est rien que ça? Les Soviets suprêmes semblent être d'accord. Ils traversent la Place Rouge comme s'ils traversaient la rue Sainte-Catherine, pressés par le temps, par la pluie, désireux de se perdre au paradis de la consommation dans les magasins-galeries du Kremlin.

Ici et là on découvre des attroupements silencieux devant les comptoirs de bébelles en plastique ou encore des queues à n'en plus finir devant les magasins de souliers. Les guides expliquent que les queues s'éternisent parce qu'il y a tellement de choix dans les magasins soviétiques que les consommateurs ont de la difficulté à se décider. Les guides plus audacieuses avouent cependant que les produits soviétiques ne sont pas de première qualité et que les gens font la queue pour les produits importés des autres pays de l'Est. Importés ou pas, les produits ne font rien pour accélérer le processus de la mode soviétique. Celle-ci est restée coincée quelque part aux abords des années 50, avant que la couleur ait été inventée. Les jeans occidentaux font maintenant partie du décor même si leurs « pattes d'éléphant » accusent elles aussi un certain retard. Mais l'anachronisme est intimement lié aux moeurs, à la culture, en URSS.

En revenant à mon hôtel, je rencontre un groupe de jeunes et intrépides femmes qui ont donné leur samedi à Lénine pour râcler la terre encore gelée des parcs avoisinants. Pendant qu'elles bûchent avec ardeur, des centaines de mariées se précipitent en taxi, avec leurs voiles blancs et leurs talons très hauts, au point d'observation de la ville pour une photo-souvenir avec le nouvel époux, la famille et la traditionnelle bouteille de champagne. Le rituel se répète chaque samedi. À gauche du point d'observation, une église récemment rouverte au culte bourdonne de « baboushka » (les grands-mères russes) qui prient très fort et qui peuvent pratiquer librement puisque le système n'a plus besoin d'elles.

Le Moscou gris, froid, athée, industrieux, pragmatique, déployant un modernisme débridé à travers ses 60 stades, radoucit son visage à mesure que tombe le jour. La nuit, l'autobus roule dans une ville-fantôme dont les seuls refuges sont clandestins. De temps à autre, en levant la tête, on aperçoit à travers les fenêtres sans rideaux, un brin d'intimité. Les grands plafonniers diffusent une lumière crue contre des murs trop étroits. Le coût dérisoire des loyers se calcule au pied carré. Parfois on se demande si tout, dans cette ville, même les émotions, ne se calcule pas au pied carré.

Après le théâtre, le ballet, l'opéra ou le concert (dont le coût des billets ne dépasse pas 3 $), après le petit canapé au caviar et le verre de champagne mousseux ou de vodka fruitée, vendus au dernier étage du théâtre et engloutis à la hâte et en gang, chacun rentre chez soi. Il ne faut pas chercher la vie nocturne à Moscou. Elle n'est qu'une illusion. Les bars, cafés, discos ferment à 23 heures. Il ne reste plus que les voies de garage des hôtels où la vodka coûte trois fois plus cher et se boit avec un triste Fanta au son d'un pseudo-rock russe qui a depuis longtemps renié sa balalaïka. On peut quand même éterniser ça jusqu'à 4 heures et se coucher avec les premiers travailleurs du matin. Avant de fermer l'oeil, on regarde la brume se refaire une santé entre la statue de Lénine et la fusée stylisée dédiée à la conquête de l'espace. Le long du Kremlin, les bottes de la garde de nuit claquent contre le pavé de la Place Rouge et rappellent aux voyageurs ou aux aventuriers qu'ils ne sont pas seulement loin de chez eux. Ils sont ici au bout du monde.

Le Devoir, *le 7 mai 1982*

En passant par Moscou

À l'agence de voyage, le grossiste m'avait prévenue. Dans le reportage que je rapporterai d'Union soviétique, il faudrait que je multiplie les qualificatifs, les compliments, que je mentionne les bons services d'Aeroflot et ceux d'Exotik Tours et que je me passe de tout commentaire désobligeant sur la civilisation soviétique. Gardez vos critiques pour vous, me suggéra-t-il. J'acquiesçai en souriant. Moi critiquer, voyons donc! C'était quelques jours avant mon départ.

À peine débarquée de l'avion, j'ouvre grands les yeux et je note méthodiquement tous les petits détails anodins de la vie quotidienne. Ces détails sont précieux. Ils constituent les seules véritables parcelles de vécu que j'arrive à subtiliser à la culture soviétique quand les polices guidées ont le dos tourné. C'est mince, mais c'est mieux que rien. C'est surtout mieux que la propagande que les guides pompent dans nos oreilles occidentales à longueur de journée. Le soir, le livre de Hendrick Smith que j'ai failli me faire confisquer à la douane me sert de bible de référence. Il ne s'agit pas de se lancer dans les condamnations du système ni de faire la chasse aux goulags, mais de faire preuve d'un semblant d'acuité. Malgré certaines remarques caustiques, j'ai bien aimé mon séjour en Union soviétique. J'y retournerais volontiers même si je sais que je n'y serai plus invitée...

Gilles Villeneuve : la mort en direct

Il y a d'abord l'événement, flou, trop rapide même au ralenti, l'événement qui dure moins d'une fraction de seconde mais qui pourtant fait toute la différence dans une vie. L'événement précipité par les publicistes dans l'histoire. L'événement scientifiquement et froidement commenté, analysé, autopsié, décomposé image par image, en direct à la télé. Le bolide de Gilles Villeneuve arrive à une vitesse folle puis subitement disparaît. Les caméras françaises, installées dans la nature pour une répétition générale, perdent la voiture pendant un quart de seconde. Les caméras italiennes, mieux placées, filment l'accident au complet et se feront plus tard saisir leur film.

Les Québécois verront la version tronquée de l'accident. Ils retrouveront, après le blanc d'image, l'auto en pleine explosion, catapultée, torpillée, tandis que le corps éjecté de Gilles Villeneuve va s'écraser comme une guenille molle contre le grillage. « Les années 80 se vivront dans le sentiment général que la technologie nous a échappé et que l'homme n'est peut-être pas fait pour vivre à la vitesse de la lumière », écrivait McLuhan. La mort en direct transformée en information presque abstraite... Voilà tout à coup le héros, le symbole glorieux de nos espoirs et aspirations collectives, celui qui avait réussi l'impossible, et qui défiait le destin en portant le flambeau national, mort devant nos yeux. L'invincible devenu un corps sans vie, un triste cadavre.

Deuil chez la famille planétaire québécoise. Ce n'est pas la première fois que la mort passe en direct aux nouvelles de 6 h. Depuis l'assassinat de Kennedy et de Oswald, dans les salons nord-américains la mort n'a cessé de hanter le petit écran. Renforçant l'angoisse de l'homme qui voit cette image de lui-même sans cesse menacée, vaincue, les médias se spécialisent aujourd'hui dans la morbidité comme s'il s'agissait de l'ultime nouvelle, l'ultime stimulation culturelle.

La mort prise en flagrant délit comme avec Villeneuve ou prise à retardement devant les hôpitaux ou sur les lieux de l'accident, du crime, du drame, est tellement alléchante qu'on lui consacre des émissions spéciales, des cahiers supplémentaires. Elvis, John Lennon, l'attentat contre Reagan, l'overdose de John Belushi ou même cette tête vacillante disparaissant sous les flots déchaînés du Potomac devant la technologie (hélicoptère) impuissante et inutile, tant d'événements qui font de la mort un spectacle payant, un gros vendeur.

Depuis la crise d'octobre et la mort de Pierre Laporte, le Québec vit la mort des autres (Elvis, Lennon, Steve McQueen) par procuration, sans vraiment y participer. Cette fois cependant, la mort est venue frapper en plein coeur, en plein inconscient collectif.

En même temps les Québécois ont accueilli la nouvelle sans surprise, presque sans émotion. Il fallait s'y attendre. Villeneuve, le nouveau James Dean du Québec, vivait dangereusement. Au fatalisme collectif vient s'ajouter une sorte d'indifférence, de désensibilisation généralisée.

La conscience noyée par une surcharge de morts et de catastrophes électroniques et abstraites finit par être complètement neutralisée. Grâce au miracle de la technologie des communications nous vivons la répétition débridée de nos drames et cauchemars collectifs jusqu'à la plus complète saturation. Le corps de Gilles Villeneuve est devenu samedi un objet volant dont la technologie informatique a pu disposer à sa guise, et que les médias ont manipulé librement. Il suffisait d'appuyer sur un seul bouton pour voir l'événement au ralenti, en accéléré, pour figer l'action, pour saisir l'instant précis de la mort et le purger de toute passion, de toute émotion, de toute réalité.

Après l'événement, après l'image décuplée, répétée, viennent les mots, l'imprimé. Quinze pages dans l'édition de dimanche du *Journal de Montréal*. Douze pages couleurs et noir et blanc dans *Dimanche Matin*. Un petit encadré noir explique aux lecteurs de *Dimanche Matin* : « Vu l'importance de l'accident de Gilles Villeneuve, *Dimanche Matin* a augmenté le nombre d'exemplaires imprimés cette nuit. Il était ainsi impossible d'encarter une carte de bingo dans les copies supplémentaires. Nous nous excusons, mais nous sommes sûrs que nos lecteurs nous pardonneront dans les circonstances. » Le *Journal de Montréal*, pour sa part, titre : « Minute par minute le drame d'une grande famille. » En dessous : « Des tranquillisants pour supporter l'émotion ! » Le surlendemain, le *Journal de Montréal* consacre sa page centrale au cercueil de Villeneuve vu sous toutes ses coutures et tous ses angles. Le cercueil qui sort de l'avion, le cercueil déposé dans le corbillard. Le corbillard aux côtés de l'avion. Et en dernier, une photo de la soute à bagages avec les bagages de la famille et un jeu de voitures miniatures. Plus loin, un journaliste, expliquant que le corps de Villeneuve est sorti avant tout le monde, écrit : « Même dans la mort, il aura été le premier au fil d'arrivée ! »

Nous sommes mercredi, jour de l'enterrement national. Jour J des relations publiques, de la récupération politique et du spectacle publicitaire. Le *Journal de Montréal* a déjà consacré 50 pages à la mémoire du champion. Ce matin, avec ce sinistre gros plan de la mère éplorée, prostrée devant le cercueil ouvert, on dit qu'ils ont été trop loin. La direction du groupe Houston, qui s'occupe de l'organisation et surtout de la diffusion de l'événement, est mécontente. La famille est blessée, dit-on en coulisses. Il est vrai que Séville et Jacques Villeneuve ont ouvert leur salon aux caméras le jour même du drame. Il est vrai que la famille a accepté de vivre son deuil en public parce que Gilles était un homme public, un homme au service du public, un homme au service des publicitaires. Mais trop, c'est trop. Le lendemain, le directeur de l'information du *Journal de Montréal* s'excuse ouvertement. « C'est parce qu'il était notre ami que nous lui avons consacré autant de pages. Dans les moments de tristesse et de deuil, l'affection rend parfois excessif... »

Le cirque atteint son point culminant l'après-midi de l'enterrement. Quelque 400 journalistes, cinq postes de télévision, 10 postes de radio qui commentent seconde par seconde les moindres détails, les moindres déplacements, l'arrivée de la veuve défaillante.

Dans le centre culturel de Berthierville, la population des environs défile presque mécaniquement devant le visage familier mais étrangement crispé de son idole. Ils regardent sans regarder, gênés, indifférents, presque déçus d'avoir attendu si longtemps pour si peu. Deux agents de circulation du service de sécurité Olympique leur répètent : « circulez, circulez, ne vous arrêtez pas devant le corps. » La pièce surchauffée, est encombrée par d'hideuses couronnes mortuaires en pompons rouges et par de gros placards publicitaires fleuris où l'on peut lire « De tes amis du Grand prix Labatt du Canada », « du Groupe Houston », du fleuriste du coin, du concessionnaire Honda, de ton ami de longue date, vendeur de meubles. L'odeur envahissante des chrysanthèmes ne fait qu'accentuer l'absurdité de cette foire de fleuristes. Jacques Villeneuve, les traits tendus, mais l'air imperturbable, boit un coke. Les gardes font des plaisanteries entre eux, le public semble distrait. Les photographes rôdent autour du cercueil comme des vautours, mécontents de la nouvelle interdiction de ce matin. Aucune photo du cercueil, a dit l'organisatrice en chef du Groupe Houston. Une demi-heure plus tard, elle se ravise. Cinq minutes de photo dont une photo avec le député de Berthier. Pendant ce temps-là, le héros invincible, le héros national, n'est plus qu'un mannequin de cire, perdu et tout seul, au fond du centre culturel de Berthierville.

Le cliquetis agaçant des appareils de photo sert de musique de fond à la cérémonie religieuse. Tous les politiciens sont là, cherchant dans la mêlée générale à trouver les sièges qui n'ont pas été réservés. Claude Ryan se retrouve seul et sans siège au milieu de l'allée, Trudeau et Lévesque comme de sages écoliers, au premier rang. Le monde du sport est bien représenté, il ne manque plus que les artistes. Le public n'est pas admis mais on a pensé lui installer un écran géant avec des haut-parleurs stéréo à l'extérieur de l'église. L'idée a été abandonnée en cours de route. La télévision est là de toute façon et diffusera le soir-même la cérémonie. Les caméras s'éterniseront sur le beau visage défait de la veuve, épaulée par le Premier ministre, aussi touchante que Jackie Kennedy ou Yoko Ono. Tandis que le cortège se met en branle dans la cohue, les petits durs de la place font rugir leurs moteurs pour couvrir le bruit des cloches. Le seul témoignage spontané de la journée...

Le cirque tire à sa fin. L'événement, pure création des médias, a déjà sa place toute chaude dans les classeurs de l'histoire du Canada. C'était un grand homme, c'était un héros national. Mais au fait, qu'est-ce qu'un héros national ? « Avec la disparition de l'identité personnelle, l'implication narcissique de chacun dans l'image collective augmentera », écrivait McLuhan lui-même, un héros national. Faut-il mourir pour devenir un héros national ? Doit-on mesurer l'oeuvre et la vie d'un homme au nombre de personnalités qui viennent à son enterrement ? « On aime toujours avoir un héros à produire et un ami à qui le montrer », écrivait George Meredith. Si Gilles Villeneuve avait su qu'il fallait payer ce prix-là pour devenir un héros national, je me demande s'il n'aurait pas, pour la première fois de sa courte vie, refusé le romantisme héroïque... et ralenti.

Le Devoir, *le 15 mai 1982*

Gilles Villeneuve : la mort en direct

On ne voulait pas m'envoyer couvrir l'enterrement de Gilles Villeneuve. On avait besoin d'un texte straight, d'un texte de nouvelles, factuel, froid, objectif. Où ça se déroulait, qui était là, comment ça s'est passé ? J'ai pris la liberté d'y aller quand même et d'écrire malgré tout, par admiration pour Gilles Villeneuve et parce qu'il avait réussi à épanouir son talent dans un milieu peu propice.

J'ai rarement assisté à un spectacle aussi triste, aussi déprimant. En même temps, je n'aurais manqué ça pour rien au monde. Le spectacle était grotesque mais appartenait à ces moments privilégiés, à ces temps forts de l'histoire non écrite des cultures et des masses. Il fallait que j'aille voir de mes propres yeux et que je revienne au journal, autant dire à la raison, raconter la grande récupération, le manque total de respect que nous avons tous pour les héros.

Certains détracteurs ont trouvé cela inutile, de la surenchère. Ceux-là n'ont pas compris l'importance des phénomènes populaires et les rapports meurtriers que les médias entretiennent avec eux.

Jonas qui a 18 ans en 1982

Jeudi matin dans la grande salle laide et grise du Cegep Saint-Laurent, Sylvain S. est arrivé avec un atomiseur de peinture rouge. Les murs ternes et nus le déprimaient. Depuis qu'il a vu les Clash en concert à Verdun, depuis qu'il a compris la signification du mot activisme, depuis qu'il s'est rasé le scalp et qu'il ressemble à Pontiac, Sylvain S. n'est plus le même. Tout le déprime, tout le révolte. Jeudi matin, dans la grande salle laide et grise, il a écrit *Mohawks* en grosses lettres rouges sur les casiers cadenassés. Les étudiants l'ont regardé faire, surpris, ricaneurs, indifférents. Il a continué de barbouiller ses « S » à la grandeur de la salle comme s'il griffait les murs, comme s'il égratignait le vernis du conformisme étudiant.

Un garde de sécurité est venu le prévenir. Sylvain ne l'a pas écouté. Une armée de gardes de sécurité est apparue. Sylvain n'est ni très grand, ni très fort. Il s'est débattu, a donné des coups de pied. On l'a sorti. La police est arrivée. Il ne reviendra pas au cegep avant longtemps...

Midi, dans la grande salle du Cegep Saint-Laurent, Michel est assis sur une table, les pieds ballants, une bouteille de bière à ses côtés. Il trouve que le système est écoeurant. « Pourquoi est-il interdit d'écrire sur les murs ? dit-il. Pourquoi se mettre à dix pour sortir un gars qui pèse rien ? » Michel a 22 ans. Six ans de cegep, quatre changements d'orientation. « Je voulais essayer toutes sortes de choses pour savoir où je m'en allais. Je ne le sais toujours pas. Cette année, j'ai choisi l'assainissement de l'eau. Il paraît qu'il y a des débouchés. Si jamais je décide de me conformer, au moins je ne serai pas dans la rue. » Il se tait un instant, regarde dans le vide, s'allume une cigarette, poursuit : « Le monde ne décide plus rien de nos jours. Les choix sont limités parce que les débouchés sont limités. On ne peut plus aller où on veut, faire ce que l'on aime. On est obligé de rentrer dans le rang. Tout est en place, tout marche, on n'a qu'à suivre le courant, c'est facile, c'est beaucoup plus facile que de décrocher. Ça prend du courage pour décrocher, moi je n'ai pas ce courage-là. »

Quelques bancs plus loin, je rencontre Élise, 18 ans. Elle vient de sortir de sa phase granola, a raccourci ses robes, écoute Jimi Hendrix, étudie les sciences humaines pour être orthopédagogue. Elle se dit indépendante, individualiste, pas vraiment féministe, encore moins militante. Elle me prévient tout de suite : les punks de la grande salle ne sont pas vraiment représentatifs des étudiants. Est-elle représentative, elle ? « Non plus, c'est impossible dans un endroit aussi vaste. Il y a trop de monde, on est tous des petits numéros. Tout le monde est là, mais personne n'est vraiment à sa place. Moi, je vais à mes cours, j'ai hâte d'en finir. Bonjour, bonsoir, c'est tellement grand. »

Une *génération silencieusement lucide,* voilà le terme employé par trois chercheurs au ministère de l'Éducation pour parler de cette génération floue et fuyante des 15-20 ans. Dans le portrait socio-culturel qu'ils entament, se profilent non pas *une* mais *des* jeunesses. L'époque des grands rassemblements collectifs, des communautés idéologiques universelles, des blocs culturels monolithiques est bel et bien révolue. Punk, granola, rocker, étudiants modèles, micro kids, féministes, syndicalistes, scientifiques, sportifs, intellectuels, leur fragmentation semble être à l'image de leurs goûts musicaux, à l'image aussi de cette société ultra-spécialisée, ultra-compartimentée qui les attend. En même temps, on est surpris de les voir intéressés par mille choses à la fois, polyvalents, multidisciplinaires, éclectiques, parfois complètement schizophrènes dans leurs aspirations. Les chercheurs constatent qu'ils continuent certaines traditions, rompent avec d'autres et renouvellent les dernières. La continuité viendrait dans le travail, la rupture dans un nouvel art de vivre qui embrasserait la musique et la drogue, et le renouvellement dans la quête de soi et la recherche de nouvelles éthiques politiques et religieuses. En somme, ils reprennent en silence les idées des aînés et essayent cette fois de vivre avec.

Avant même d'avoir lu le rapport, j'avais cru comprendre que cette génération n'était pas facilement cernable. Les clichés circulent, pourtant, abondamment à son sujet. On les dit déprimés, défaitistes, démobilisés, dépolitisés, abrutis ou encore trop sérieux, trop raisonnables, trop petits-bourgeois. On les accable de tous les maux. On dit que la relève ne sera pas glorieuse. Jugements hâtifs qui ne font que confirmer qu'une génération ne veut pas céder la place à l'autre.

« Absents de la politique, des principales luttes, les jeunes sont vus comme une masse inerte, presque inutile. Et, à force de l'entendre, ils ont presque fini par le croire. Ils ont fini par se dire que l'absence était préférable à l'activité, que la discrétion de leur jeunesse était moins douloureuse qu'une révolte inutile. Car le message est fort : être jeune signifie être incapable. » Lettre amère d'une jeune étudiante qui saisit le triste rapport d'impuissancce que les jeunes entretiennent avec leurs aînés, avec la société.

Depuis quatre jours, je me promène : Brébeuf, Saint-Laurent, Vieux-Montréal et Édouard-Montpetit. Je cherche des points de repère. Le seul auquel je peux me raccrocher est complètement idiot. Les cheveux. Ils ont tous les cheveux ultra-courts, presque en brosse. Les barbes sont passées de mode, les jupes longues et les bottes de travailleurs aussi. Je me dis que je devrais peut-être lâcher les classes privilégiées et aller parmi le vrai monde. Je comprends vite que la classe de 82 est plutôt moyenne. De nos jours, quand on a 18 ans, on va au cegep ou alors on est déjà sur le marché du travail. La variante décrocheurs, chômeurs, voyageurs, existe, mais plusieurs étudiants avouent que tant qu'à être chômeurs ou décrocheurs, aussi bien retourner à l'école.

Il fait plein soleil, coin Sanguinet et Maisonneuve. Les étudiants du Vieux-Montréal sont sortis de leur tanière de béton armé pour en profiter. J'ai rendez-vous avec l'équipe du journal. Précipitée dans les escaliers mobiles, j'enfile des couloirs tristes investis d'anonymat, je dépasse des classes d'électronique où des grilles noires servent de murs. Nulle part des graffitis, des lumières crues au néon. Le local du journal est au soussol. Pas de fenêtres, une atmosphère carcérale. Ils sont une dizaine qui attendent en silence. Étudiants en lettres, graphisme, sciences sociales. Ils ont entre 17 et 23 ans. La conversation démarre lentement mais pourtant s'enligne tout de suite sur l'échec de l'association étudiante.

« Les gens viennent ici pour étudier, pas pour faire de la politique. Les étudiants se méfient. Il y a deux ans, l'association était complètement contrôlée par des marxistes », dit François, 19 ans, qui se présente aux prochaines élections avec le parti Desesperado, un parti pour rire de la politique.

Luce, la seule fille du groupe, enchaîne : « Il faut dire que les exécutifs étudiants ont la mauvaise habitude de se perdre en procédures. Ils passent 25 minutes à tâtillonner sur l'ordre du jour, leur approche est tellement bureaucratique qu'elle fait fuir les étudiants. Souvent l'assemblée est levée faute de quorum. »

« Le militantisme, lance son voisin, c'est du tournage en rond. De toute façon, ces jours-ci, la politique ne vaut pas grand-chose, il vaut mieux être dans l'opposition. »

Logique irréfutable. Les voilà partis, poussés par un tropplein de mécontentement. « Le Vieux, c'est la grosse machine, 7 000 étudiants, c'est-à-dire 3 000 de trop. C'est le cégepéprouvette. Si ça passe ici, ça passera partout, dit Jacques avec un air nouvelle-vague-de-bonne-famille. Les cours sont intéressants mais la vie étudiante est insupportable. On est comme des cannes de conserve sur un escalier roulant. J'ai passé mes premières journées à faire les ascenseurs sans parler à un chat. Le bâtiment est fait pour qu'on y passe et qu'on n'ait pas le goût de rester. Même si on est 7 000, on ne le sent jamais, on est tous dirigés, éparpillés à travers les étages. Montre ta matricule bonhomme et boucle-là. Ça s'appelle diviser pour mieux régner. »

Pourquoi ne faites-vous pas quelque chose si la situation est à ce point pénible? « Quoi? » répondent-ils en choeur. — « Regroupez-vous, organisez-vous! » Ils me regardent, incrédules, prêts à pouffer de rire. « Essaye de dire à 7 000 étudiants d'arrêter d'étudier, dit Luce. On l'a déjà fait pour les prêts et bourses, aujourd'hui on essaye simplement de s'organiser un avenir confortable. C'est vrai qu'on est résignés, c'est vrai aussi qu'on n'a pas de pouvoir, que le système est pas mal plus gros et plus fort que nous. » Un dernier venu enchaîne : « De toute façon la grève c'est du bluff, ça fait partie du système. Notre seule force, c'est qu'on n'est pas payés pour penser et qu'on pense pareil! »

En partant, ils me confient une pile de journaux. J'y découvre un éloquent poème : « C'est le grand vide, le grande bide, ma vie est insipide... »

À Brébeuf, tout est calme. Les couloirs sentent bon la cannelle. Les filles sont habillées comme des cartes de mode, la musique à la radio donne plutôt dans le disco. Le local de l'association étudiante est vitré, les murs y sont décorés d'affiches de James Dean, Marilyn et du poème *Speak White*. Roch, 18 ans, est le trésorier de l'association. Inscrit d'abord en sciences pures, il a changé au bout d'un an pour lettres et communications. Il est entré dans l'association parce qu'il était attiré par l'idée de gérer des budgets. A-t-il des priorités, des projets qui lui tiennent à coeur? Absolument. D'abord le club d'échecs et puis l'égalité de la moyenne cumulative afin de permettre à plus d'étudiants d'entrer à l'université. L'avenir, il n'aime pas trop y penser quoiqu'il projette d'arrêter l'école pendant un an pour voyager. « La politique, ça me décourage, dit-il, surtout avec les candidats qu'on a en ce moment. »

Anne-Marie, 18 ans, rencontrée dans un couloir, raconte sur un ton rêveur qu'elle n'a pas hâte de faire face à la réalité et d'aller se heurter à la dalle froide du marché du travail. « J'ai déjà travaillé et j'ai détesté cela. Je n'aime pas la routine, l'usure du quotidien. J'ai envie d'être dans un milieu où les gens sont mordus de ce qu'ils font, où ils avancent tout le temps. C'est pour cela que je trouve que l'école est stimulante et que j'ai pas hâte d'en sortir. »

Cégep Édouard-Montpetit. Le terrain de stationnement est plein. Le stationnement est également payant. L'année dernière, les étudiants ont vu se dresser sur le terrain les piquets pointus et autoritaires des clôtures. Ils ont compris qu'ils devraient désormais payer leur stationnement. Ils n'ont rien dit. Ils ont continué de voyager en auto, en moto. Lorsqu'il fait beau, le terrain à l'arrière de l'édifice principal ressemble à la remise générale de tous les détaillants de motos de Montréal. Il faut bien se déplacer, disent les étudiants.

Par-delà les kilomètres de couloirs verdâtres, je suis les flèches. Je cherche le café étudiant. Il ressemble à une brasserie. Éclairage tamisé, nappes sur les tables, une vague odeur de hash imprégnée dans les rideaux. « Le cégep c'est un camp de réfugiés », dit Jacques, 19 ans. Cheveux courts, yeux ardents, veste de cuir noir. Il fait partie, avec ses confrères, des punks esthétiques, ceux qui s'habillent punk, endossent l'idéologie, mais se disent incapables de l'incarner parce que le Québec n'est pas vraiment répressif et que toute révolte ne peut qu'y être simulée.

Ce matin, le massacre de Beyrouth éclabousse les journaux. Sont-ils au courant, sont-ils indignés ? « Oui, répondent-ils vaguement, mais on ne peut rien y faire, et puis on ne sait pas quelle est la vérité dans cette histoire-là et comment elle a été déformée par les médias. De toute façon, des dégueulasseries de ce genre, il y en a tous les jours. Des fois, on a l'impression qu'ils nous montrent ça pour nous calmer, pour nous dire, regardez comme ça va mal ailleurs. On ne fait pas confiance aux médias, d'ailleurs on ne fait confiance à personne. »

« Le cégep, ou tu t'en sors ou tu t'en sors pas, dit Jacques sur un ton fébrile. Quand t'en sors pas c'est que t'es complètement dépassé, tu fous tout en l'air, tu passes tes journées en party à boire de la bière et tu te retrouves finalement à la shoppe pour le restant de ta vie. » Un de ses copains lance qu'ils vont peut-être se retrouver à la shoppe de toute façon. Un autre dit qu'il vaut mieux ne rien espérer, comme ça au moins personne n'est déçu. Jacques revient à la charge. Entre Jésus-Christ, Fassbinder et Sid Vicioux, le dernier des purs, il dit que l'ultime lâcheté étudiante c'est de ne pas connaître ses droits. « On ne proteste contre rien, en même temps, on sait que ça ne sert à rien, qu'une révolution vide la place pour installer un autre mensonge, on n'en sort pas. »

Déprimés ? « Oui », disent-ils, avec un sourire moqueur, mordant d'ironie. Ce n'est pas tant leur dépression collective qui se dissipe d'ailleurs dès qu'on arrête de les questionner, que cette conscience profonde qu'ils ont de leur impuissance, de leur soumission, la conviction que tout a été décidé pour eux, avant eux, que les dés sont pipés, que le jeu est piégé, qu'ils paient aujourd'hui pour les libertés de leurs aînés. Défaitistes, disons plutôt hyperréalistes, ne se faisant aucune illusion sur la noblesse de la société, sur la grandeur de la cause politique, sur les véritables possibilités de changement. Coupables aussi, parlant avec romantisme des kamikazes qu'ils ne sont pas. Enfants du lendemain de veille, élevés sur les ruines du système, entre une psychose économique et des pressions sociales de plus en plus lourdes, quels défis leur restent-ils ? En les écoutant parler avec tant de lucidité, on se dit qu'ils ont déjà 40 ans. En les entendant ricaner on se demande, tout à coup, s'ils sont si soumis que ça ou s'il n'y a pas quelque part dans leur casier une bombe à retardement qui va éclater le jour où trop d'entre eux vont comprendre qu'ils sont trop jeunes et trop intelligents pour être des morts-vivants.

Le Devoir, *le 25 septembre 1982*

Jonas qui a 18 ans en 1982

Je ne voulais surtout pas me lancer dans une grande étude sociologique sur les cégépiens de 1982, rencontrer les directeurs de cegep, les associations étudiantes et faire le traditionnel reportage sur la dépolitisation des nouvelles générations et l'impasse de leurs associations. Je voulais m'en remettre volontairement au destin, au hasard de mes rencontres dans les couloirs et les cafés. J'ai peut-être trop rencontré de petits punks et pas assez d'étudiants moyens et modèles. Ce fut une erreur de parcours, mais pas si grave que cela puisque j'avais pris soin auparavant de lire une étude exhaustive du ministère de l'Éducation sur les 15-20 ans avec chiffres, courbes et statistiques à l'appui.

Le texte fut mal reçu, jugé superficiel par les grands esprits rationnels et analytiques qui demandent toujours aux journalistes de pontifier et surtout de tirer des conclusions définitives sur des choses qui ne se définissent pas. Toujours la même vieille querelle entre les anciens et les modernes, entre la raison et l'intuition.

CONCLUSIÒN

Manifeste d'une critique ou pourquoi j'aime mieux être baveuse que plate

Dédié à Plume Latraverse

Les critiques, c'est bien connu, sont des ratés sympathiques, des frustrés, des manipulateurs, des mongols, des misanthropes, des misogynes, des mercenaires, des pognés, des parias, des paranoïaques, des insomniaques, des terroristes, des tortionnaires, des dictateurs, des ambitieux, des arrivistes, des pique-assiette, des trous de cul, des vampires, des vendus. Ils ont l'appétit sanguinaire et la dent incisive. Ils sont toujours prêts à poignarder l'autre quand il a le dos tourné.

Les critiques n'ont pas de principes, pas de morale, pas de grille d'analyse, à peine une septième année. Ils jouissent à l'idée de faire couler le sang, la sueur et les larmes des autres. Ils pointent un doigt accusateur vers ceux qu'ils envient secrètement.

Les critiques n'ont qu'un seul mérite. Ils dépendent des artistes, ils sont moins que rien sans eux. Un jour, l'éclat de leurs ennemis risque de déteindre sur eux. C'est leur seule chance de salut. Car les artistes, c'est bien connu, sont le contraire des critiques. Les artistes sont des poètes, des anges, des porteurs de feu, des allumeurs de flamme, des mobilisateurs de foule, des prophètes. Ils sont beaux, fins, sensibles, intelligents, chantent bien, parlent et dansent encore mieux. Tout ce qu'ils touchent se transforme en or ou en art. Ils ne jouent jamais le jeu du pouvoir. Ce sont de saints innocents immolés sur l'autel des egos enflés.

Il y a des gens qui ont la susceptibilité de l'huître, écrivait un poète. On ne peut y toucher sans qu'ils se contractent. Les artistes sont susceptibles pour d'excellentes raisons. Ils sont vulnérables et insécures. Il faut qu'on les aime à tout prix. Un peu ne suffit pas. Beaucoup, passionnément, inconditionnellement. Il faut qu'on les adore, qu'on les adule, qu'on se mette à genoux, qu'on rampe à leurs pieds. Sans attention , ils fanent comme des fleurs. Ils sombrent dans l'insécurité totale. Ils en perdent les moyens, ils en perdent les pédales. Ils deviennent carrément méchants, prêts à tuer. Dans ces moments de grande panique, artistes et critiques se ressemblent.

L'équation est simple finalement. Ou bien on s'associe aux artistes, ou bien on fait de l'oeil aux critiques. Ou bien on saute à pieds joints dans le grand bateau de la fraternité libidineuse et universelle, ou bien on vogue à la dérive sur son petit radeau de dérision. Ou bien on dit oui, ou bien on dit mais...

Moi, personnellement, j'ai fait le choix il y a très longtemps. Ce choix me fut dicté inconsciemment par mon mauvais caractère et mon enfance malheureuse dans les ghettos sordides de Harlem. Mes parents, des Bolchéviques de la pire espèce, me battaient souvent. Un jour mon père m'envoya revoler dans une poubelle infestée de rats. J'ai juré ce jour-là que je lui revaudrais ça, que je me vengerais sur lui et sur le monde entier.

Hormis ces détails biographiques, j'ai opté pour le côté critique de la vie à cause de Réjean Ducharme. C'est lui qui fait dire à Manon, dans *Les bons débarras*, qu'elle aime mieux être baveuse que plate. Une maudite bonne idée finalement. Tant qu'à ne pas parader sur scène, autant parader ailleurs. Tant qu'à ne pas être artiste, autant être critique.

Entre le suicide et la critique, il n'y a qu'un pas. J'avoue avoir de très fortes tendances suicidaires. J'avoue aussi me méfier de tous ceux qui jouent le jeu des artistes, de tous ceux qui ferment les yeux et font semblant d'aimer la vie éperdument. La vie n'est pas si belle que ça. La vie est laide, plate, imbécile et absurde. L'important finalement, c'est de rester aux aguets, sur ses gardes, l'esprit critique toujours en « stand by », l'esprit artiste au fond du garde-robe. L'important, c'est de maintenir un pouce de distance entre le monde et soi et de ne jamais s'abandonner aux grandes émotions, aux grandes amours et aux grands artistes. Ne jamais se faire avoir en fin de compte.

Quand on se fait avoir, et ça arrive parfois malheureusement, c'est le commencement de la fin. On perd tout sens critique, on nage dans le nirvāna, on patauge au paradis, on barbote dans le liquide amniotique, on se prend pour le ventre de sa mère. On ne fait plus rien. On n'a plus le goût de rien faire. On est Bien. On Aime. On Est. On ressemble à un morceau de néant pogné quelque part dans l'univers. On est au chaud, fonctionnaire, pantouflard, bedonnant. On s'endort, on s'ennuie, on est pire qu'un hiver de force de Réjean Ducharme. On est plate, plate, tellement plate qu'on oublie de tuer le temps. On oublie tout en fait. On oublie qu'on a déjà eu un sens critique, on oublie qu'on vivait dangereusement. Un jour, finalement, on finit par comprendre qu'on est mort sans même avoir eu la chance de se suicider. On en conclut qu'entre les deux, autant être baveuse que plate...

Table des matières

8308